ちくま学芸文庫

眼の神殿

「美術」受容史ノート

北澤憲昭

筑摩書房

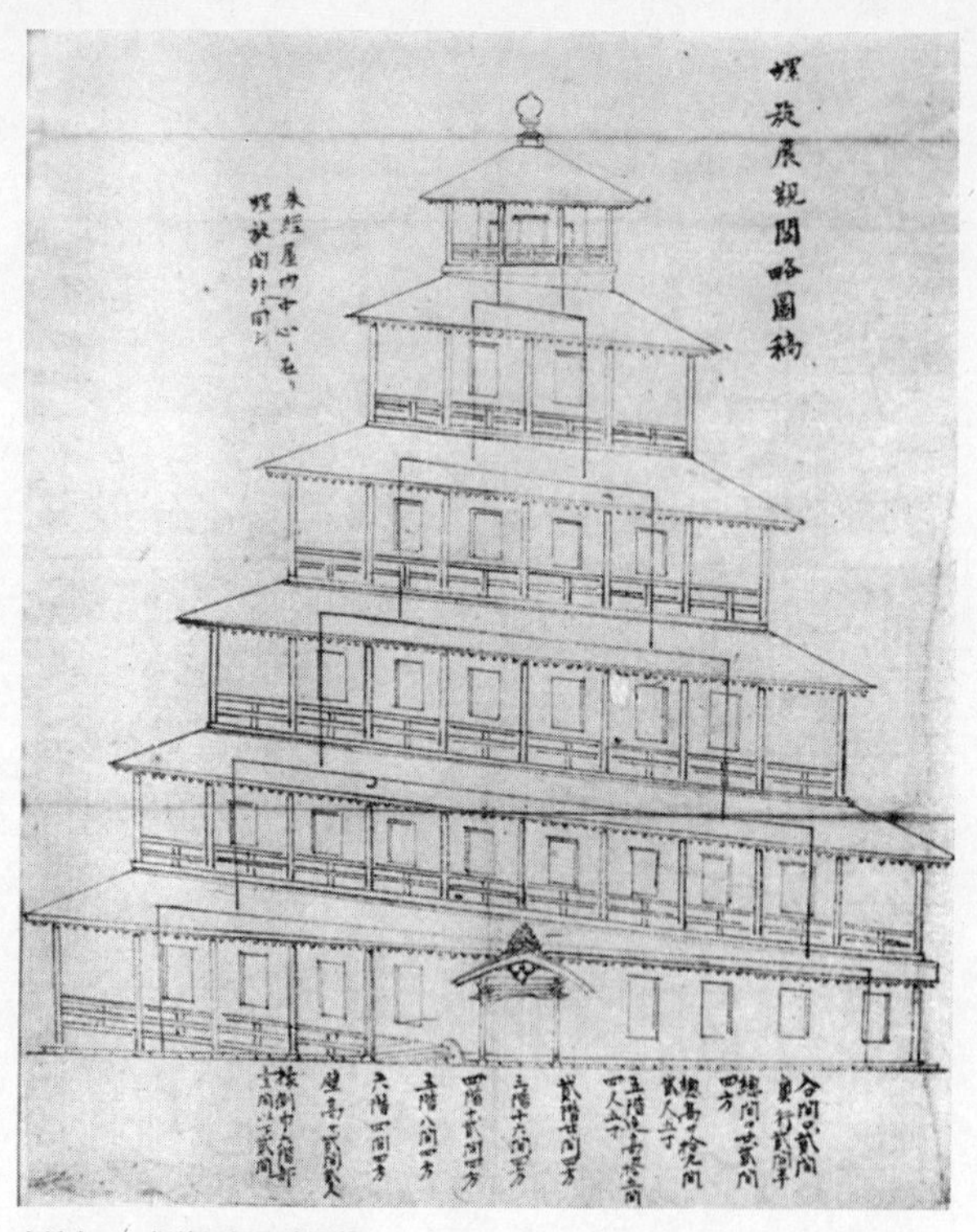

高橋由一　螺旋展観閣略図稿

目次

第2章　「美術」の起源

第3章 「美術」の制度化

眼の神殿

「美術」受容史ノート

【凡例】

・史料からの引用にさいして、読解の便宜のため、句読点と濁点を施し、また、字体を現行のものにあらため、振り仮名を加除するなどの改変を行った。例外については、そのつど注記した。固有名詞は原則として、もとの文字またはそれに近い文字を当てた。

・割書のうち句読点を施す必要のある場合は一行にまとめて山括弧で括った。

・用字用語にかんして疑問の存するものを原文のまま引用した場合は当該箇所の傍らに「(ママ)」としるした。

・絵画作品のタイトルは慣例にしたがって、たとえば《花魁》のように二重山括弧でくくったが、引用文で鉤括弧が用いられている場合は、原文を尊重して、統一を図ることはしなかった。

・頻繁に引用する青木茂編『高橋由一油画史料』(中央公論美術出版、一九八四年)所収の史料については、たとえば(三―一七)のように同書の文書番号を以て引用元を示した。

序章　状況から明治へ

もともと現場の批評からしごとをはじめたわたしが明治美術を問いの対象とするようになってどれほどの時が流れただろう。

その発端となったのは状況だった。

わたしが、批評的な自覚をもっていわゆる現代美術とかかわりはじめた一九七〇年代の半ば頃、現代美術は、絵画という伝来の表現手段を見直すことを時務としていた。絵画をめぐる論議がジャーナリズムを賑わせ、やがて本卦帰りの種々相が画廊街の話題となりはじめ、そのうちに彫刻の見直しまでも行なわれるようになって、批評の語彙は、それまでさかんに用いられていた現代美術‐平面‐立体から、美術(芸術)‐絵画‐彫刻へと切り換えられるようになった。それは、美術の六〇年代を席巻した反芸術的な動向への反動とも、その批評的継承とも受けとりうる動きであったが、ともあれ、ここにおいて現代美術は、時代の尖端と競合する前衛にして美術の一亜種でもあるような在り方から、いわば美術の正統へと回帰しはじめたのであった。いうまでもないことながら、かかる状況下に批評のしごとを開始するには、まず回帰の意義を批評的に了解する必要がある。そこで、わたしは、その作業を現代美術の来し方をかえりみることからはじめた。具体的には、日本前衛美術の胎動のはじまりとされる一九一〇年代後半から、つい足元の七〇年代初めに至るまでの日本前衛美術の動きを美術史的に復習してみたのだが、これが明治美術の方へ眼を向ける最初のきっかけとなったのだった。

ところで、その復習の過程で、わたしは、日本の前衛美術に関して、ふたつの異なる印象を抱いた。

そのひとつは——予想されたとおり——日本の前衛美術が、西洋から輸入供給される新モードによって前進してきたという印象であった。もっとも、前進といっても、一九一〇年代から七〇年代まで、前衛美術が一列に展開してきたというわけではない。その間には、戦争期を挟む大きな切れ目があるし、系もただひとつではない。しかし、おおざっぱにいって、まず、既成の表現の——作品形式にまで及ぶ——破壊的乗り越えを身上とする点、それから、にもかかわらず西洋の前衛美術の成果を破壊も乗り越えもせずにつぎつぎとお手本にしていったという共通性は、日本の前衛美術を前衛美術としてひとまとめに把捉することを可能にすると同時に、その拝外的傾向は、前衛美術を日本近代美術の内に位置づけて捉えることをも可能にする。すでに、さんざん、飽き飽きするほど繰り返し指摘されてきたように、日本近代美術は、明治の初めから、西洋美術の成果をつぎつぎと取り入れることで形成されてきたからである。

要するに、現代美術から美術への回帰の意義を探るつもりが、探究の途上、はからずも回帰が行なわれてしまった(!?)ような次第なのだが、それはさておき、日本近代美術の有りようについて、ここでもう少し突っ込んだ考えを述べておくと、発展ではなく単なる時間の流れを軸としてつぎつぎと各個にエポックを展開してきた日本近代美術史は、バシヨウの偽幹のようなものといえるだろう。葉鞘が巻き重なって偽幹を成すように、西洋伝来のさまざまなイズムやスタイルが空虚な時の流れを巻き抱えるようにして形成してきた日本近代美術の歴史は、偽幹に倣って「偽史」とでも呼ぶべきものなのではないかと思われるのである。

発展の筋道を読み込むことのできない虚ろな時の流れを包み込んでつぎつぎに巻きついてゆく葉鞘は、どれもが決して中枢となることはなく、したがって、それらのあいだに中心を争う決定的な対立が起こることもない。そのような日本近代美術史の有りようは、河合隼雄が「日本の中空均衡モデル」と呼ぶものを思い起こさせる。河合は、相対立するさまざまなちからの中心を中空に保つことで均衡させるような構造として日本文化を捉える視点から、次のように述べているのだ。

わが国が常に外来文化を取り入れ、時にはそれを中心においたかのごとく思わせながら、時がうつるにつれそれは日本化され、中央から離れてゆく。しかもそれは消え去るのではなく、他の多くのものと適切にバランスを取りながら、中心の空性を浮かびあがらせるために存在している。[1]

このような構造は、河合も指摘しているように天皇制の在り方においても見出されるところであるのだが、日本の近代美術は、そして、前衛美術すらもが、このような構造から、どうやら自由ではなさそうなのである。

もっとも、外来文化の取り込みといっても、日本の近代美術や前衛美術が、それぱかりによって進行してきたわけではもちろんない。たとえば、一九二〇年代の前衛美術、いわゆる大正アヴァンギャルドには、関東大震災後の都市化状況や、さまざまな新興メディアとの関係が見出される。しかし、言説を含む当時の動きのなかには、震災後の状況を、第一次世界大戦後のヨーロッパのいわばシミュレーションとしてみていたふしがうかがわれないではないし、大正アヴァンギャルド自体、海外からの情報の流入が加速されたために引き起こされた混乱のなかに醸成された動向とみることもできないではないのだ。つまり、この例にみられるように、日本近代美術の進行には、西洋美術の影や響が、大小、遠近、隠顕、直接間接、深浅などの差こそあれ、一貫して強力に作用しつづけていたと考えられるのである。

そして、西洋美術のこうしたさまざまな影響による一貫性なき展開のパターンの一貫性ということ、これが、日本前衛美術にわたしが抱いたもうひとつの印象であった。

要するに、一貫性のなさという印象と、いささか詭弁めくけれども、一貫性をもたぬという一貫性の印象とを、わたしは、日本前衛美術の来し方に関してもつことになったわけだが、それは、とりもなおさず日本近代美術についての印象でもあるわけで、試みにこのふたつの印象の由来するところを過去へ向かってたどってみると、はたして明治という時代において、わたしはその原型にゆきつくことになったのであった。

もっとも、外来文化の影響による文化的断絶と文化的飛躍という事態は、なにも明治にはじまったことではない。それは古代以来、中国や朝鮮との関係において幾度となく経験してきたことだし、拝外的傾向は、まれびと信仰から了解することもできないではないだろう。ということは、つまり、日本の近代化のきわめて枢要な部分で古代的なものが大きく作用してきたということであり、そのような見方をするとき、明治維新の画期性は、いささか弱々しいものに考えられてこないでもない。しかし、そのように考えるのは、おそらくまちがっている。なぜなら、ここにいう古代的という判断自体が、西洋の衝撃によって明治以後に本格化した近代という時代のなかで下されているのだからである。たとえていえば、ここにいう古代とは、明治維新というピンホールを通して近代という暗箱のなかに映し出される倒立像としての古代なのだ。また、「講座派」史観や最近の社会経済史的研究からすれば、明治維新の画期性は、きわめて弱いものとされるわけだが、しかし、そのような見方にたつとしても、日本の近代化が、黒船以後の打ちつづく西洋ショックのなかで本格化していったということ、そして、西洋化という指標に関していえば、近代化が民族的な規模で行なわれたのは明治維新以後だということは動かぬにちがいない。という次第で、日本近代美術の有りようの原初、いいかえるならば偽幹を成す日本近代美術史の根茎は、明治において見出しうると主張できるわけであり、それゆえに、わたしは日本近代美術への問いを、躊躇することなく、まずは明治へと絞り込んでいったのだった。

さて、西洋の模倣による一貫性なき展開の原初といって、まず単純に思い浮かんでくるのは、明治二〇年代末における明治美術会＝旧派から白馬会＝新派への主導権の移行である。しかし、それ以前にもっと決定的な事例のあることを、われわれは忘れてはなるまい。それは、西洋画が、明治政府の欧化政策と結びつくことで、日本固有の画派を十把ひとからげに圧倒し去ったという史実である。そのことは、この国における美術学校の嚆矢である明治九年（一八七六）開校の工部美術学校が西洋画と西洋彫刻に学科をかぎっていたことに端的なかたちでみとめられるのだけれど、日本近代美術のはじまりにみられるこうした断絶がその後の過程に与えた影響は、はかりしれないものがある。しかも、そこには、工部美術学校の校名にもみえる「美術」という語が、芸術を意味する欧語からの翻訳によって造られたものであるという事情も絡んでいた。というより、明治と前代との決定的な断絶は、この「美術」という概念をめぐって起こされたものであるといっても過言ではないだろう。これからおいおいみていくように絵画や彫刻を「美術」として括ることは明治以前には行なわれていなかったのである。つまり日本近代美術の起点に光を当てることは、とりもなおさず「美術」の起源を照明することでもあるということになるわけだが、さて、こうして関心を「美術」の受容、定着の過程に絞り込んだところで、わたしは意外なことに気づかされることになった。すなわち、美術の内実とは別に、「美術」という概念の展開の過程が、偽史ならぬひとつの歴史を鮮明にかたちづくっているらしいことが、おぼろげながら見えてきたのである。そして、この発見によって、わたしは、イズムやスタイルのめまぐるしい交替劇から、その楽屋ないし舞台の成り立ち（歴史と構造）へと関心を徐々に移してゆくこととなったのだった。イズムやスタイルの交替の歴史的意義を、日本社会の出来事として、まっとうに把握するための座標を、その作業によって得られるのではないかと期待したのである。しかもそれは偽史とみえたものを歴史として把握し直す試みともなるはずであった。

さまざまな意匠の交替劇が展開する舞台装置、あるいは、絵画や彫刻の形成を基本的に定める「美術」の地形（いうまでもなく地形も徐々に変化していく）とでもいうべきものの探究が、かくして、わたしの当面の課題となったのであるが、その際、探究の導き手となってくれたのは明治洋画の先達をつとめた高橋由一が書き残した文書であり、その画業であった。なかでも眼の神殿ともいうべき「螺旋展画閣」の構想は、かずかずの重要な着想を、わたしに与えてくれた。というよりも、わたしは、この楼閣の窓や展望台から美術の地勢を観望し、楼閣の内部を経巡るようにして考えをすすめてきたのだといっても過言ではない。

これから、ここに繰り広げるのは、「美術」受容史探索のノートであり、いうなれば中間報告にすぎない。しかし、報告には機というものがある。巨視的にみれば文明における美術の位置が大きく変わりつつあり、微視的にみれば急速な美術の風化が進行しつつあるかにみえる現在、わたしの拙いノートでも、美術の行く末を考えるひとつのよすがにはなろうかと考え、蛮勇をふるってこれを上梓することにしたのである。

第1章　「螺旋展画閣」構想

1 洋画史の舞台――高橋由一の画業＝事業

高橋由一をさして明治洋画の開拓者というとき、そこにはふたつの意味が含まれている。ひとつは、明治の初期に西洋画法による優れた画業を成しとげたという意味であり、いまひとつは日本における西洋画の普及ないしは社会化にちからを尽くしたという意味である。しかも、このふたつは、開明期を生きた画家にとっては切り離しがたいものとしてあった。由一は、洋画史のドラマが繰り広げられる舞台の設計・施工者であると同時に、つくりかけの舞台で早くも進行しはじめたドラマの出演者でもあったのだ。

もっとも、そうは言っても周知のように西洋画法は明治になって初めて伝えられたわけではない。西洋画法の伝来は、はるか一六世紀に遡る出来事である。そればかりか一八世紀の後半から一九世紀の半ばにかけては、秋田蘭画や司馬江漢の銅版画にみられるような洋風表現が、享保改革以来の洋学解禁の動きのなかでさまざまに花開き、ひとつのエポックを築きもしたのであった。しかし、一六世紀における西洋画法の伝来はイエズス会士によるものであり、そのため、このときもたらされた画法はキリシタン弾圧と鎖国によって正統な後継者をもつことなく途絶えてしまった。また、一八世紀後半から一九世紀半ばにかけてのいわゆる紅毛画にしても、それがそのまま明治以後の洋画につながっていったわけではない。当時の洋風表現はあくまでも「洋風」であって、おおむね和洋折衷への傾きをもっていたからだ。それは、西洋画本来の在り方とは一線を画して捉えられるべきものだったのである。

それではテクネーとしての西洋画法——発想から完成に至る作画の全過程にかかわる媒材、道具、技術の体系、つまりは技術知としての西洋画法の全体的な摂取が、洋風という曖昧な境位を超えるべく試みられるのは、いったいいつの頃からのことであったのか。思うに、それは由一が西洋画法を探究しはじめた幕末、具体的にいえば、幕府の洋学研究機関である蕃書調所に絵図調出役が置かれ、川上冬崖による西洋画の手ほどきが行なわれはじめた頃のことであるのだが、しかし、ここでの試みも結果的には、司馬江漢の試みを大きく超えるものではありえなかったようだ。鎖国下における西洋画法習得の限界は如何ともしがたかったのである。しかも、テクネーとしての西洋画がこの国に定着するには、たんに描く技術としてのテクネーが学ばれ、受容されればよいというわけにはいかなかった。その事由は、由一が日本における油絵の鼻祖とあがめる司馬江漢の『西洋画談』（寛政一一年序文）のなかの次のようなことばに端的に示されている。

西洋の画法は理を究めたれば、之を望み見る者、容易に見るべからず。望視るの法あり。故にや彼国皆額となして掛物とす。仮に望むといへど、画を正面に立置きて、画中に天

地の界あり。是望む処の中心とし、即ち五六尺を去りて看るべし。遠近前後を能分ちて、
真を失なはず。［1］

すなわち、ここに言われるように、西洋画を受容するということは、厳密なことをいえば描く法ばかりか「望視るの法」をも同時に受容するということであり、伝統絵画とは決定的に異質なその絵画をこの国に定着するためには、したがって画法の伝習から鑑賞の在り方にまでわたる絵画体験全体のいわば制度的な変革が必要だったのである。江漢は、この一節の前の方で、西洋画は和漢の絵とはちがい「濃淡を以て陰陽凸凹遠近深浅をなす者」であるとしてその写実性を称揚し、西洋画は「真に実用の技にして治術の具なり」と述べているが、描く法ばかりではなく見る法の変革をも要請する西洋画を「実用の技」として十全に生かすためには、変革を推進する機関や施設が必要となるのはいうまでもないだろう。そして、由一が不惑にして迎えた明治維新という大転換は、西洋画のための制度的変革を行なう絶好の機会であったばかりか、それにつづく「文明開化」の政治過程は西洋画を治術の核心近くに位置づけるはずであった。江漢の裔である由一がこの好機を見逃すはずがない。それゆえ由一は、たんに作画に従事するばかりではなく、西洋画を社会的に活用し定着させていくさまざまな事業にかかずらっていくことになるのである。

たとえば画塾を開いて後進を育成し、油絵の展覧会を開き、油絵展観場を後援し、西洋

画材の製造を指導し、日本で最初に絵画雑誌を発行するなど、その事業は多岐にわたるものであったのだが、これ以外にも施設＝制度に関する企画やアイディアが山ほどあって、『高橋由一油画史料』には、博物館、美術館、美術学校などの設立や改革に関する起案書や願書の類が数多く収められている。由一の企図したこれらの施設＝制度は、由一の企図としてはほとんど実現されずに終わったものの、美術館も、博物館も、美術学校も洋画史の舞台を築く重要な道具立てとなるべきものであった。江戸以前の日本には存在しなかったこれらの制度＝施設は、由一の企図を超え、あるいは由一の思いを脇に置いて、やがてこの国に実現されてゆき、日本近代絵画の成立に大きく関与することになるのである。

つまり、由一にとって絵をつくるということは、そのまま、ひとつの事業だったわけであり、由一のこうした画業＝事業の歩みは明治になってから本格的に開始されるのだが、明治という時代のおよそ半ばを覆うその行程は、西欧語からの翻訳によって造り出された「美術」という語が、日本語として定着してゆく過程とほぼ重なり合ってもいた。しかも、これらふたつの過程は決して別々の事柄ではなかった。すなわち、現在に至るまで多くの

高橋由一　自画像　明治20年(1887) 10月8日

人々に崇敬されつづけてきた「美術」というあの見えざる神殿は、起源も知られぬ遠い過去から聳えていたものではなく、また、決して一朝一夕になったものでもなく、明治という日本近代のはじまりの時期を通じて、洋画史の舞台と共に徐々に築かれていったのである。そして、明治洋画史のドラマも、やがては、この神殿の界域で演じられることになるのであるが、高橋由一は、明治一四年（一八八一）に、美術という名の神殿そのもののような奇妙な建築物の構想を記しとめている。すなわち、「螺旋展画閣」構想がそれである。

2 快楽の園の螺旋建築――「螺旋展画閣」構想

美術館か博物館か

「螺旋展画閣」とは螺旋構造の展画閣、より一般的なことばでいえば螺旋絵画館ということである。その構想はついに実現されることはなかったのだが、『高橋由一油画史料』（以下『油画史料』と略記、また「螺旋展画閣」文書以外の文書は青木茂編『高橋由一油画史料』に付された文書番号を以て示す）に収められている文書と図面によって、その大体を知ることができる。文書、図面共に二種類あって、図面には、それぞれ「螺旋展観閣略図稿」（以下「略図稿」と略記）、「螺旋展画閣略図」（以下「略図」と略記）という題が付されている。文書は「螺旋展画閣創築主意」（以下「創築主意」と略記）、「螺旋展画閣設立主意」（以下「設立主意」と略記）とそれぞれ題され、「創築主意」には「明治十四年五月」という日付がある。このほかに「創築主意」の下書き（三―一七）が残されているが、この下書きは当時の時代状況と「螺旋展画閣」構想とのかかわりを示す重要な問題を孕んでいるので、それについては、のちに改めてふれることにしたい。

「創築主意」と「設立主意」を読みくらべてみると、両文書とも、自然や文化に関する資料を、自作の油絵をメディアとして展覧に供する博物館のようなものの構想を述べ、それ

高橋由一「螺旋展観閣」構造外観 CG
兵庫県立美術館「幻の美術館構想　視覚化プロジェクト」
構造・内外観 CG 制作：大泉和文研究室
基本設計・模型制作：中谷礼仁研究室

が人智の向上に欠くべからざる要件であることを主張して、展画閣造築への助力を要請しており、その要旨にほとんど変わりはない。

しかし表現や結構にはかなりのちがいがある。

表現のちがいでは、「創築主意」が「人智ノ進歩ヲ見、併セテ真画ノ開進、美術ノ保存ヲモ助ク可ク」（傍点引用者）というように展画閣の効用を述べているところを、「設立主

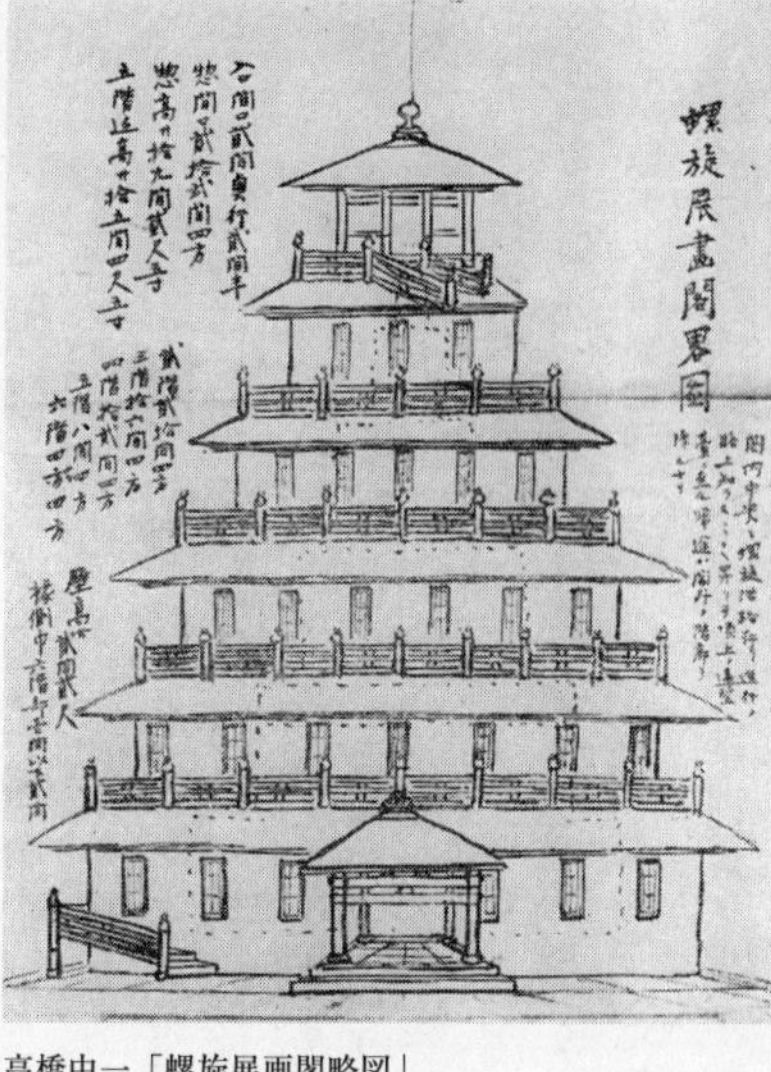

高橋由一「螺旋展画閣略図」

意」では、油絵専門の展画閣を設立公開し「以テ大ニ其美術ノ進歩ヲ我国将来ニ計ラント欲スルノ企有リ」（傍点引用者）と述べているのが注意を引く。「併セテ」と「以テ」というい いまわしのちがいに微妙かつ決定的な意識の差異がうかがわれるわけだが、はたしてどちらに由一の真意があったのか、つまり、「螺旋展画閣」は博物館として構想されたものなのか、「美術ノ進歩」をはかる美術館として構想されたものなのか、それをしかと言いとめるのはむつかしい。由一は「展画閣」という今では耳なれない語を記すのみで、「美術館」とも「博物館」とも書き記してはいない。

次に二種の略図を見くらべてみると、外容にちがいはあるものの、「略図」に書き込まれている「閣内中央ニ螺旋階路在リ進行ノ路上知ラズ〳〵昇リテ頂上ノ遠望台ニ至ル。帰途ハ閣外ノ階廊ヲ降ルナリ」という基本構想に変わりはない。「略図稿」によってこれを補足すれば、観客は閣内の螺旋状回廊を右回りに、絵を見ながら遠望台まで登り、帰りは建物に巻き付くように設けられた別の回廊を、今度は左回りに降りてくるような仕掛になっており、由一は、それについて「設立主意」のなかで「観者ヲシテ右旋左転階路ヲ昇降セシメント欲スル」と記している。この昇降二路を設ける計画は、螺旋構造の美術館として名高いフランク・ロイド・ライト設計のグッゲンハイム美術館（一九五九年竣工）にも見られるところであり、観客を混乱なく円滑に導けるという点で優れたものであるといえるだろう。また、螺旋状の昇降二路を設けるアイディアはバックミンスター・フラーの奇抜な駐車場計画を連想させもする。

外観についていえば「略図」、「略図稿」とも六層、四角錐の木造とおぼしき建物で、間口が二二間（約四〇メートル）四方、高さが一九間二尺五寸（約三五メートル）となっている。つまり一〇階建ての事務所ビルくらいの高さをもつピラミッド、あるいはウラジーミル・タトリンの《第三インターナショナル記念塔》（一九一九年）のようなものを想い浮かべればよいわけだ。各階の規模は二階が二〇間（約三六メートル）四方、三階が一六間（約二九メートル）四方、四階が一二間（約二二メートル）四方、五階が八間（約一四・五メートル）四方であり、その上に四間（約七メートル）四方の遠望台（六階）が載っている。また、壁の高さは二間二尺（約四・二メートル）、入口の間口が二間（約三・六メートル）、展画閣に巻き付く回廊の幅も二間（約三・六メートル）、その延長にあたる遠望台の縁側は

ウラジーミル・タトリン《第三インターナショナル記念塔》模型

一間（約一・八メートル）となっていて、遠望台に載る屋根は方形で宝珠を戴いている。両図とも各階には縦長の大きな窓が穿たれており（「略図」の方には洋風のサッシとおぼしき窓枠まで描き込んである）、絵画の展示場として、当然のことながら採光に意をもちいているが、ここには、明治の建築らしくガラスがはめられることにでもなっていたのであろうか。

「略図」と「略図稿」のあいだには大きなちがいもある。すなわち「略図稿」においては螺旋状のスロープがおのずと階を分かつような仕組みになっているらしいのに対して、「略図」では明確な階別構成になっており、両者をくらべると、「略図稿」の計画の方が「進行ノ路上知ラズ〳〵昇リテ頂上ノ遠望台ニ至ル」という構想にふさわしい。「略図稿」が列柱廊風になっているのに対して「略図」では擬宝珠勾欄が描かれているほか、車寄せの造りもちがっている。それから「略図」では遠望台の欄干が第五層の屋根に突き出すかたちで開いているのも注意を引く。あるいは、由一はここから二重螺旋を展開させるつもりであったのかもしれないが、ともあれ、この点において「略図」は未完成であるとみることができる。

見世物としての展覧会

ところで壁高四メートルというのは、美術館の壁として充分な高さであるが、由一は、そこにどのような展示をするつもりであったのだろうか。これについては、『油画史料』のなかには、まっすぐに伸びるギャラリーの両壁に行儀よく絵を掛け並べたところを描いた図（一―八二）が収められており、また東京藝術大学大学美術館所蔵の写生帖にも西洋のギャラリーの内部を描いた図があって、由一が如何なるイメージを抱いていたかを察することができる。『油画史料』に書き込まれた説明を読むと、ギャラリーの中央に羽目板を立ててその両面に額を掛けるという構想もあったことがわかるし、また、庭に花壇や泉池を設けること、それから磯に面して建つ場合にはバルコニーを設置し「転ジテ図画ヲ臨

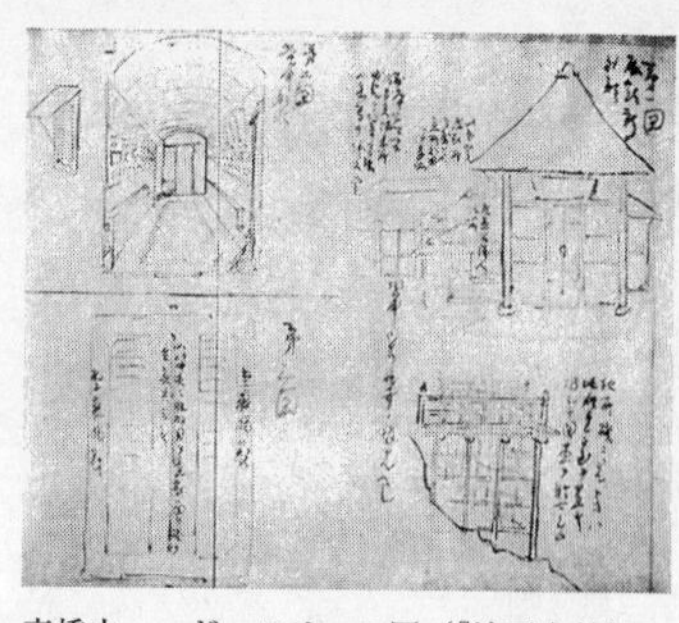

高橋由一　ギャラリーの図（『油画史料』より）

高橋由一　写生帖より　外国美術館之図
東京藝術大学大学美術館蔵

マシム」ようにするという記述があって、展画閣というものに対する由一のイメージを彷彿させる。この庭園を設けるという発想は、勧工場——商店が集まってつくる百貨店形式の名店街のようなもの——の第一号である辰の口の勧工場（明治一一年開業）でも採用されており、時代的な通有性を感じさせる。初田亨はこの辰の口の勧工場について、「立派な庭園をもつ、一種の快楽園をつくることが理想とされていたようである」（『都市の明治』）と述べているが、由一もやはり「快楽園」としての展画閣を想定していたのであろうか。

絵画の展示即売会である画会が、うつくしい庭園で開かれるというようなこともあったようだから、ここは、その延長として捉えるべきかもしれないし、あるいは、ここで「螺旋展画閣」の博物館的な在り方に思いを致しつつ想像をたくましくするならば、寛政年間から文化年間に隆盛を誇った花鳥茶屋——庭園で孔雀や鸚鵡などの珍しい鳥をみせる一種の博物学的見世物のイメージも、「快楽園」という発想に重なっていたのではないか、などと思われてもくるのだけれど、展画閣すなわちピナコテークと見世物を同列に扱う、このようなもの言いには疑問を覚えるむきもあるやもしれない。しかし、由一の時代における油絵の展覧会とは、何よりもまず見世物だったのであり、そのような展覧会の在り方について内田魯庵は明治初年における由一一門のこととして次のように記している。

銀座らしい見世物は油絵であつた。今なら展覧会だが、其の頃は画としてよりはキューリオとして扱はれて見世物の仲間入りをしてゐた。[2]

当時において油絵の展観は「キューリオ」すなわち珍品の見世物であったわけで、一般の反応は、魯庵がこのあとに書いていることばを引けば「活きてるやうだ」とか「ホンモノを置いてあるやうだ」といって感服するといったていのものであったのだ。もっとも、この前後には国沢新九郎や五姓田義松主催の洋画展が開かれているし、由一の息のかかった観虹亭や開誘社などという展示場も開設されているのだが、現在そこかしこで開かれている油画展のような展覧会は、魯庵のことばからも察せられるとおり未だほとんど成立していなかったのである。もうひとつ例を挙げよう。明治七年(一八七四)に五姓田芳柳の一門が浅草の奥山に開業した油絵興業について門人の平木政次は後年次のように回顧している。

その時の有様を申上げますと、先づ場内で口上言ひが、陳列画に付て夫々細かく説明し、先づ第一には筆者の経歴、製作の苦心、更に額画に附き『よくお目を止めて御覧下さい』と巧みに述べ立てるのです。見物人は成程と感心して、『画がものを云ひそうだ(ママ)』とか『今にも動き出しそうだ(ママ)』とか『着物は、ほんものの切れ地だろう(ママ)』とか『実に油

画と云ふものは、不思議な画だ』と口々に驚きの声を発して居りました。［3］

いうなれば一種のパフォーマンスとして展覧会が開かれていたわけだが、博物館的な機能を目指す「螺旋展画閣」であれば、絵解きのようなことが行なわれるのも当然であったといえるだろう。しかも、由一は「設立主意」を次のように書きはじめているのである。

文ノ写ス能ハザル者画有リ能ク之ヲ写シ、画ノ写ス能ハザル者文有リ能ク之ヲ写ス。然ラバ則チ文ト画トハ相待テ存スル者ニシテ、猶ホ車ノ両輪、鳥ノ双翼ニ於ルガゴトキ歟。［4］

見世物としての展覧会ということに関してもうひとつ例を挙げれば、明治九年（一八七六）頃にしたためられた展画閣建設の試案（一―八三）がある。ここで由一は、招魂社すなわち現在の靖国神社のある九段坂かいわいを盛り場として繁栄させるひとつの方策として展画閣（ここでは「額堂」といっている）の建設を考えているのであるが、そこには、神社の絵馬堂や、寺院の開帳の記憶が宿っていたのにちがいない。信仰を目的とするとはいえ、さまざまな宝物や絵や彫像の並ぶ開帳は、見世物的な面を強くもっていたのであったし、絵馬堂については、司馬江漢が自作の油絵を全国各地の寺社に奉納して西洋画の普及に尽くしたという例があり、江漢の裔を自認する由一は、そのことをおそらく意識していたであろうと思われるのだ。

このように由一の時代における油絵の社会的受容について探ってゆくと、展画閣といっても、それを単純に美術館や博物館と同定するわけにはいかないことに思い至らざるをえない。すなわち信仰の場における見世物のにぎわい、いってみればこれが「螺旋展画閣」の基盤だったのである。

しかしながら、「螺旋展画閣」は、この基盤のうえに収まり返っているわけではない。むしろ螺旋を描くそのダイナミックな形姿は、かかる基盤を厭離しようとしているかのようにみえるのだ。

3　水と火の江戸——建設地について

江戸の都市感覚

「螺旋展画閣」の建設地について由一は何も記してはいない。ただし、『油画史料』の幾つかの文書の記述から、由一が展画閣の建設地としてどのような場所を想定していたかを察することはできる。まず第一に、由一は展画閣は都市にあるべきものと考えていたはずである。幾つかの文書において、由一は、西洋の首都に「展額館」(三—一三)、「工芸館」(三—四)などという展画閣と同種の施設があることにふれているからだ。これは、何かあたりまえのことのようでありながら、意外と重要な意味をもっていると思われる。というのは、そもそも美術館や博物館が政治的な中心地としての都市と分かちがたく結びついた存在であるということを、このことは開明期の日本の現実に即して示しているからである。要するに「螺旋展画閣」の立地は文明開化の都である東京に想定されていただろうということだが、東京といっても、その中心地は日本橋近辺のごくかぎられた地域であり、由一はそのかいわいが展画閣の立地として望ましいと考えていたらしい。次に引くのは、画学校と画商と展覧会場を兼ねたような施設の計画書(三—九)の「地所」に関する記述である。これは「螺旋展画閣」計画のはるか以前の明治四年(一八七一)頃に書かれたものであるが、「螺旋展画閣」がどのような場所に建つはずのものであったか、それを想像するよすがにはなるだろう。

> 開店の地は都下繁華の傍にて少しく静閑なる方(かた)に限るべき也。茅場町辺、薬研堀辺、浜町辺を是とす。又格別高尚に開店せんには多く高貴を導く為に、水路に依り風景ある辺鄙の空邸などを修理して開くも可也。[5]

エーメ・アンベール　『幕末日本図絵』より、江戸の日本橋

長谷川堯は『都市回廊——あるいは建築の中世主義』のなかで、スイス連邦政府の外交使節団長として幕末の江戸を訪れたエーメ・アンベールの『幕末日本図絵』から、網目をなす江戸の水路に関する印象深い記述を引きながら、江戸がヴェネツィアにも比すべき「水の都」であったこと、そうして明治の文明開化は陸上交通を発展させることで「陸(おか)の東京」を築き上げ、ついには「数百年にわたる江戸の生活環境を性格づけていた最も基本的な都市構造」である河と運河を忘却の淵に追

込んでしまったことを指摘しているが、先に引いた磯に面するギャラリー計画といい、ここに言われる水路といい、由一の発想には「水の都」江戸の都市感覚をみとめることができるのである。

ところで、由一は、この計画書を書いた年に日本橋浜町に移り住み、町内をしばらく転々としたあと、明治六年(一八七三)に日本橋浜町一丁目に住居を新築して画塾天絵楼(八年から天絵社と称す)を開設し、その三年後には門人と自分の絵を毎月第一日曜日に一般の展観に供することをはじめている。さらに明治一二年(一八七九)には、東京府の認可を受けて画塾を私学・天絵学舎としており、ここにおいて由一は、画学校・画商・展覧会場を兼ねた施設を「都下繁華の傍」に開設するという計画の半ば以上を実現させたのであった。つまり由一は活動拠点として浜町を選んだわけであるが、では、浜町とは、いったいいかなる土地であったかといえば、大川(隅田川)端に開けるこの町は、由一が住居を新築する前年に一丁目から三丁目までを起立したもので、由一が住んだ一丁目の土地は、旧美濃加納藩主長井邸の跡地を分譲したところであった。浜町は、今ふうに言うとウォーターフロントであり、「水の都」に生まれた画家が、この水辺の土地に強く心ひかれたであろうことは想像にかたくない。とはいえ、このことを現在の芸術家たちのイメージから理解しようとすると、とんでもないまちがいをおかしかねない。そのことは、天絵楼周辺にどのような人々が住んでいたかをみればすぐにわかる。次に引くのは、由一の弟子の安藤仲太郎が三宅克己との会話において語った天絵学舎周辺のようすである。

私は高橋さんの所にイソ的（いそうろう——引用者註）で居りました。彼所は名人横町と云つても好い位でして、高橋さんの直隣りに円朝、其から向角に菊五郎が居て、清元の延寿太夫が直ぐ横の所で、僕等の画室の隣の家が都一中でした。一中節の名人で、其で何と云ふのですか昼過ぎになると来る下手糞な奴が有りましてな、実に私は其には困りました。（中略）其から高橋さんの家の裏が芸者屋でした。［6］

まさに「名人横町」であるが、このような芸人のなかに由一は所を得ていたわけであり、こうしたところに、山の手文化にくみする後世のいわゆる芸術家とは異なる意識——画家として自己を社会に位置づける意識のちがいがうかがわれよう（それは、むしろ現在のいわゆるアーティストにちかいというべきかもしれない）。もっとも、「名人横町」に住むことを、由一自身が所を得たというように思っていたかどうかは証明しようもないのだけれど、由一が「名人横町」の環境に、いっそすっきりと収まっていただろうことは、同じ浜町の常盤という料亭における画会の計画にうかがうことができる。

常盤亭というのは、由一が天絵楼を開いたのと同じ頃に開店した梅林を有する料亭で、やがて、これにつづいて浜町一帯には多くの料亭が集まることになるのだが、由一が画塾

一曜斎国輝《第一大区従京橋新橋迄煉瓦石造商家蕃昌貴賤藪沢盛景》国文学研究資料館内国立史料館蔵

を開いて間もない頃、この常盤亭と東両国の中村楼を会場とする画塾開業祝賀の大々的な画会が企画されており、その折の「油画清会興業手続」（三—二六）をみると、「油画の前途を賀する新製の哥舞諸芸」の上演が予定されているほか、常盤亭と中村楼とのあいだに船を用意することになっていた。もっとも書画会に、さまざまな趣向と酒はつきものであったから、このこと自体、取り立てていうほどのことではないものの、さればこそ、由一の時代の画家と現在の画家の社会的な自覚のちがいを思わざるをえないのである。

また船で客を運ぶという発想は、江戸の芝居町が水辺に形成されたことや、見世物などで賑わう江戸の盛り場が橋のたもとの広小路や水辺の聖域周辺に成立していたことを想い起こさせずにはおかない。すなわち、水辺に寄る由一の発想は、由一にとって絵画の展覧とはそもそも何であったのかということをおのずと明かしているようにも思われるのである。陣内秀信は、江戸において盛り場をともなう宗教的な空間が都市外縁の水辺に位置していることを捉えて、日常的空間と非日常的なものとの切り替えが「都市の空間あるいは地理的な分布の上でも表現されているのではないか」（『東京の空間人類学』）と述べているが、水辺に寄る由一の発想は、おそらくこういう意味に解すべきなのである。

もちろん、非日常性ということは、見世物ならぬ現代の美術館にもいえることではあろう。しかしながら、美術館のあの禁欲的な非日常性は、盛り場というより、むしろ盛り場の中核をなす神社や寺院がもつ非日常性にちかいというべきであり、前節で指摘した見世物の場を厭離しようとする「螺旋展画閣」の在り方とは、かかる禁欲への志向にかかわっている。

「螺旋展画閣」構想の禁欲性は、たとえば「創築主意」の「展観（ママ）閣ハ素ヨリ掲列セル真写ノ画図ヲ以テ古今ノ沿革ヲ示シ、人智ヲ進歩セシムルノ良場」などという啓蒙的な一節に垣間見られるのだが、思うに、こうしたイメージは由一が武家＝治者出身の画家であったことに由来するといえるだろう。快楽よりも大義名分を重視する武家的なきまじめさへの傾斜である。もっとも、由一が西洋画法習得をこころざすに至るきっかけを伝える『高橋由一履歴』（以下『履歴』と略す）の有名なくだりは、西洋製の石版画を見た若き日の由一が、その迫真性に驚嘆すると同時に、そこに「一ノ趣味アルコトヲ発見」したと述べており、由一の洋画体験における快楽的なものの存在を示しているのだけれど、しかし、その由一は画学局の壁に掲げた檄文『洋学局（画学局―引用者註）的言』（三―二）にいう「治術ノ一助」としての西洋画という見方から決して自由ではなかったのだ。幕末維新史

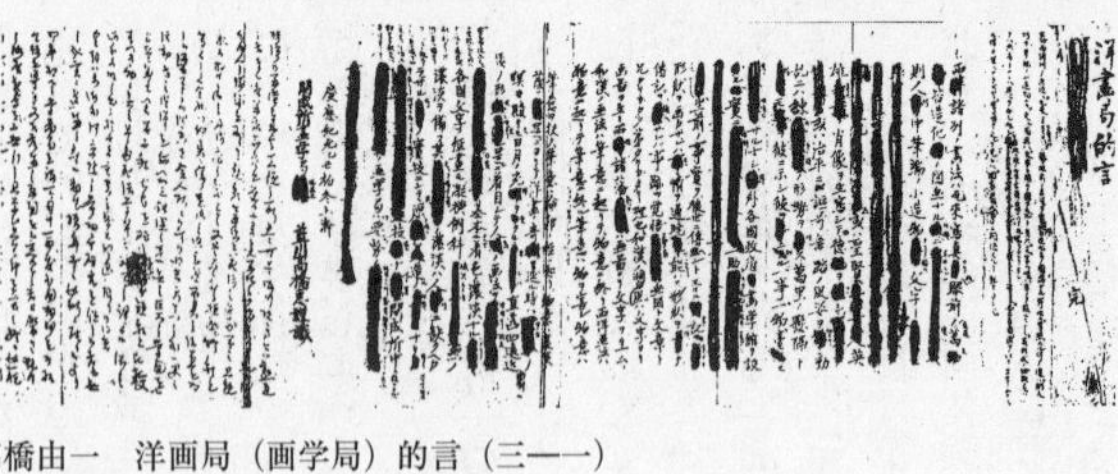

高橋由一　洋画局（画学局）的言（三一一）

をひもとけばあきらかなように開国、維新、開明というコースを切り開いたのはこうした武家的なきまじめさであり、由一の開化は絵画において行なわれたのであった。

東京防火令

「螺旋展画閣」の建設地に関して指摘しておかねばならない重要なことがもうひとつある。「螺旋展画閣」構想の成った明治一四年（一八八一）が「東京防火令」の発布された年にあたるということである。「螺旋展画閣」構想の成ったのが五月、防火令の発布はその三カ月前のことであるから、もし「螺旋展画閣」が実現されていたとしたら、場合によっては、防火令の規制を受けることになったはずなのだ。場合によってというのは、もちろん防火令の実施される東京の中心地域にそれを建設する場合ということにほかならない。

江戸のライフスタイルにしっかりと組込まれ、建設業の需要を絶えずつくりだす重要な経済要因ですらあった江戸の火事を制圧することは、東京の近代化のとばくちで為政者たちに課された難題中の難題であり、東京防火令の実施はその難題に対する決定打ともいうべき画期的な出来事であった。清親の錦絵でも有名な一四年の大火の直後に発布されたこの防火令は、しつこく繰り返し襲いかかってくる火事の先まわりをして耐火性の強い町並みを実現するという実に大掛かりな計画だったのであり、その内容は、路線防火制と屋上制限制からなっていた。まず路線防火制では、日本橋はじめ東京の中心地域の幹線道路七本と主要な運河一六本を指定したうえで、それらに面する家屋は煉瓦造り、石造り、土蔵造りの三種にかぎり、しかも、その出入口と窓は土戸か銅、鉄などの不燃性の材料をもちいることが命ぜられた。また、屋上制限制——すなわち、火事の際には降りそそぐ火の粉を受けることになる屋根に対する制限——においては、日本橋・京橋・神田・麹町の四区の一部地域を除く一帯の家屋に対し、瓦、金属など不燃性の材料で屋根を葺くことが義務づけられたのであった。防火令は、これに従わぬ家屋は取り壊しを命ずるという厳しいものであり、もし「螺旋展画閣」が、その該当地域に建設されたとすれば、当然、その規制を受けることになったわけで、そこから逆に、「螺旋展画閣」の姿を想像するよすがを得ることもできるわけである。

こうして「螺旋展画閣」は江戸の水と火の影響を受けつつ、現実に姿をあらわすはずであったのだが、実際に建設のはこびとなれば、防火令のほかにも、劇場や見世物小屋に準ずるさまざまな制限を課せられることになったのにちがいない。しかし、それはともかく、この三五メートルを超す六層の木造とおぼしき展画閣は実際に当時の技術によって建造可能だったのだろうか。構造の詳細も材料もわからぬ以上、断言はできないものの、姫路城の五層六階の天守閣が三一・五メートルあることを考えると、城郭建築の技術を以てすれば、あるいは、これくらいの建物を建てることは可能であったかもしれないとは思う。「螺旋展画閣」は、「閣」と名乗るとおり、天守や櫓などの城廓建築と同じ楼閣建築の流れを汲む建築構想なのである。

由一は「螺旋展画閣」と同種の施設の計画書において「堂の製造、和と洋とを混交すべし」(三一九)とか、外国人も来るのだから「折衷の御造営」(三一一三)がよいのではないかなどと記しているが、「螺旋展画閣」のスタイルは和洋折衷というより、むしろ、いっそすっきりと江戸時代以前の楼閣建築の流れに収まっているというべきだろう。

4 武家の美術——江戸的なものと近代

作画意識の伝統と近代

このようにみてくると「螺旋展画閣」に関する由一の発想の多くが、江戸以前の伝統にもとづくものであったらしいことがわかってくる。建設地を水辺や神社の境内にもとめる発想がそうだし、武家的なきまじめさということもそうである。建築様式も、私見によれば楼閣建築の流れを汲むものであった。しかも、興味深いことにこれと同様の指摘は由一の作画についても行なうことができる。たとえば、柳の枝が前景にそよぐ明治一三年（一八八〇）の《不忍池》や、雪の隅田川を描いた明治一〇年頃の作と推定される《雪景》などは江戸以来の名所絵的な作画意識が濃厚なものであるし、《巻布》（明治六—九年）や有名な東京藝大の《鮭》（明治一〇年）にしても、モチーフとしてはすでに江戸時代において登場しているのだ。

それでは、明治洋画のパイオニアとは名ばかりで、由一は結局のところ伝統的な画人にすぎなかったのかといえばもちろんそうではない。名所絵的な作画意識を引きずりながらも、自然を客体としてありのままに見つめる西洋的な意味での風景画の眼を感じさせるしごとを由一が行なっているのは事実であり、その例は東北新名所とも称すべき東北の新道

高橋由一《不忍池》明治13年（1880）
愛知県美術館蔵

高橋由一《雪景》明治９～10年（1876～77）頃
東京国立博物館蔵

風景を描いたいわゆる後期風景画の代表作に見出される。このしごとについては、再び立ち返って論じることになるだろうが、ここにおいて、由一は伝統から大きく一歩を踏みだしているのだ。伝統的な画題には見出せない死んだ鴨をモチーフにした《鴨図》（明治一〇年）など静物画＝nature morteを描いてもいるし、《豆腐》（明治九―一〇年頃）の迫真性は、伝統的なテクネーからは決して出てこないものであった。

このように由一の作画には、伝統的なものと、そこから頭をもたげてくる新しい絵画の相とが、ふたつながらみとめられるわけだが、そもそも西洋的な写実画法の探究は、絵画

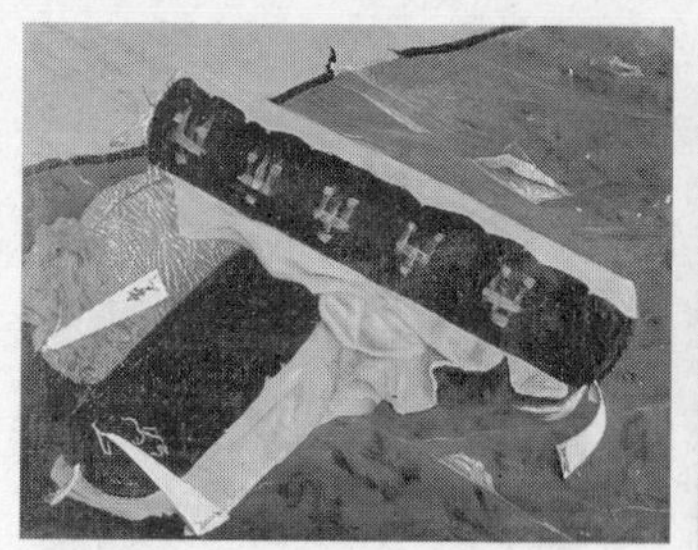

高橋由一《巻布》明治 6 ～ 9 年（1873～76）頃　香川・金刀比羅宮

高橋由一《鴨図》明治10年（1877）　山口県立美術館蔵

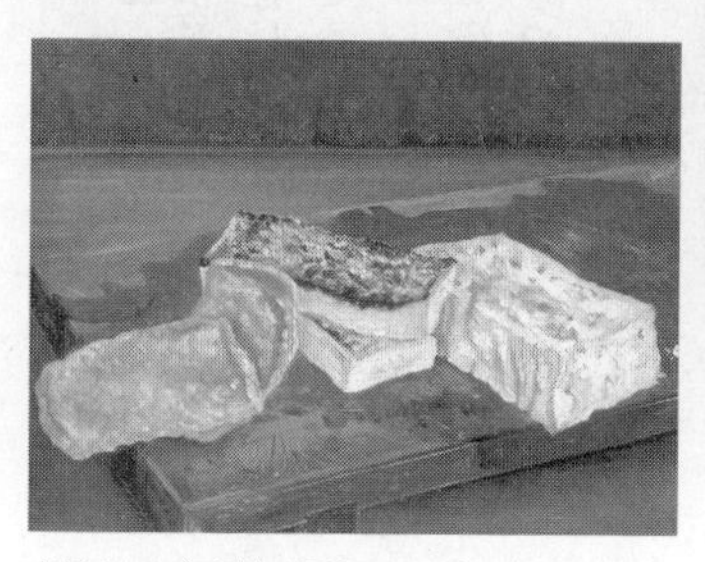

高橋由一《豆腐》明治 9 ～10年（1876～77）頃　香川・金刀比羅宮

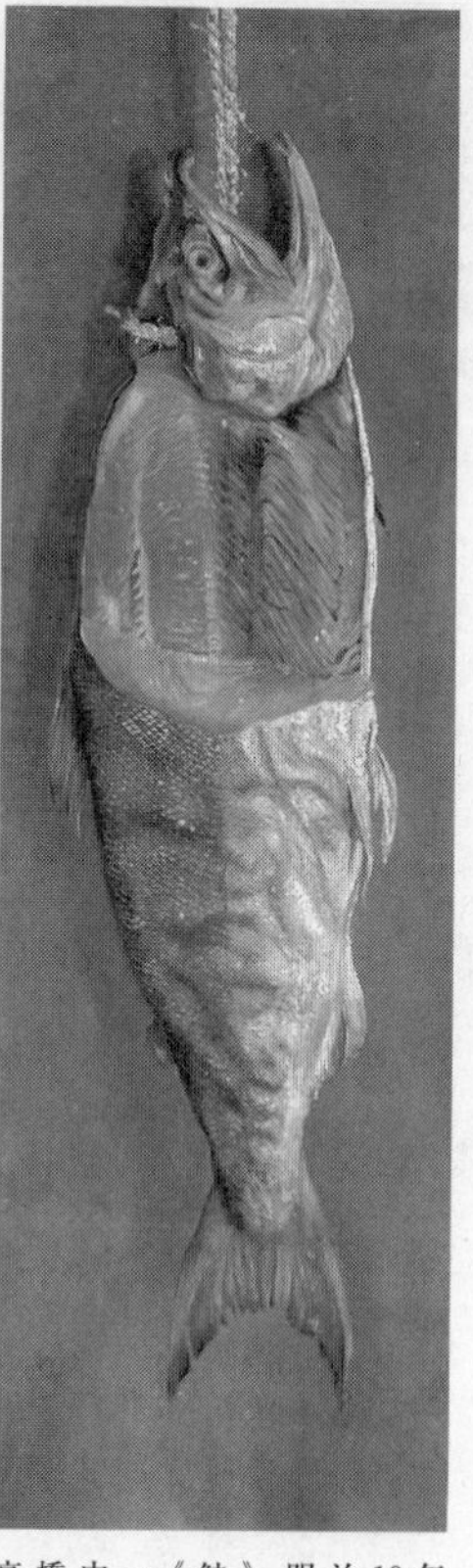

高橋由一《鮭》明治 10 年（1877）
東京藝術大学大学美術館蔵

を「実用の技」（司馬江漢）とみる発想によるものであった。つまり、このようなしごとの在り方は、江戸的な発想に多くを負う「螺旋展画閣」構想が、それにもかかわらず、きまじめな啓蒙性によって、江戸以来の見世物に通ずる在り方に対する否定の姿勢をみせているのと同断であるといえるわけで、ここにも武家的な開明性による江戸的なものの否定が見出されるのである。

武家的なものの開明性による江戸的なるものの否定とは、いいかえれば江戸以来の発想による、江戸以来の発想の否定ということになるわけだが、このように考えると、西洋化による伝統の否定などという単純な図式で割り切ることのできぬ近代化の位相がにわかに浮き上がってくるだろう。

土蔵造りの町

しかし、これは、何も由一のこととして取り立てていうほどのことではあるまい。このような事例は、たとえば、明治一四年の東京防火令で、中心街の建物が煉瓦造り、石造り、土蔵造りにかぎられた結果、東京の中心部に土蔵造りの町並みが出現したという史実にも見出すことができる。土蔵造りは江戸時代から町家形式の最上のものとして奨励されてきたものであり、東京防火令の施行に際してその土蔵造りが、最も広く用いられたのであるが、そのことは、藤森照信の『明治の東京計画』のことばを借りれば、火事という「江戸

土蔵造りの町並み

の宿痾を克服する課題が、ほかならぬ江戸の方法で果たされた」ということなのである。藤森照信は、その事由を、明治一〇年代という時代が、新旧のちょうど「谷間の時代」であったということに見出しているが、それは、そっくりそのまま「螺旋展画閣」をめぐる状況でもあった。見世物は厭離されるべく、しかも、展覧会というものは未だに確立されていない、そういう「谷間の時代」に「螺旋展画閣」は構想されたのである。

また、武家的なるものと近代ということに関しては、E・H・ノーマンが、日本の近代化を推しすすめた武士階級出身の指導者たちが西洋軍事科学の優越性をみとめて、西洋諸国の工業技術と必要な諸制度を戦略的発想からすすんで採用することとなり、そのことが、いちはやく日本の近代化を推しすすめることになったと述べていることも、「螺旋展画閣」構想を成り立たせている精神の在り方を考えるうえで参考になろう（『日本における近代国家の成立』）。ここにいわれる武断的な技術主義は、その後ながく日本の近代を規定し、由一が「螺旋展画閣」建設の目的として挙げた「美術ノ進歩」――明治の日本が西洋から移植した「美術」概念の受容過程にも影を投げかけることになるのである。

展画閣建設運動

「略図稿」に描かれたネジの先端のような「螺旋展画閣」の姿には、近代の誕生を宣するがごときダイナミズムが感じられる。日本の近代化を推しすすめたのが武家的なるもののちからであったという観点に立てば、このダイナミズムも同じ所に由来をもとめることができる。とはいえ、このダイナミズムは、武家的なるものを云々するだけで説明できるものではあるまい。ここには、もっと根源的なちからがはたらいている。そこで次節以下において、「螺旋展画閣」の形象的な影響源を探る試みのなかから、その姿がもつダイナミズムの根源をあきらかにしてみようと思うのだが、そこに考えをすすめる前に、「螺旋展画閣」構想を、由一は、如何にして実現しようとしていたのかという点について瞥見しておくことにしたい。

『油画史料』には、「洋画拡張」の一念に発する夥しい数の建白書、願書、企画書のたぐいが収められている。「洋画拡張」とは、つまり、西洋画を日本に定着させる事業を推進し、美術館、美術学校など西洋画をめぐる諸制度を確立する事業のことであったわけだが、みずから「赤手空拳」(「創築主意」)というように特に資産や権力があったわけではない由一としては、それを実現するために資産家、有力者、国家、皇室等に頼らざるをえなかった。

「螺旋展画閣」の場合も例外ではない。ただし、その実態については、未だ調査が行き届いていない。文書に「有力者」(「設立主意」)や「高貴家」(「創築主意」)の援助、または「公議」にもとづく「特典」(同前)を当てにするくだりがあり、由一がどのあたりに狙いをつけていたか、おおよその察しはつくものの、由一が建設のために行なったはたらきかけの実態については、残念ながらわからないことだらけなのだ。ただし、全く史料がないというわけでもなく、たとえば、次のような興味深い事例も知られている。明治一四年(一八八一)、すなわち「螺旋展画閣」構想の成った年に、由一は当時山形県令であった三島通庸の依頼で東北地方に赴き、同地において制作を行なっているのだが、その折に「創築主意」とほぼ同じ文章が一四年一〇月二五・二六日付の『東北毎日新聞』に掲載されているのである。

三島通庸といえば福島事件(明治一五年)で知られるように自由民権運動弾圧の急先鋒であり、山形県令であったこの当時、すでに圧政家として知られていた。このような三島に招かれた画家が東北でどのような立場にあったのか、人々の心の奥はともかくとして、新聞は東京からやってきた高名な画家のことをあれこれと報道したようである。また由一は三島のほかに宮城県令の松平正直からも注文を受け、「創築主意」が新聞に掲載された

高橋由一《桜花図》明治12年（1879）頃
香川・金刀比羅宮

頃まで仙台に逗留していたのであるが、仙台における由一の名声はさほどでもなかったらしく、由一は息子の源吉に宛てた手紙に「此方名声も当地には、新聞読みの外一向何人たるを知らず、一々講釈せねば分らず意外なり」と記している（青木茂『油絵初学』による）。この前年の宮城博覧会に《桜花図》を出品して一等賞牌を受けていることもあって、由一としては、かつての伊達六二万石の城下町に期するところがあったのであろうか。

もっとも由一が訪れた頃の仙台は不景気に沈んでいたのだが、時しも宮城県では、野蒜（のびる）に洋式港湾を建設する大工事が進行しつつあり、東北開発における海上輸送の拠点となるはずのこの港湾建設によって将来の活気を予想させるものがあった。由一と同じ年の同じ時期に仙台を訪れた若き日の原敬は、同年の『郵便報知新聞』に連載した「海内周遊日記」に「元来此県の首府たる仙台は往時にありても隠然奥羽の中心たるべき地勢あり、殊に近来に及んでは益々其地位を占め通運の便を謀るも此地を以て中心となし、政事の道を講ずるも此地を以て中心となし、殆んど奥羽七国の牛耳を執る傾きあり。況（いわ）んや野蒜の築港も将さに成功せんとし、東北の鉄路も漸く着手せんとするに於てをや」と記している。「東北の鉄路」とは、この年の八月に東京―青森間の鉄道敷設認可を得て日本鉄道が発足したことをさすのだが、これが、明治二〇年（一八八七）一二月、仙台を経て塩竈までの営業を開始する東北本線であり、それは当初、野蒜まで達する予定になっていたのであった。

新聞に「螺旋展画閣」構想を発表するというのは、やはり、何か期するところがあったのであろう。あるいは、東京ではなく東北の杜の都に由一は展画閣の立地をもとめようとしたのでもあろうか。結局のところ野蒜築港は日ならずして失敗に終わり、これ以後、東北開発は取り残されてゆくことになるのだけれど。

5 螺旋建築の系譜――影響源【一】

さざえ堂

一般に力動感や立体的な構築性にとぼしいとされる日本建築のなかにあって、「略図稿」にみられるような螺旋状建築の構想は特異なものといえる。ただし、井上充夫によると「旋回する行動空間」は、近世建築の特色に数えられるものであるということだし（『日本建築の空間』）、由一の構想にさきだつ螺旋建築の例も存在する。楼閣建築の先例、たとえば飛雲閣にも螺旋状に展開する空間のダイナミズムがみとめられるし、そうした空間を実体的に展開した例としては「さざえ堂」なるものが知られており、青木茂は「螺旋展画閣」の建築構想はこのさざえ堂にヒントを得たものではないかと指摘している（『高橋由一』）。

さざえ堂とは「右繞三匝（礼拝対象の周囲を右回りに三たび匝る）」という仏教の礼法にもとづいて即席に観音巡礼を行なうための仏堂で、正式には「三匝堂」という。螺旋状の回廊に沿って観音像を配し、さざえの殻の内部を昇っていくように右回りにまわって三巡りすると観音札所巡りを終えたことになるような仕掛になっているのである。三匝堂がつくられるようになるのは一八世紀末からのことであるが、そこには、近世的なからくり趣味と中世（平安時代末期）以来の歴史をもつ観音巡礼とが結びついた奇妙なおもしろさがある。

現存するさざえ堂としては、会津若松市の飯盛山にある二重螺旋構造の旧正宗寺円通三匝堂（寛政八年建立）と群馬県太田市の曹源寺観音堂（寛政一〇年建立）がよく知られているが、同じさざえ堂といっても両者のあいだには大きなちがいがある。前者が、平面が六角形の塔状の建築物で螺旋構造を姿として外部にあらわしているのに対して、後者は、平面が方形の単純な二階造りのような外観で、外から見ただけでは螺旋構造をもつとはわからない。曹源寺の観音堂は、内部に踏み込むと階段とスロープを用いて三階に分かたれており、外観と打って変わって、からくりめいた奇妙な螺旋空間が展開しているのである。会津のものは、二重螺旋をなす回廊はすべてスロープを用いており、巡拝者は、右回りに螺旋回廊を昇り、最上部で左転して、今度は左回りに螺旋回廊を降りるようになっていて、

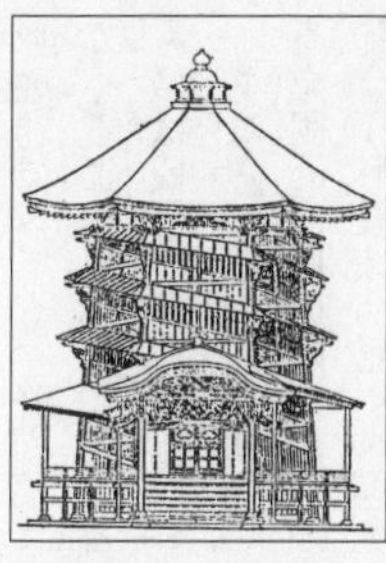

旧正宗寺円通三匝堂の立面図

曹源寺栄螺堂（三匝堂）

形態的にみても「略図稿」に似ているし、スロープによって右回りに昇って左回りに降りてくるようになっているところも由一の構想と重なる。しかしながら、両者の関係を示すものは残念ながら何もない。

ちなみに白虎隊の墳墓の地である飯盛山に建つ円通三匝堂には、かつてフランス軍装に身を固めた白虎隊士の像が祀られていたというが、これは、カール・ケレーニイが、螺旋という形象は「死すべきものとしての人間の、その漸進的な死を超出する生命の継続を意味するのだ」(種村季弘・藤川芳朗訳『迷宮と神話』)と述べているのを思い出させて興味深い。けだし螺旋の秘義をあかす興味深い事例というべきだろう。

以上ざっとさざえ堂についてみてきたわけだが、さざえ堂に関しては、つとに小林文次による優れた研究「羅漢寺三匝堂考」(一九六六年)があり、さらに踏み込んだ考察を行なうための手掛りを与えてくれる。以下、小林論文によりつつ「螺旋展画閣」とさざえ堂のかかわりに探りをいれてゆくことにしたい。

五百羅漢寺の三匝堂

螺旋状の建築物としては、古代メソポタミアのジグラットや、サマラのミナレットが知られているが、「略図稿」にみられるように、建築のモチーフとしてスロープを用いることは、そもそも古代オリエントにはじまるらしく、それが西欧や東洋にどのようにして伝えられたかは定かではないものの、そこにはイスラム建築の波及と西欧のルネッサンス建築の系統が考えられるという。螺旋階段を使用した古い建築例としては、ヴァチカンのベルベデーレやファルネーゼ宮などが知られている。二重螺旋の階段を用いた例としては、オルヴィエートの聖パトリツィオの井戸や、シャンボール城の中心階段などが挙げられ、シャンボール城の階段の設計者に擬せられるレオナルド・ダ・ヴィンチは二重螺旋のスケッチを残している。

日本に関していえば、佐竹曙山のスケッチ帖にジョゼフ・モクソンの『実用透視画法』（一六七〇年刊）の第三五図の写しである二重螺旋階段の図があり、曙山の時代すなわち一八世紀末には、二重螺旋構造が日本において知られていたことがわかるものの、それと会津の三匝堂のあいだに何らかの関係があったかどうか、両者の直接的な関係を証するものは何もない。

モクソンの本にある「二重螺旋階段の図」

それはさておき、さざえ堂で創建年代の最も古いものは、かつて本所五ツ目にあった、松雲元慶の五百羅漢で有名な天恩山五百羅漢寺のものであり、同寺を中興した象先和尚のアイディアにもとづいて安永九年（一七八〇）に建立された。

安藤広重《名所江戸百景・五百羅漢さざゐ堂》都立中央図書館蔵

北尾重政《本所五ツ目五百羅漢寺栄螺堂之図》都立中央図書館蔵

この三匝堂は、明治七、八年頃に排仏棄釈のあおりをくらって取り壊されてしまうのだが、広重、重政はじめ多くの絵師たちが江戸名所としてその面影を描きとめており、往時をしのぶことができる。それらによると羅漢寺の三匝堂は重層方形の建築物で、外から見ただけでは螺旋構造とはわからない曹源寺式のものであり、露盤宝珠をのせた方形屋根を載く上層には縁を廻して見晴らし台を設けていた。ただし、二階建てとみえて、その実、内部は曹源寺の場合と同じく階段とスロープを以て三層に分かたれていたという。

堂内に安置されていた観音像は、『江戸名所図会』によると秩父三十四観音（下繞）、板東三十三観音（中繞）、西国三十三観音（上繞）の計一〇〇体であった。これらの観音像には名匠の作が多く、修業時代に足繁くこの三匝堂を訪れたという高村光雲は、後年、「五百羅漢、百観音は、いずれも元禄以降の作であって、古代の彫刻を研究するには不適当であったが、兎に角、その時代の名匠良工の作風によって、いろいろ見学の功を積むには、江戸で此寺に越した場所はありませんでした」(『木彫七十年』)と回想している。羅漢寺三匝堂は松雲元慶の五百羅漢を安置する同寺の羅漢堂と共に、いうなれば彫刻美術館であったわけだが、同寺には、八代将軍徳川吉宗から寄進されたウイレム・ファン・ロイエン(W. Van Royen)の油絵《花鳥図》(一七二五年)が蔵されてもいた。

由一は、現在知られているかぎりでは、この羅漢寺三匝堂について何も記してはいないが、しかし、由一は江戸生まれの江戸育ちであるうえに、明治四年(一八七一)には民部省寺院寮に奉職し、しかも同年に羅漢寺三匝堂のあった本所に居を構えている。とすれば、江戸名所でもあった羅漢寺を由一が訪れなかったとはどうしても考えにくいということになるだろう。また、西洋画の魅力にとりつかれた由一が、ファン・ロイエンの油絵を見に羅漢寺を訪れただろうと想像するのは自然である。とはいえ、『甲子夜話』巻七九によると、この絵は文政末期までは、かなりの破損を受けながらも伝存していたことがわかるものの、その後この絵がどうなったかはわからない。文政一一年(一八二八)に生まれた由一は、はたしてその絵を見たかどうか。『履歴』にも出てこないところをみると、やはり見なかった可能性が大きいというべきだろう。

しかし、いずれにせよ、由一が羅漢寺三匝堂をよく知っていただろうことは疑いようの

エーメ・アンベール『幕末日本図絵』より、五百羅漢寺の内部

ないことであり、もし「螺旋展画閣」の建築構想にさざえ堂が影を落としているとすれば、それはこの羅漢寺三匝堂であったに相違なく、実際のところ、両者のあいだには、螺旋構造であるという以外に、宝珠を戴く方形屋根をもつ、擬宝珠勾欄をもつ（ただし「略図」のみ）、遠望台を設ける等の共通点がみとめられるのだ。「略図」に「進行ノ路上知ラズ〳〵昇リテ頂上ノ遠望台ニ至ル」と記したとき、由一の念頭には、『江戸名所図絵』の「右繞三匝にして、おぼえず三階の高楼に登る事を得はべり」という記述が、あるいはあったかもしれないのである。

谷文晁　ファン・ロイエン筆《花鳥図》模写

6 未遂の博覧会計画——影響源【二】

「螺旋展画閣」のオリジン

これまでみてきたように「螺旋展画閣」構想にさざえ堂が影を落としていた可能性はかなり高い。だが、たとえそうだとしても「螺旋展画閣」構想の影響源をさざえ堂に限定するいわれはない。「螺旋展画閣」の図面には、むしろ、さまざまな影と響が交錯しているように思われる。

もっとも、さらに博捜すれば、たとえば由一が慶応三年（一八六七）に渡航した上海周辺の塔などに、あるいは決定的なオリジンを見出すことができるかもしれないのだけれど、しかし、ここでの関心の中心はオリジン捜しそのこと自体にあるのではない。「螺旋展画閣」構想と共通性をもつ事例や発想を、由一が生きた時代、由一が棲んだ世界の周辺に捜しだすことによって、「螺旋展画閣」構想をその時代、その世界に定位すること、ここに関心の中心はあるのだ。様式上の源泉やオリジンを探るとしても、その目的は、由一をして、それを選ばしめた心意を把握し、かかる心意を成り立たせていた関係の糸をたどることと、換言すれば表現としての「螺旋展画閣」構想をさまざまな角度から考えてみることにこそあるのである。

亜欧堂田善《ゼルマニア廓中之図》文化6年（1809）
神戸市立博物館蔵

工部大学校内部
明治10年（1877）

という次第で由一の周辺に眼をこらしてみると、たとえばド・ボアンヴィルの設計にかかる工部大学校講堂のうつくしい螺旋階段（明治一〇年）や、亜欧堂田善の《ゼルマニア廓中之図》（文化六年）の画面奥に見える螺旋状の塔やその陰にある建物の姿などが想い浮かんでくる。それに「略図」などを見ると六層に聳える「螺旋展画閣」の姿は、富士見櫓――明暦三年（一六五七）に天守閣が焼失して以来、江戸城の天守閣に擬せられることになった富士見櫓の面影を、どこかにほんの少しでも宿していはしないだろうかと――先にふれた建築技術の問題と相俟って――思われてもくる。また、「螺旋展画閣」には金閣や銀閣を連想させるところがあるようにも思われる。城廓建築における天守閣や櫓は、金閣、銀閣と同じく楼閣建築の流れに属するのだから、「螺旋展画閣」が江戸城富士見櫓の面影を宿すとすれば、そこから金閣、銀閣が連想されるのはごく当然の成り行きといえるのだけれど、由一は金閣、銀閣そのものから直接に展画閣の形態を発想した可能性もないではない。というのも、由一は、官による社寺宝物調査に同行した明治五年（一八七二）のスケッチ旅行で金閣寺と銀閣寺を訪れているからである。

江戸の人造富士

焼け落ちた江戸城の天守閣は、五層六重五九メートルの大建築物で、その白い姿は、遠見に富士と並んで夏にも雪かと見えたと伝えられるが、そういえば「螺旋展画閣」の角錐の形態は、江戸のランドマークとして浮世絵師たちが好んで街景画に描き込んだ富士山、あるいはその写しとして江戸時代から昭和にかけて江戸‐東京のあちらこちらに築造された富士塚という人造富士を想い起こさせないでもない。

富士塚というのは、そもそも富士講という民間信仰の信仰対象として造られたもので、明治以後も諸方に造られ、現在も東京近辺に数多く残存している。しかし、それらのなかには見世物＝遊び場として造られたものもあり、たとえば明治二〇年（一八八七）に浅草公園六区に築造された浅草富士（約三三メートル）は、螺旋状の登山道をもち、頂上には望遠鏡がそなえつけてあったという。螺旋状の登山道というのは、「螺旋展画閣」との因縁を思わせるものの、この富士が造られたきっかけはほかのところにあった。その二年前に浅草寺の五重の塔を改修したとき螺旋状に組んだ足場に下足料一銭をとって人を昇らせ

浅草富士

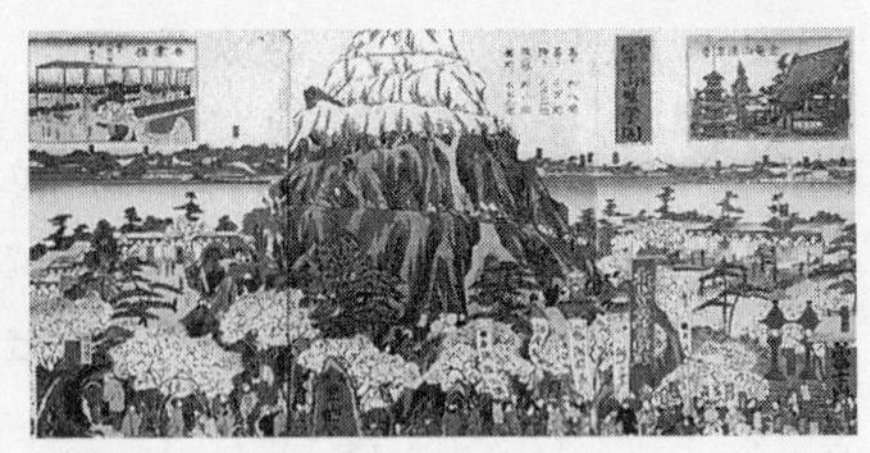

浅草公園に造られた浅草富士　高33m
「浅草公園冨士山繁栄の図」明治20年（1887）

たところ大変な人気であったのにヒントを得てつくられたというのである。しかし、一説によるとこの人造富士は高村光雲の作ともいうから、羅漢寺三匝堂との因縁もあるいはあるのかもしれない。それから、これは大阪の例であるが、浅草富士の二年後に生玉の源聖寺坂上に浪花富士が開場している。これは、螺旋形で漸次昇ってゆくような仕組みになっていたといい、写真でみると富士というよりも、仏舎利塔か何かのように見える。

これらの富士が「螺旋展画閣」とどこかでつながりをもっていたのかどうか、それは一切わからない。しかし、これらの螺旋を描く塔状建造物は共通の精神的地盤のうえに建っていたのに相違なく、中軸に絡んで螺旋状に昇りつめてゆく動線には共通の意味がこめられているのではないかと思われる。しかし、それについて考えるためには、「螺旋展画閣」を聳えさせる因縁の糸をもう少し探ってみる必要がありそうだ。展覧場の先例のなかに「螺旋展画閣」構想を連想させるものが幾つかあるので、そのあたりから考えをすすめてゆくことにしよう。

大学南校の「博覧会」計画

展覧場の先例のひとつは明治四年（一八七一）に大学南校が計画した博覧会場のプランである。これは結局プラン倒れに終わったのであるが、残された図面をみると、一辺が一二間（約二一・六メートル）の八角形をした三階建ての総塗屋で、ガラス戸とガラス窓をそなえ、一六弁の菊の紋章をかたどった中庭を有するドーナツ形のものが構想されていたことがわかる。つまり、人々が一階から三階まで中軸をめぐって観覧してゆくようになっているわけで、この点において「螺旋展画閣」構想を連想させるのだ。問題は、由一がこ

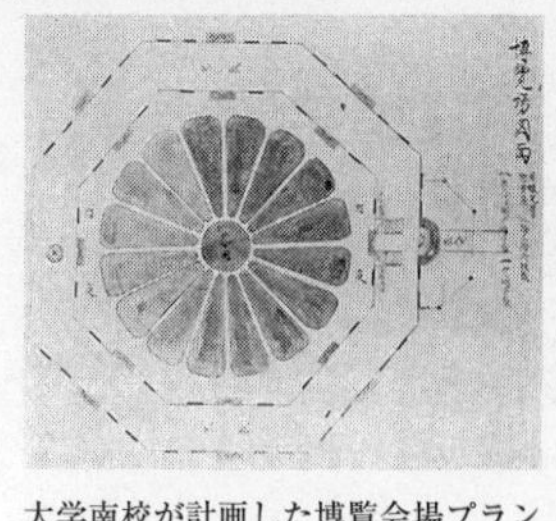

大学南校が計画した博覧会場プラン
「博覧場図面」東京国立博物館蔵

田中芳男

の計画を知る可能性があったかどうかという点だが、この博覧会計画の中心になった田中芳男は、由一の開成所時代の同僚であり、また、この年の一二月から由一は大学南校の後身である南校で画学を教えているくらいだから、それを知る可能性は充分あったと考えてさしつかえないだろう。

『東京国立博物館百年史』(以下、『東博百年史』と略記)は、この博覧会場プランに、一八六七年(慶応三)のパリ万国博覧会の会場——中心を同じくする複数の楕円形の展示館によって構成された会場の影響を指摘している。なるほど、幕府と薩摩藩がつばぜりあいを演じたことで有名なこのパリ万国博には、未遂の大学南校博覧会計画の中心にあった田中芳男が幕府の博覧会御用掛として派遣されたのであるから、その可能性は充分あるといえるだろう。とはいえ、ドーナツ形の展示場という発想は、何もパリが最初というわけではあるまい。たとえば、大阪の狂言作者の奈河亀輔が木村蒹葭堂から秘蔵品を借り受けて開いた「唐の開帳」という見世物の会場は円形で、人々は回りながら観覧するようになっていたというし、回り巡るという発想は、江戸近郊の観音霊場を巡り歩くといった江戸時代の行動文化の感覚を宿しているようにも思われる。

1867年パリの万国博覧会のパノラマ

螺旋都市

こういうと、想いは再びさざえ堂へと回送されてゆくようだが、この回り巡るという動きを前田愛はルロワ＝グーランのいわゆる「巡回空間」ということばで押さえたうえで、「名所おほき江戸まはりをめぐりてみん」と序文に記す浅井了意の『江戸名所記』や、江戸城を起点に日本橋、芝、品川と時計まわりに巡回する構成をとる斎藤月岑の『江戸名所図会』にこのような空間把握をみとめている（『都市空間のなかの文学』）。

しかも前田は『江戸名所図会』の空間把握は「御城を三重に取り巻く右まわりの堀割を基線として区分された江戸の町割の〈制度〉が反映されている」（同前）と指摘しており、「螺旋展画閣」の理解に広大なスケールを与えてくれる。すなわち、さざえ堂＝「螺旋展画閣」の空間は、江戸という巨大な都市空間を反復したものであり、「略図稿」にみられるような動的な形態は、江戸の都市構成に由来する、というように——。

由一は、後年、維新に功績のあった薩摩、長州、土佐、肥前の旧藩主を「東京府下ノ四隅」に祭り、油絵による肖像をそれぞれの社殿に安置するというアイディアを書き止めているが（一—二六）、これはあきらかに四神相応という江戸の基底にも見出される伝統的な都市構成の原理を踏まえたものであり、都市というものと作画活動とを結びつける発想として注意を引く。このような発想が、由一独自のものであるかどうかはともかく、佐野藩の剣術師範をつとめた武芸者＝兵法家の家に生まれ、しかも、優れた感性にめぐまれた由一の心身に、江戸という巨大都市＝要害の地の構成が、四神相応にせよ螺旋形式にせよ、自然に植え付けられていたとしても不思議はないのではあるまいか。

由一が、都市の在り方に対して開かれた感受性をもっていたことは建設地の選定にもみられたところであったが、「螺旋展画閣」のダイナミズムの由来のひとつは、こうした都市構造との結びつきに見出せるといえるだろう。

中心の高み

ところで巡回空間ということに関しては、ここでひとつ付け加えておきたいことがある。それは、双六というゲームのことだ。江戸の都市構成もさることながら、「螺旋展画閣」の巡回しつつ中軸を上りつめてゆく仕組み＝形態は、双六というゲームのはこびと一致するのである（「上がり」が紙面の上限中央に位置するタイプもあるが、中央へ向かって上ってゆく点は変わらない）。それればかりか「風景、卉木、戦闘、宮殿、仏宇、肖像、器物」（「創築主意」）など森羅万象のイメージが螺旋状の回廊に、油絵によってつぎつぎと展開するその構想は、まさしく明治の双六そのものであるだろう。明治において双六は、単なる遊具としてばかりではなく、情報の伝達、教育を目的として製作され、利用されていたのである。

双六の上がりにあたるのが、「螺旋展画閣」では頂上の遠望台ということになるわけだが、裾から遠巻にだんだんと上ってゆき、やがて中央の上がりに至るという双六＝「螺旋展画閣」の構造において支配的なのは、中心のちからであり、また高さへの憧れにほかなるまい。それでは、このような中心のちから、あるいは中心化しようとするちからとは、いったい何を意味するものなのか。

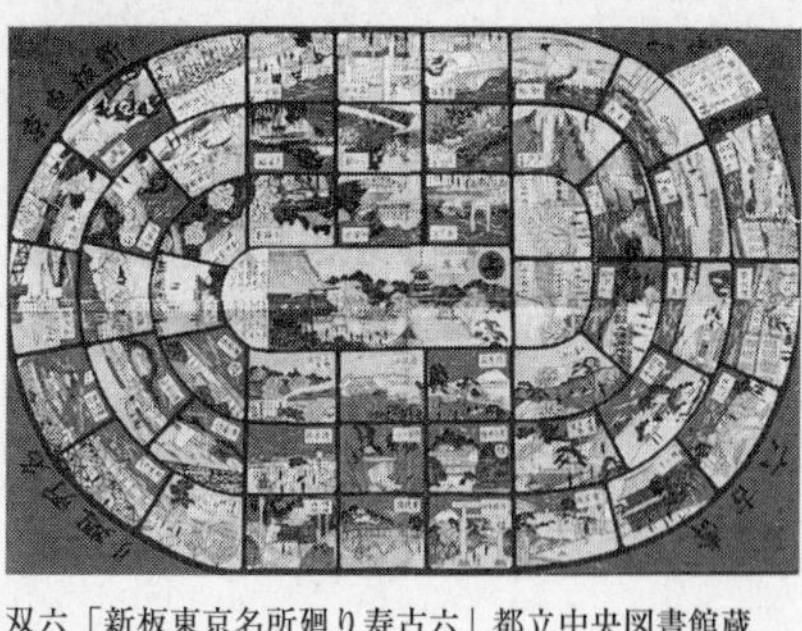
双六「新板東京名所廻り寿古六」都立中央図書館蔵

一言で答えるのはむつかしいけれど、たとえば、これに政治的な表現を与えるならば、慶応四年（一八六八）閏四月二一日に発せられた「政体書」に記された「天下ノ権力総テコレヲ太政官ニ帰ス、即チ政令二途ニ出ルノ患無カラシム」（『法令全書』）という明治国家の中央集権制の宣言があてはまるのにちがいない。

　また、中央へ、高みへと向かう志向は、出世双六というものの存在が示唆するように、近代化の民衆的なエネルギーを高めるうえで絶大なはたらきをしたと考えられる立身出世主義の行動パターンにも重なるだろう。そして、出世すべく青雲の志を立てて郷関をいづる人々が目指すのは新しい都にして文明開化の先駆けをなす東京にほかならないから、中心のちからとは東京という都市のちからでもあった、ということができるのにちがいない。つまり、そこは人々が目指し憧れる高みでもあったわけだが、その高みへの志向を端的に示すのは書生の群れであった。すなわち日本で唯一の大学がある東京は書生の街であり、書生が第一にこころざすのは官員になることであった。「書生々々と軽蔑するな、明日は太政官のお役人」(「書生節」)というわけである。

思うに、浅草富士や浪花富士にみられた中軸に絡んで螺旋状に昇りつめてゆく動線が示しているのは、中心へと向かうこうしたちからの発動であり、それらが「螺旋展画閣」と共有する精神的基盤とは、おそらく上にみたようなものだったのである。「螺旋展画閣」のダイナミズムの由来は、こういうところにも、おそらくもとめられるのだ。

文明開化の塔

文明開化の中心であり、人々によって目指される高みでもあった東京は、同時に西洋文明へ開かれたいわば天窓でもあり、したがって、東京への憧れは、そのまま西洋への憧れでもあった。西洋館のある東京の街景から西洋へと夢を広げる人々にとって、明治五年(一八七二)から五年の歳月をかけて築かれた銀座の煉瓦街は開明期日本のシンボルでもあったのだが、西洋の夢をまとった東京において、ひときわ強く人々の目を引き、その心を西洋へと、文明の高みへと誘ったのは、前田愛も指摘しているように、町並みを抜いて聳え建つ洋風の塔状建築物であった（同前）。

　築地ホテル館（慶応四年）、竹橋陣営の時計塔（明治四年）、第一国立銀行（明治五年）など文明開化を象徴する洋風ないしは和洋折衷の塔状建造物を――西洋へと夢を誘うこれらの塔たちを由一は、いったいどのような思いで見上げていたのであろうか。絵画における西洋派を代表する由一が、そこから何のインパクトも受けなかったとは到底考えられない。すでに述べたように「螺旋展画閣」は楼閣建築の系譜を想わせるのであるけれども、そこに西洋絵画の展示場という開明期ならではの施設としての機能が重ねあわせられるとき、

銀座煉瓦街　明治10年完成

築地ホテル館　慶応4年（1868）八月落成

ウォートルス　竹橋陣営　明治4年（1871）竣工

第一国立銀行　明治5年竣工

たとえば天守閣を連想させる第一国立銀行の塔や、花頭窓や風鐸をもつ築地ホテル館などに通ずる和洋折衷の発想を、単なる様式としてではなく、外観と内容の関係においてみとめうるとはいえるだろう。

この和洋折衷ということに関しては、それを支える時代のちからに注目しなければならず、そのちからは「螺旋展画閣」のダイナミズムの重要な源でもあると考えられるのだが、それに関してはほかに展開してみたい事柄もあるゆえ、節をあらためてふれることにしたい。

塔に関して、ひとつ付け加えておけば、塔状の建物で絵をみせるという試みを「螺旋展画閣」構想よりも前に行なった例が『武江年表』の明治六年（一八七三）の項に見出される。連雀町の屋敷あとの望火楼を利用して「油絵の覗きからくり」を見物させ、楼上から四方を眺望させていたというのである。これは「螺旋展画閣」構想との関連性をかなり強く感じさせはするものの、証拠立てていえることは何もない。しかし、これもまた、高さへの志向と視覚の結びつきにおいて、「螺旋展画閣」と精神的地盤を共有するものであったということはできるだろう。

バベルの塔美術館

エル・リシツキーはタトリンの《第三インターナショナル記念塔》について、「古代の

一曜斎国輝《東京築地鉄炮洲景》明治2年（1869）　東京都中央区立京橋図書館蔵

形態の概念が新しい材料と新しい内容のうちに再創造されたのである」（八束はじめ『逃走するバベル』より引用）と述べているが、「螺旋展画閣」の形態、特に「略図稿」の斜めにかしいで上昇する動的な形態には、バベルの塔、たとえばブリューゲルの描くそれを想わせるところがある。しかも、バベルの塔への連想は、単なる形態的近似を超えた重要な意味をもっているように思われる。すなわち、まず第一に、この連想は、「螺旋展画閣」構想がそこから生まれてきた明治初期という時代を捉える恰好の比喩となる点で重要である。ただし、時代相を示す比喩としてのバベルのイメージは、次章で論の展開に活用するつもりなので、ここで特に説明はしない。その意味は次章の行文についてみられたい。ここでは、この連想がもたらす博物館なるもののイメージに着目しておくことにする。この連想は、夢想の系譜における「螺旋展画閣」の後身ともいうべきものにおいて美術館や博物館というものの核心的な在り方をイメージとして示してくれるのだ。すなわち、由一の周辺世界をいったん離れて夢想のおもむくままに時代を現代まで一挙に下ってみると、想いは「バベルの塔美術館」というものに行き着くことになるのである。

安部公房の眼球譚である「バベルの塔の狸」（一九五一年）で主人公の「ぼく」が狸たちに追われて逃げ込んだこの美術館は、天井の割れ目を突き通す鉄の螺旋階段を上って展示室に至るようになっており、その展示室には、ぎっしりと女の脚の彫刻が並んでいる。そして、その「太もものつけ根から切断された女の脚の見事な林」は原始美術、クレタ・ミュケナイ芸術、ギリシャ、ルネッサンス、ロマン派、自然主義、抽象派、シュルレアリスムというように分類されているのだが、ここでバベルの塔に託された寓意の詮索はともかく、このくだりから読みとれること――切断された脚＝死物の断片性、バベルという名にまつわる混乱のイメージ、歴史的配列、そして分類といったことどもは、美術館や博物館というものの核心的な姿を開示しているといえるだろう。雑多な事物をそれが本来属する世界から切り離し、生を奪い、標本のかたちで分類整理し、歴史のパースペクティヴを与えることで秩序化し、展示し、配列し、しかも、その総体においては雑多な事物の堆積でしかないといったイメージを、である。

7 時代の孕むちから——幕末明初の文化的混乱

しあわせなバベル

「螺旋展画閣」が羅漢寺三匝堂からヒントを得たものであったとしても、寺院建築を油絵の展示館に換骨奪胎しようという発想は、飛躍的なものであった。しかも、そこには未遂の博覧会の会場や、洋風の塔状建築物や、人造富士や、江戸城や、望火楼の覗きからくりなどのさまざまな影が交錯しており、近代と伝統の両者にまたがる複雑な影響関係を想わせるところがある。こうした雑多な要素をひとつにまとめ、想像の空間のなかに「螺旋展画閣」を聳立させたのは、思うに由一のちからわざであったというべきだろう。

このちからわざを可能にしたのが、西洋画にかける由一の情熱であったのはいうまでもないとして、その背後に、幕末から明治の初めにかけての文化的な混乱がひかえていたのを見逃すわけにはいかない。「螺旋展画閣」構想の成立には、幕末明初の時代相が大きく作用していたと考えるのである。なかでも、さしずめ排仏棄釈の動きは、仏教建築から宗教性を剝奪して絵画の展示施設に転じようという発想を促す小さからぬ動因となったのにちがいない。かつて寺院寮にあってその実態につぶさにふれ得たであろう由一にしてみればなおさらのことである。人々を近代文明の高みに舞い上げる文明開化の竜巻は、人々を

高橋由一「螺旋展画閣創築主意」（三一六九）

やがて近代の奈落へ引きずり込む巨大な渦巻でもあり、上昇し下降する渦のちからは、在来の価値観、規範、様式を破壊し、覆すことによって、発想に自由な飛躍の可能性をもたらしもしたのであった。

要するに時代の孕むちからということであるが、さまざまな要素を一身に引き寄せて由一に「螺旋展画閣」をまとめ上げさせたものが、そのちからであったということに関する決定的な証左がここにある。実は、「螺旋展画閣」の中心的なアイディアである螺旋構造というのは由一自身のアイディアではなかった可能性が大きいのだ。すなわち構想の主眼ともいうべき螺旋構造に関する記述が「創築主意」では「附言す」として文末に述べられているのだが、その「附言す」以下、螺旋構造に関して述べた部分は、残された下書き（三一一七）をみると由一以外の人物の手になるらしいことが見てとられるのである。のみならず、この下書きには、「附言す」以下を書いたのと同じ人物の手で、随所に批評の書き込みや添削がほどこされており、由一が、誰かに稿の批評を乞うたらしいことがあきらかなのだ。

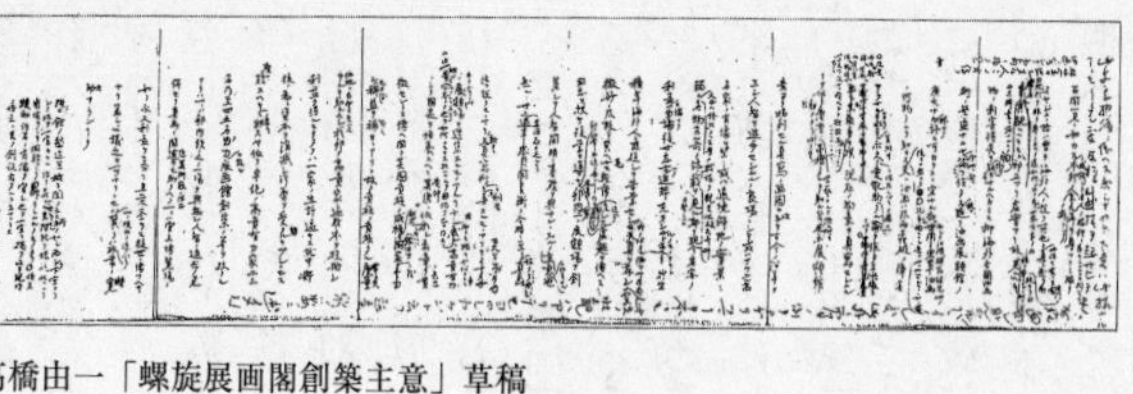

高橋由一「螺旋展画閣創築主意」草稿

しかし、たとえ螺旋建築というのが、他人のアイディアであったとしても、それはそれでよいのではないだろうか。というのは、「螺旋展画閣」の姿は、由一という個人を超えた時代の姿そのもののようにも思われるからである。つまり、種々雑多な要素を一処に集めて「螺旋展画閣」に統括し、それを観念空間のなかに聳え立たせたのは、螺旋構造の発案者と由一とを共に貫いて発現する時代のちからであり、傾ぎながら上昇する「略図稿」にみられるようなダイナミズムを「螺旋展画閣」にもたらしている最大の要因は、時代が孕むこのようなちからにほかならないと考えられるのだ。とすれば、螺旋構造が由一以外の人物によるアイディアだったとしても、それは、むしろ「螺旋展画閣」と時代との深いかかわりあいを明かす証左のひとつであったということができるのにちがいない。個を超えたちからの発現、それが「螺旋展画閣」に巨大なダイナミズムを与えているのである。

とはいえ、すでにみたように、「螺旋展画閣」にはアンビヴァレントなところがあって、その城郭建築の伝統を思わせるような行儀のよさからは、むしろダイナミズムを抑制するかのような印象を受ける。このように、すっきりとまとめ上げてしまったところに、時代にあとおしされた由一のちからわざがみとめられるともいえるのだけれど、すっきりとまとめ上げてしまう由一のちからわざそのものがバベル的状況における自由さを奪い去ってゆく動きのきざしであったとみることもまたできるのだ。時代のちからの実現が、そのちからを終末に導くといった一種のアイロニカルな事態が、そこに展開したのではなかったかと考えるわけである。明治初年に一世を風靡した欧化主義的思潮が徐々に国粋主義的思潮へと暗転しはじめるのは、欧化の嵐が極点に達する鹿鳴館の時代——まさに「螺旋展画閣」が構想されたこの時代においてなのだ。

たとえば第一国立銀行（明治五年）や奥山閣（明治一二年）などの和洋折衷建築にみられるような明治初年のアナーキックな自由さに対して、江戸以来の土蔵造りの町並みが時代の顔になりはじめるのは、「螺旋展画閣」構想と同じ明治一四年（一八八一）に発布された東京防火令を境にしてのことであったわけだが、人々が、防火建築として煉瓦造りや石造りを選ばずに土蔵を選んだことについては、時代が新旧の谷間にあったために、結局、既知の技術に頼らざるをえなかったのだと一応は考えられるものの、初田亨が指摘するように、極端な欧化政策に対する批判が、煉瓦造りに対する人々の評価を下げ、江戸時代以来の土蔵造りの評価を高める背景をなしていたということも否定できないだろう（『都市の明治』）。つまり、明治初期のバベル的自由さを否定する伝統的できまじめなものが時代にはびこりはじめるわけであり、「螺旋展画閣」のまとまりのよさには、こうした時代の影がみとめられるように思われるのである。

バベル的鑑賞法

ダイナミズムを孕んだ行儀のよさとでも言うべき「螺旋展画閣」の在り方は、以上のごとく、複雑なちからがはたらいた結果と見られるのだが、ちなみにいえば、その同じ複雑なちからは、由一を、さまざまな鑑賞形式の試みに駆りたてている。しかも、由一が鑑賞形式に関して行なった試みには、明治初期の和洋折衷建築のような自由さが、かなり長い期間にわたってみとめられ、「螺旋展画閣」構想の成り立った時代の相貌を、さまざまな可能性において示してくれる。例を挙げれば柱にかけるべく縦長に描かれたという有名な《鮭》の絵（明治一〇年）がそうであるし、そのほかにも油絵を屏風に仕立てたり、掛軸に表装したり、画帖に編集したりといった試みを、由一はさかんに行なっているのだ。なかでも特にユニークと思われるのは華岡青洲門下の医師中村逸斎を描いた肖像（明治一五年）で、これは、漆塗りの衝立風の枠にガラスをはめた額を立てかけて、畳の

高橋由一《中村逸斎像》
明治15年（1882）

上で対座できるようになっている。おそらくは由一の考案になるこの油絵懸けは迫真の肖像画と対座するという体験の異様さにおいて、たんに日本人の生活様式をよく考慮した工夫という以上のものになっている。すなわち、ひとつの表現としても成立しているのである。

突き放した言い方をすれば、由一のこうした試みは日本の生活習慣への妥協であり、西洋画本来の在り方からは外れたものであるとしても、それは、和洋折衷の露骨さにおいてユニークといわざるをえない。このユニークな試みは、由一の思惑はともかく、その露骨さにおいて、異文化の受容が生みだした文化的な混乱のイメージが濃厚であり、折衷というより、むしろ思いもかけない異種交配という方がふさわしいようにも思われる。たとえ由一が、伝統に西洋画を接ぎ木をするような意識を以てこうしたことを試みたのだとしても、その結果は今の眼——洋画は洋画、伝統絵画は伝統絵画というワリツケに従いつつ、折衷性を隠した体裁のいい鑑賞形式になずむ眼にとっては意外性に富んだ奇想と感じられてしまうのであり、しかも、このような意外性は、明治初期における由一の作画においてもみとめられるところであった。

異文化としての野蛮

明治五年（一八七二）の《花魁》。うつろな横顔をみせるこの面長の女は、浮世絵があらわす花魁とは決定的に異質な表現法によって描かれている。こなれないながらも、この絵は西洋画法によって、うつしみの女性の姿を示しえている。ここにあるのは、様式化した浮世絵美人の絵姿ではない。もっとも、それが浮世絵と異なるのは、西洋画の迫真性に価値を置く由一の作画理念からして当然のこととして、しかし、それではこの絵を端的に写実絵画と呼べるかといえば、そうもいかない。空気感の欠如、有体的な存在感の希薄さ、浮世絵にも似かよう装飾的な色づかい等々、ここには西洋画本来の画法にはない表現がみとめられるのだ。つまり、この絵は西洋画と、西洋画になれた眼に対して異和をかもしているのである。しかも、これは、たんに技術の未熟といって済ませることのできるようなものではない。高階秀爾は『日本近代美術史論』において、この絵のもつ異和感について「西欧の油絵という技法の奥にある感受性とは明らかに異質の感受性がそこにあり、しかもその異質の感受性が、本来それにふさわしい乗物ではない油絵という技法に乗って見る者に伝えられて来るというそのことに由来するように思われる」と述べ、さらに、「その異質な感受性の存在を、私自身、自分のなかにはっきりと認める」と記している。

ここにいわれる油絵と「異質の感受性」とは、つまり、近世までに形成された日本人の感受性ということであり、したがって、高階秀爾の指摘は由一のみならず、近世の果てから歩みを開始した日本の近代画家全般についてもあてはまるはずなのだが、油絵に対する「異質の感受性」を由一のごとく露わに、しかも高い質において示しえたしごとはほかにない。高階秀爾もいうように、たとえば岸田劉生のしごとに、それに近い表現を見出すことはできるとしても、固有の感受性と油絵が露骨に矛盾し、葛藤する《花魁》に見られるような、おどろおどろしいまでの迫力は劉生のしごとにはない。日本固有の感受性を強く意識させる劉生のしごと——たとえば麗子像のシリーズの幾つかの作品や京都時代の浮世絵を意識した人物画や、蕪や冬瓜などの野菜を描いた静物画などが、あくまでも美術という領域において、美という一点に向けて収斂すべく展開されているのに対して、由一の《花魁》は、「美」以前、「美術」以前ともいうべきむきだしの野蛮な迫力を感じさせるの

高橋由一《花魁》明治5年（1872）
東京藝術大学大学美術館蔵

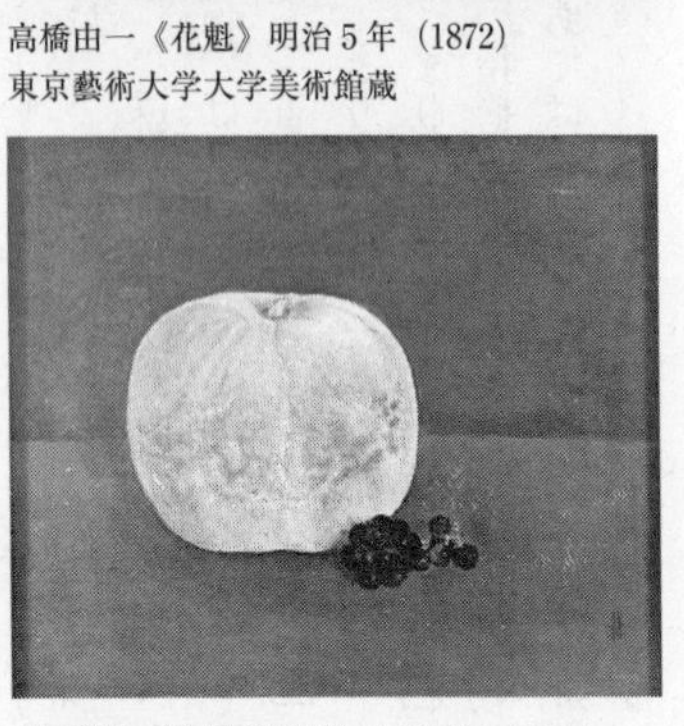

岸田劉生《冬瓜葡萄図》大正14年（1925）
泉屋博古館分館蔵

だ。

ここにいう野蛮さとは、西欧文化に対抗する異文化のちからというような意味であるのだが、由一のしごとに高い表現の質がみとめられるのは、まさしく、そこに油絵とは異なる感受性のちからづよい発現が見出されるからにほかなるまい。

もっとも、こうした有りようは西洋画法の会得を至上命令とこころえる由一自身には、おそらく限界と意識されていたにちがいない。しかし、かかる由一の限界は、そのまま開明期の必然であり、また、時代の孕むちからの発現する場所でもあった。つまり、《花魁》において由一は、その時代においてのみ可能な表現を典型的なかたちで実現した、というより、幸福にも実現してしまったのである。

岸田劉生《麗子肖像(麗子五歳之像)》大正7年(1918)
東京国立近代美術館蔵

岸田劉生《麗子微笑(青果持テル)》大正10年(1921)
東京国立博物館蔵

それでは、由一自身は、これまで述べてきた事柄――異文化との緊張において発現する固有の感受性ということについて、如何なる意識を抱いていたのだろうか。『油画史料』から由一のことばを引いてみることにしよう。明治一〇年代の終わりから二〇年代の初頭にかけて書かれた文書(三―二四)の一節である。

抑(そもそも)固有ノ風致精妙ハ天ノ其国ニ賦与セル所ニシテ、決シテ製作ノ手段一変スルカ為ニ之ヲ失フ無キノミナラズ、却テ真ニ固有ノ美ヲ発輝セシムルノ一大手段ナリ[7]

西洋画法によって日本人の感受性がかえって輝き出るのだという信念を、由一はここで語っている。このことばは、これまでの考察に裏付を与えてくれるものと一応いってよいだろう。が、しかし、「固有ノ美」の発揮というのが《花魁》のごとき表現をさすのかどうかについては疑問が残る。先にも記したように、今日の眼にとっての《花魁》の魅力は、おそらく由一にとっては限界と感じられたのにちがいなく、したがって、ここに由一のいう「固有ノ美」の発揮とは、必ずしも《花魁》に見られるごとき異文化のせめぎあいをさすものではないと考えるべきだ、ということもできるからである。

それから、この「固有ノ美」という発想、それ自体についても但し書きがいりそうだ。

先にもふれたように、《花魁》を描いていたときに由一は「美」ということをどれだけ意識していたか疑問があるからである。少なくとも、その時点で由一は、劉生を捉えたような意味での「美」を意識してはいなかったにちがいないのだ。なぜかというと劉生が、そして現在のわれわれが一般にいうところの「美」は、西欧的な理念としてのそれであり、かかる意味での「美」が、この国で本格的に探究されるようになるのは、『維氏美学』(明治一六―一七年)を孤立せる先駆として、二〇年代に森鷗外がハルトマン美学に依拠しつつ苛烈な論争を展開したのちのことに属するからである。『油画史料』には、『維氏美学』からの抜き書きがあり、由一が『維氏美学』の読者のひとりであったことが知られはするものの、それはもちろん《花魁》を制作したはるかのちのことに属する。それに、今引いた文書中の「固有ノ美」にしても、その「美」という語は、明治二〇年前後の時期に記されたものであるにもかかわらず、善とか、うつくしさという伝統的な意味で記されたのではないかと思われる節がある、というか、そのように考えても一向にさしつかえのない用い方がなされているのである。

また、由一は同じ文書のなかで、「美術」ないしは「美術絵画」を云々しているのだが、はたして《花魁》を由一が美術としての絵画というように考えていたかどうか、これにも疑問がある。なぜなら、「美術」なることばが史上に登場するのは、のちに詳しくみるように《花魁》の描かれた明治五年(一八七二)のことであったからだ。《花魁》の描かれた明治五年から明治二〇年前後、すなわち今引いたことばの書かれた時期までの期間は「美術」という概念の歴史のはじまりの時期であり、一四年に構想の成った「螺旋展画閣」は、その期間のちょうど中程で、いわば《花魁》に見出されるごときちからのバックアップを得て構想されたのであった。

さて、こうして「螺旋展画閣」は明治初期のバベル的な状況から歴史の地平に立ち上がってくるのだが、しかし、すでに繰り返し述べたように、そこには《花魁》のような伝統と近代を軋ませる野蛮なちからは端的なかたちでは感じられない。といって、それは、伝統におとなしく従うというものでもない。螺旋を描くその姿には、日本の伝統的な建築のくびきを脱するダイナミズムがみとめられる。そのダイナミズムは、《花魁》を可能ならしめたのと同じアナーキックな時代のちからであり、伝統的世界を厭離しようとする近代のちからの現れでもあった。要するに、それは、明治初期のバベル的状況のエネルギーを、伝統的な様式において統合しつつ、その統合において、伝統を近代の方へ乗り超えようとしているのである。「美術」概念に関して言えば、「美術」未生以前の諸造型を整理、分類して、それを「美術」へと媒介するようなところにそれは位置しているのだ。「美術」以前から「美術」への転轍機となるべきもの、それが「螺旋展画閣」だったのである。

とすれば、由一が鑑賞形式において行なったバベル的な形式の試みも、やがては西洋画本来の在り方に取って代わられずにはいないだろう。西洋画が全的に活かされるためには、かつて江漢が語ったように、見ることにまで及ぶ絵画体験全体の制度的改革が必要とされるはずであるからだ。こうした志向を一言でいえば絵画における近代化ということになるわけだが、《花魁》やバベル的鑑賞法の野蛮なちからを肯定する眼に、それがネガティヴなちからの発現として映るのはいうまでもあるまい。ただし、近代化といっても、それは、かなり複雑なかたちのものであり、近代化＝西洋化という公式的な図式には収まり切らない在り方を――少なくとも当初においては――示すことになる。ここにはじめられようとしている近代化の新たな動きは、伝統という装いを身にまとって、あからさまな欧化の動きとむしろ対立することにもなるのだ。

《花魁》の時代が孕んだちからを減殺してゆくこの複雑な合成力は、「螺旋展画閣」が構想された明治一〇年代の半ば以降、さまざまなかたちで、時代のなかに発現しはじめる。国粋主義の時代がもうそこまでやって来ていたのである。初田亨は、『都市の明治』のなかで、明治二〇年代から全国的な広がりをみせはじめる例の土蔵造りについてこう書いている。

明治初期の民家の建築物には、洋風の外観をもっているにもかかわらず、伝統的な和風小屋組をもつ例が多かったのに対して、明治中期から後期にかけては、伝統的な土蔵造りという外観をもちながらも、洋風小屋組をもつ例が見られるのである。[8]

伝統的な楼閣建築を想わせる建物において油絵を展観に供するという「螺旋展画閣」の発想は、おそらく、こういう時代の気風を先取りしたものというべきなのだ。

8　二人のF――「螺旋展画閣」構想の背景【一】

フォンタネージと工部美術学校

高階秀爾は先に引いた『日本近代美術史論』において、高橋由一の絵が明治一一年（一八七八）頃から急速に緊密な表現力を失っていくことを指摘し、その原因を、明治九年（一八七六）に工部美術学校の教師として来日したアントーニオ・フォンタネージと知り合うことで、西洋の正統な油絵表現にふれたことに帰している。つまり「西欧の感受性の伝統に触れた由一は、もはや「花魁」に見られるような「破格な」表現に身を任せることができなくなってしまったからである」というのだが、たしかに《花魁》にみられるような魅力ある野蛮さは、この頃を境に失われてゆくようにみえる。油絵を掛軸にするとか、画帖に仕立てるといったユニークな試みは続行されるものの、異文化としての油絵と固有の感受性の矛盾、葛藤の劇は後景に退き、油画法の主導による感受性の馴致が前景にクローズアップされてくるのである。こうした事態は、この頃からさかんに描かれた風景画においても、よく見てとることができる。たとえば、《浅草遠望》（明治一一年頃）や《不忍池》（明治一三年頃）、それから《栗子山隧道図（西洞門・大）》（明治一四年）などでは、空気感や光の表現にも充分意をもちいた跡がうかがえるのだ。つまり、これらの絵は、名所

高橋由一《宮城県庁門前図》明治14年(1881)
宮城県美術館蔵

絵的な作画意識を脱して西洋的な意味での風景画へと赴きつつある点において、清新な魅力をたたえているのだけれど、この魅力は《花魁》のもつ魅力とは決定的に異質である。もっとも、それらと同時期に、たとえば《宮城県庁門前図》(明治一四年)のような、油絵本来の表現性をさしおいて固有の感受性が前景化されるような絵が描かれはするものの、それは、しかし、すでに野蛮なちからを失っている。極言すれば、それは、単なるプリミティヴな洋画というにすぎないように思われる。

フォンタネージが教師をつとめた工部美術学校は、明治九年(一八七六)に工部省の工学寮のなかに設けられた日本における最初の「美術学校」で、イタリア駐日公使アレッサンドロ・フェ伯爵の熱心な建言もあって、教師はすべてイタリア人であった。すなわち、絵画のフォンタネージ、彫刻のラグーザ、建築装飾のカペレッティ(ただし、実際には予科を担当)の三人によってこの美術学校は授業を開始したのである。教師たちが西洋人であったというのは、技芸百般なにごとによらずお雇い外国人の指導に頼らざるをえない状況にあった当時の日本のことにして、いわば当然の成り行きであったのだが、これは西洋画法の受容史のうえで画期的な出来事であったといわねばならない。由一もそこに学んだ蕃書調所から開成所に至る幕府の洋学研究機関におけるテクネーの学習は、画法の体現者＝生きているテクネーを得ぬままに行なわれたのであり、それゆえ由一は、幕府の開成所にありながら、なお、チャールズ・ワーグマンという『イラストレイテッド・ロンドン・ニュース』の記者＝挿絵画家に入門しなければならなかったのである。

いうまでもないことながら工部美術学校は、西洋並みを目指す「文明開化」（西洋化としての再文明化）の一環として設けられたのであるが、ただし、それは、必ずしも明治政府が「美術」というものの文化的な価値を尊重した結果なのではなかった。げんに、この

松岡寿　工部美術学校絵画科教室
右より高橋源吉、西敬、浅井忠

『イラストレイテッド・ロンドン・ニュース』紙特派員チャールズ・ワーグマン

美術学校は「美術学校」と名乗りこそすれ、必ずしも芸術家を育てることを目的としていたわけではなかった。工部美術学校の性格は、校名にもあるとおり、この学校が工部省という殖産興業政策の中枢部に設けられたことによって規定されていたのである。

実用技術としての西洋画法

「工部」という語はもともと中国において隋代に設けられた造営工作のことを司る役所であり、この「工部」という語を名として明治三年（一八七〇）に設置された工部省は、周知のように、近代工業を西洋から移植することを目的とする殖産興業政策の起点となった現業官庁であったわけで、そのような官庁によって管轄される学校が如何なる性格を帯びることになるか、いちいち指摘するまでもないだろう。すなわち工部美術学校は、実用技術の立場から、美術家というより職人ないしは技術者を育成することを目的としていたのであり、このことは、校則の冒頭に「学校之目的」として、はっきりと記されていた。

美術学校ハ欧州近世ノ技術ヲ以テ我日本国旧来ノ職風ニ移シ、百工ノ補助トナサンガ為ニ設ルモノナリ［9］

つまり、この学校は近代西欧の画法と彫刻術を以て日本旧来の工作技術の在り方を変革し、さまざまな工匠や職工を補助しようという意図によって創設されたわけである。

ただし、「美術」を実用性と結びつけるこうした発想は、必ずしも殖産工業政策から生まれてきたとばかりはいえない。そもそも、そのような発想は武断的な技術主義という日本近代の基調(殖産興業政策の淵源)に由来するものであったと考えられるし、さらに遡って西洋画法を「実用の技」と捉える天明期以来の西洋画観に淵源するとも考えられるからである。げんに、司馬江漢の裔を自認する由一は、絵画のことを司る画学局は工部省か大学東校(医学校の後身)の部内に設けるべきであると、工部美術学校が設立されるはるか以前から考えていたのであった。

また、絵画を工業の部類に位置づける考え方には、「工部省ヲ設クルノ旨」にみえる「工芸ハ開化ノ本」ということばのなかにある「工芸」という語にまつわる次のような事情も絡んでいたと思われる。というのは、「工芸」という語は、この時代には工業という意味で用いられており、しかも、漢語としての伝統的な意味の「工芸」には、弓術、馬術、囲碁などと並んで書と画も含まれていたのである。つまり、絵画、彫刻と工業とを「工芸」という語が媒介していたわけで、ここに絵画や彫刻が工部省の学校で扱われることになった歴史的な背景がうかがわれるわけである。

方今欧洲ニ存スル如キ此等ノ技術ヲ日本ニ採取セント欲スルニ、今其生徒タルモノ曽テ此等ノ術ヲ全ク知ラザルモノナレバ、之ガ師タルモノハ一科ノ学術専業ノモノヨリハ却テ普通ノモノヲ得ン事ヲ欲ス。[10]

これは、工部美術学校開設当時の工部卿であった伊藤博文が記した、工部美術学校の教師の選考基準である。ここに工部美術学校の教育方針が、よく示されているように思われるが、フォンタネージも、こうした政府の意を体して、西洋画の基礎を教授することに意を用いたのであった。しかし、藤雅三による授業の記録（隈元謙次郎『明治初期来朝伊太利亜美術家の研究』所収）をみると、フォンタネージは技術教育ばかりを行なったわけでもなかったようだ。「仮令(たとい)美麗ニ描カザルモ、其法則ヲ守ルトキハ、我之ヲ賞セン」と、美よりも画法に忠実であるべきことを説きながら、その一方で、「凡ソ写生ノ法則ハ、仮令(たとい)好趣ナリト雖モ、天然ノ儘ニテ写生シ優等ノ画トナルハ稀ナリ。故ニ、其位置或ハ樹木参(しん)差(し)ノ模様若シ醜態ナレバ、其位置ニ応ジ樹木ヲ減ズルコトアル可シ」、あるいは「佳景ニ製スル画ハ、写生スル時概(おおむ)ネ醜体ナル物ハ皆削除シテ位置ヲ調へ、後チ之ヲ模写スベシ」といった具合に、芸術的な配慮というものを、つまり「美術」としての絵画ということについてもフォンタネージは語っており、そのような面でも浅井忠や小山正太郎ら、やがて明治美術会に結集することになる工部美術学校の若い画学生たちに、大きな感化力を発揮したものと考えられるのである。

フェノロサの来日

ところで、「工部美術学校規則」をみると入学年齢は男子一五歳以上三〇歳以下、女子一〇歳以上二〇歳以下となっており、明治元年（一八六八）に四〇歳だった由一は工部美術学校の出来た年には、とても学生になりうる年齢ではなく、また、すでに画家として立っていた由一は学生になる立場にもなかった。そこで由一は『履歴』に「コントヘー氏ノ紹介ヲ得テ屢ホンタネジー氏ノ画室ヲ訪ヒ、揮写ヲ傍観シ画説ヲモ聞キ厚ク交リヲ結ビタリ」とあるようにフェ伯爵（コントへー）の紹介で個人的にフォンタネージと近づきになり、生きているテクネーに親しく接することになるのだが、フォンタネージが日本に滞在したのはたったの二年、高階秀爾が由一の作風の変化を指摘する明治一一年（一八七八）という年は、実はフォンタネージが病を得て帰国の途についた年であった。そして、この年、フォンタネージと入れ替わるようにして、ハーヴァード大学に哲学を学んだ弱冠二五歳の青年学者が来日し、東京大学文学部の教師に着任している。アーネスト・フェノロサ――由一とも因縁あさからぬこの青年学者は、よく知られているように、やがて絵画の国粋主義的改良運動を率いるイデオローグとして活躍することになるだろう。そうして、明治の初めから文明開化の時勢のなかで西洋画法の習得に努めてきた明治の絵画は、フェノロサが国粋主義的改良主義の活動を開始する一〇年代の半ば以降一〇年近くにわたって国粋主義に支配され、抑圧を受けることとなるのである。

明治一〇年代以降の高橋由一の表現力のおとろえは高階秀爾のいうようにフォンタネージとの出会いによって、西洋画の正統にふれたためであったとして、しかも、そこには、国粋主義の支配という時代状況も大きく影響していたのにちがいない。しかし、それは由一が国粋勢力に圧倒されたというような意味ではない。思うに、由一は、フォンタネージから受けたのと同じ正統の衝撃を、国粋主義の勃興に出くわすことで、もう一度、別の角度から受けることになったのだ。日本近代美術史において相対する立場にたつフォンタネ

フォンタネージ帰国記念写真
明治11年（1878）9月
フォンタネージ（中央左）、その後ろ小山正太郎、その右松岡寿、ふたりおいて浅井忠

アーネスト・フェノロサ

ージとフェノロサ、このふたりがこの国の絵画に与えたものは、近代化＝西洋化という観点から大局的にみるとき、そう隔たったものではなかったことがみえてくるのである。両者に共通していたのは、たんにイニシアルばかりではなかったのだ。これをあきらかにすることは、おそらく「螺旋展画閣」構想に見出されるネガティヴなちからの指向をあきらかにすることでもあるのにちがいなく、その秘密を握っているのは、どうやらフェノロサという男であるらしい。しかし、詳しいことについては、だんだんとみてゆくことにして、ここでは、とりあえず次の二点を指摘するにとどめておこう。

国粋主義の動きが、明治絵画の基軸を、西洋画法から伝統画法へと転換するものであったのはいうまでもないとして、（一）その動きは、しかし、それにとどまるものではなく、伝統絵画の在り方自体にも転換を迫る改良主義として展開されたのだということ、（二）しかも、かかる動きは、たんに画法の問題にとどまるものではなく、翻訳によって西洋からもたらされた「美術」というものを、この国に実現することをも目指していたということ、この二点である。国粋主義とは、つまり「伝統的な土蔵造りという外観をもちながらも、洋風小屋組をもつ」建築物のごときものであったのだ。

9 明治一四年の意味――「螺旋展画閣」構想の背景【二】

殖産興業政策の転換期

フォンタネージとフェノロサが入れ替わり、そろそろと絵画・工芸上の国粋主義が頭をもたげはじめる明治一〇年代の前半は政治経済的にみても、大きな転換期にあたっていた。「螺旋展画閣」構想について考えるにあたって、そこに眼を向けずに済ますわけにはいかない。なにしろ由一にとっての作画は、ひとつの事業であったのだから。

そこで、まずは政治・経済の動きを大急ぎで、たどってみることにしよう。

西南戦争によって不平士族による反乱が止めを刺され、いわば維新期が終わりを告げたのが明治一〇年(一八七七)、これによって一応の安定を得た明治政府は、さらに明治一四年(一八八一)の政変において部内を統一して薩長藩閥政府を確立すると同時に国会開設請願運動の高まりと民権派ジャーナリスト=都市知識人による政府批判に対処すべく、明治二三年(一八九〇)に国会を開設する旨の声明を出す。また、これと並行して憲法体制の設計=構築を開始し、一七年(一八八四)には憲法の起草と諸制度の改革のための調査機関である制度取調局が設置される。明治政府は、その一方で天皇制の支配機構の完備を急ぎつつ、自由民権運動への弾圧を強化し、自由民権運動は一四年の自由党結成以後、高揚から一転、激化と日和見の二途をたどることになる。また、西南戦争の莫大な戦費調達のために、政府は財政的困難におちいり、インフレーションが深刻化することとなったが、こうした経済的危機は、官営事業の経営不振と相俟って殖産興業政策の転換を余儀なくさせた。すなわち明治一三年には、軍事および通信、精錬冶金部門を除く官営工場や鉱山の払い下げが日程にのぼり、明治一四年には、大蔵・内務省に分掌されていた勧商・勧農関係事務の整理統合のために農工商行政を司る農商務省があらたに設置されることになるのである。一四年の政変によって登場した松方デフレ財政は、官業払い下げにもとづいて、軍事産業を中軸とする産業界の再編成を推進しつつ、政商資本の産業資本への転化を促し、これによって財閥の形成が促進されてゆくこととなる。それは、そもそも近代産業システムの移植を課題としてはじめられた殖産興業政策を完了＝転換に導くことでもあった。

殖産興業政策の転換とは、それまでの殖産興業政策のリーダーであった大久保利通の施策に対する反省ということでもあり、その意味で明治一一年（一八七八）の大久保利通暗殺も殖産興業政策転換の見落とすことのできない重要な契機といえる。岩倉使節団の一員として近代欧米諸国をつぶさに見聞してきた大久保は、その体験にもとづいて、明治六年（一八七三）に内治全般を司る内務省を創設、内務‐大蔵‐工部の三省体制のもとで工業化の本格的な展開をはかる一方で在来産業の育成、農業の改良にも意を用い、さらには博覧会、博物館の制度を整備するなど日本の近代化を推進する道具立てをしつらえることにちからを注いだのだが、その成果をみることもなく、明治一一年――内務省主管の第一回内国勧業博覧会が、西南戦争を押して開催された翌年に、反政府テロリストによって暗殺されたのであった。

大久保は暗殺される直前の談話において、明治元年から内国勧業博覧会と西南戦争の明治一〇年までを創業時と総括し、一一年から二〇年までを「尤肝要ナル時間ニシテ内治ヲ整ヒ民産ヲ殖スルハ此時ニアリ」(『大久保利通文書』第九・巻四五)と述べていた。産業ブルジョアジーを育成しつつ立憲体制の確立へと向かうことになるその後の歴史に照らして、こうした大久保の見通しは、正鵠を射たものであったといえる。しかし、時代の展開は、二〇年という区切りの前に見落としがたい重要なもうひとつの区切りを、大久保自身の暗殺ということをもひとつの契機として、設けることとなった。すなわち、明治一四年(一八八一)がその区切りである。この年の重要さはこれまでみてきたところからすでにあきらかだが、明治一四年は、大久保の遺志を継ぐかたちで日本初の本格的な博物館建築が竣工した年であり、また、その建物をメインの会場として第二回内国勧業博覧会が開催された年でもあった。そればかりではない。天皇制権力の財政的基礎の確立を目指して行なわれた地租改正事業がほぼ完了し、地租改正事務局が閉鎖されたのも明治一四年のことであるし、立憲体制へ向けて皇室財産の設定に政府が改めて本格的に取り組みはじめるのも、この年あたりからである。また、貿易収支において、維新以来つづいた入超＝赤字が出超に転じたのも明治一五年のことであった。

林屋辰三郎は「文明開化の歴史的前提」において、明治一〇年代に入って文明開化の主眼が殖産興業から立憲政治へと移っていったと指摘している。すなわち一四年の政変以後、明治政府は確固たる国家の建設に政治制度の面から本格的にとりかかったのであった。しかも、このような制度確立の志向は、支配者だけのものではなく、国会開設請願運動にみられるように、いわば国民的な志向でもあった。国会開設の詔勅について、自由党に近い立場にあった『朝野新聞』は「明治十四年ヲ忘ル可ラズ」（一二月二四日付）としてこう書いている。「本年ハ則輿論ヲ以テ社会ヲ改良セシ新紀元ト云フベシ」（後出永井論文より引用）、と。

国粋主義の台頭

さて、肝心の明治絵画であるが、殖産興業の政策のなかで育まれた西洋画法が、かかる転換と無縁で済むわけがない。明治一八年（一八八五）、殖産興業政策の起点となった工部省は廃止され、これによって、近代産業システムの移植を課題とする殖産興業政策は完了することになるのだが、その二年前に工部美術学校はすでに廃止されており、これによって、洋画と政府の結びつきはいったん断たれることになったばかりか、それ以後、政府は手のひらを返したように伝統絵画の奨励に意を用い、最初の独立した官設「美術」展である明治一三年（一八八〇）開設の観古美術会を、その翌年には国粋主義陣営の手にゆだねてしまうのである。

竹越與三郎は『新日本史』中巻（明治二五年）において、美術にかかわる一〇年代の国粋主義を国粋保存主義勃興の先駆けとして位置づけつつ、「今や此旧社会慕望の念は、単に美術の上に止まらず、文学の上にも起り、文学と共に、制度典章の上にも起り、制度典章より、直ちに政治思想の上にも起り、今は歴然たる政治的の意義となり、唯一の観古美術博覧会は、実に全国民の思想を一転する潮合を作りしこと猶ほ自由思想がランプ金巾と共に輸入し来りしが如きものある也」と記し、憲法制定、国会開設が政治日程にのぼると共に台頭してきた法権主義（法律制度による統治を主張するもの）がこのような保守的風潮に「接木」されることで、やがて国家主義が醸成されていく過程を批判的に叙述している。

美術運動が新しい時代を開いたとする指摘は――それがたとえ批判的な観点から述べられていようと――実に魅力的であり、実際、明治一〇年代の国粋主義は岡倉天心という二〇年代に開花する大きな思想の芽を孕みもしたのだけれど、その大勢において一〇年代における絵画・工芸上の国粋主義は、しかし、二〇年代の国粋主義とは一線を画すべきものであるように思われる。一〇年代における美術にかかわる国粋主義運動は、明治政府の輸出振興策に絡んだ実利主義的な面が強く、明治二〇年代のナショナリズム――下からの批判力をそなえた陸羯南、三宅雪嶺、杉浦重剛、志賀重昂らの国粋主義や、「教育勅語」に集約される官僚イデオローグたちの国粋主義とは区別してかかるべきなのだ。一〇年代の美術にかかわる国粋主義の引きがねになった竜池会の活動は、そもそも、ジャポニスムの波にのった伝統工芸品が欧米の博覧会で好評を博し、有力な輸出品目とみなされるようになったことに端を発していたのであり、その「考古利今」というモットーは不平等条約下における慢性的輸入超過傾向という問題を抱える政府の是とするところとなったのであった。明治一〇年代の後半は鹿鳴館に象徴される極端な欧化政策が西洋並みを目指して推しすすめられた時代であり、これと伝統絵画の奨励は一見相矛盾するかのようだけれど、これらは不平等条約問題において都合よく整合するのである。

ただし、政府が洋画の奨励を打ち切ったことについては、実用技術として導入した西洋画法が日本人技術者のひとり立ちというかたちで一応国内に定着したという判断を政府がもったということが、もうひとつの大きな動因として想像される。明治政府は、多くの西洋人技術者を雇って、さまざまな近代施設の建設にあたらせると同時に、日本人技術者の養成にあたらせたのであるが、そしてフォンタネージもまたそうしたお雇い外国人のひとりであったわけだが、これらの西洋人技術者たちは、明治の初めの十数年で日本人の技術者に、どんどん取って代わられていったのである。数字のうえでこれを見れば、工部美術学校が開設された明治九年(一八七六)に一七〇人を数えた技術職のお雇い外国人は、同校が廃止になった明治一六年（一八八三）には二九人になっていたのであった。お雇い外国人の人数のこうした推移にも、殖産興業政策完了の様相が垣間見られるのである。

洋画の冬ごもり

なにはともあれ、こうして政府が西洋画の育成から手を引き、国粋派に鞍替えをしたことは、欧化政策に寄りかかって、洋々たる前途を想い描いてきた西洋派にとっては、ほとんど致命的な痛手であった。一般に、この時代が「冬の時代」と呼ばれるゆえんであるが、しかし、政府が、西洋画から伝統派、国粋派へ乗り換えたことが、すべて西洋派にとってマイナスに作用したかといえば、必ずしもそうとはいいきれない。というのは、これによって西洋派は、実用性に重きを置いた公認の西洋画観を自己批判的に省みざるをえない立場に立たされることになったばかりか、「美術」とは何かという問題にも直面せざるをえなかったはずだからである。かつて中原佑介が指摘したように「洋画の圧迫は、同時に洋画の自覚ということであり、というより近代美術の自覚ということでもあった」（『日本近代美術史2』）と考えられるのだ。

フォンタネージの教え子である小山正太郎や浅井忠は、フォンタネージの帰国後、後任の教師を不服として学友たちと連袂（れんべい）退学し、明治二〇年代の初めに彼らが中心となって明治美術会という西洋派の美術団体が結成されることになるのだが、明治美術会の結成に至る彼らの活動――たとえば岡倉天心のデビュー戦「書ハ美術ナラズ」論争の発端となった小山正太郎の同名の一文が、書を「美術」から排除することを通じて「美術」概念を純化しようとする試みであったことや、また、その時代を画技の研鑽と旅にすごし、二〇年代に至って、この国の風土に根ざしたいつくしむべき風景画を花開かせた浅井忠のしごとには、「冬の時代」に西洋画が美術として成熟していったようすをみとめることができるだろう。これらの例には、当然、美術としての絵画というフォンタネージの教えも大きく作用していたのにちがいないとはいえ、彼らがそれを身に沁みて悟ったのは、国粋主義の勃興によって実用主義的な公式の美術観に頼りがたくなったのを大きなきっかけとしてであったと考えることは、決して牽強ではないと思われるのである。

殖産興業政策のなかで、技術主義的な見方から文明開化の一環として公的に導入・定着されようとした西洋画法が、美術として新生を得るための「こもり(籠)」の期間、思うに、それが西洋派の「冬の時代」であった。「こもり」とは、折口信夫によると、「別殊の生」を得るための死の期間であり、「前後生活の岐(わか)れ目」となるものであるということだが(「若水の話」)、遠く司馬江漢の一八世紀末から明治の初めに至るまで、画家たちにおいてすら、ともすればコミュニケーションその他、実用的な側面において存在理由を主張されがちであった西洋画は、国粋主義の季節を迎えてひとたび死に、その死のなかで美術としての「別殊の生」を得たわけであり、「螺旋展画閣」が構想された明治一四年(一八八一）は、ちょうど、そのとばくちにあたっていたのであった。

由一が展画閣の構想において死と再生の過程を象徴する螺旋という形象を選んだのは、あるいは、かかる状況に対する直感ゆえのことであったかもしれないし、それが穿ちすぎだとしても、外は和風、内には洋画＝油絵を蔵する「螺旋展画閣」のアイディアは、国粋主義の台頭を察知し、その時代的な意義を直感していたからこそのアイディアであったと考えることは充分できる。といって、これは由一が国粋主義に迎合したということではない。そうではなくて、事業家としての由一の発想が、時代というものの根底にまで届いていたということを、おそらく、これは意味するのだ。

それはともかく、こうして、洋画は再生のための冬ごもりに入ることになるのだが、ただし、それについては、ひとつ断っておかねばならないことがある。というのは、西洋画が実用技術から美術に生まれかわるといっても、「美術」なるものがまずあって、それに西洋画が組み込まれるというかたちで美術としての西洋画が生みだされたわけではないということである。すなわち、西洋画が美術になってゆく過程は、「美術」が芸術として自覚されてゆく過程——西洋から翻訳によってもたらされたこの概念が、実用技術と袂を分かって、芸術として確立されてゆく過程でもあったのだ。しかも、その過程の初めにおいて主導権を握っていたのは西洋派ではなく、状況を牛耳る国粋派であった。具体的にいえば、国粋派は、美術ジャーナリズムを形成し、美術家たちの協会をつくり、また政府にはたらきかけることで展覧会や美術学校を開設するなど、総じていえば、美術のための諸制度を築き上げることを通じて、芸術としての「美術」を確立させていったのである。いいかえれば、「美術」の芸術としての確立は芸術のための諸制度の整備と一体のものとして行なわれたわけであるが、このことは日本近代における美術の確立を制度という観点から捉え返すことの可能性を示唆しているように思われる。すなわち、翻訳によって西洋から移植された「美術」が括弧抜きの美術として制度化されていった時代として国粋主義の時代を捉え直すこと……。

以上を要するに、殖産興業政策が一応の完了をみた明治一〇年代半ばから、憲法が発布される明治二〇年代の初頭にかけて、憲法体制が着々と整備されていくのと時期を同じくして、「美術」は美術として確立されはじめたのであり、しかも、制度の設計＝構築という点で、両者は対応すらしていたのであった。近代日本国家の制度的な骨組みの大体が構築されていったこの時代に、「美術」もまたその骨組みが制度的に定められていったわけで、この対応関係について考えることは、とりもなおさず日本近代美術の秘密を覗き見ることであると思われるのだが、しかし、それを行なう前に為さねばならぬことがふたつある。そのひとつは、制度としての美術という見方について検討を加えてみることであり、もうひとつは、美術として確立されはじめるまでの「美術」の歴史を制度史の観点から捉え直してみることである。

10　反近代＝反芸術――美術という制度

古典の制定

制度としての美術という考えを展開する手掛りとして、ひとつのことばを引くことからはじめよう。三木清の「構想力の論理」の一節である。

法律のみでなく、あらゆる制度的なものはノモスの意味を有してゐる。芸術の如きですら制度と見られることができる。例へば芸術における古典とは何であるか。古典とは我々の趣味にとつて基準となり、我々の制作にとつて模範となるものである、言ひ換へると、それはノモス的なものである。かかるものとして古典は明かに価値高き作品でなければならぬ。しかもそれの有する価値が伝統的に、従つて慣習的に定まつてゐるといふことが古典の一つの特徴である。古典が古典といはれる価値は我々が一々批評した上で初めて定めたものではない。却つて我々は古典に拠つて我々の趣味を教育し、その基準を定めるのである。〔11〕

三木清はノモスをロゴス的にして同時にミュトス（神話）的なものと規定しているが、

ここは、単純に法律、習慣、制度、ひいては人為的なもの一般といった意味にとって大過あるまい。また、ここにいわれる「芸術」は「美術」と置き換えても論旨に変わりはない。ただし、その場合、注意しなければならぬのは、絵や彫刻というのならばともかく、こと美術に関しては、明治になるまでこの国には古典なるものが存在しなかったということだろう。なぜなら、それまで日本には「美術」という概念が存在しなかったからである。美術なるものが存在しない以上、美術の古典もまた存在しないのは当たり前なのだ。つまり、日本美術の古典なるものは明治以後につくられた、というか、明治以後に絵や彫刻などの古典のなかから改めて日本美術の古典として選ばれたものたちなのである。つまり、日本における美術は伝統的でも慣習的でもなく、いわば剝き出しの「制度」として近代化過程においてつくりだされたものであるのだが、三木清は、このくだりの少しあとの方で、制度には「民俗及び習俗から高昇した制度」と合理的な発明と意図の産物である「制定された制度」とがあるというW・G・サムナーの考えにもとづきつつ「強力な制度であつて純粋に制定されたものは殆ど存しない」として、次のように記している。

> 純粋に制定された制度といふものは殆どなく、かやうなものがあるにしても、それは慣習的になることによつて初めて固有な意味における制度となるのである。何物もないところから、或る目的のために、制度を発明し創造することは困難であるのみでなく、そ

のやうな場合においても習俗がその考案を奪ひ取り、それから発明者の企画したものとは違つた或る物を作り出すのがつねである。〔12〕

美術をひとつの制度としてみるというとき、一般に思い浮かべられるのは「民俗及び習俗から高昇した制度として」のそれであろうかと思われるが、しかし、これまでみてきたところからも知られるように、美術は、むしろ「制定された制度」に近い。美術は、発明されたものでも創造されたものでもないけれど、それは、もともと西洋化という明治の大目的を達成するべく西洋から移植された制度のひとつであり、その点において「純粋に制定された制度」というに近いのだ。そうして、そのような美術が慣習化され、「強力な制度」として確立されるためには日本文化にそれを、しかと位置づけるための手続きが必要であった。「美術」が美術になっていく最初の過程において国粋主義が大きな役割を果たしたというのは、こういう事態をさすのである。

ここで立ち入って考えることはしないけれど、それは、舶来の制度である「美術」を日本の伝統文化に基礎づけることで、遠い過去からそれが日本にも存在していたという幻想を定着させてゆくはたらきをした、つまり日本美術の古典の制定は、このときを以て開始されたのであった。

暗い谷間

美術が或る歴史的時点において人為的に制定されたものだという事実に思いを致すことは、普通はまずほとんどありえないと考えられる。美術の歴史性はつねには忘れ去られている。すでにふれたように、国粋主義の運動が美術の出自を——それが意図的に制定された制度であるというその歴史性を——忘却させるはたらきをしたわけだが、この忘却の呪縛のなかにいる人間にとっては、そもそも、ここに展開しつつある議論自体が、極度に了解しにくい事柄であるのにちがいない。

しかし美術という概念は普遍的なものでもなければ自然なものでもない。明治以後百十数年の歴史をもつにすぎない歴史的起点のあきらかな存在なのである。それは、次章においてあきらかにするように、翻訳によってもたらされた明治の新語、爆発的に増大する近代的語彙に組み込まれる単語のひとつとしてその歴史を開始したのだ。要するに、明治以前においては「美術」という語は存在しなかったのであり、そのような概念をどうやら社会が必要としなかったらしいのだが、これは決して特殊な例ではなく、美術を必要としない社会はつねに、どこにでも存在しうるし、また、げんに地球上にいくらでも存在する。森口多里は『美術五十年史』の「序説」にこう書いている。

絵画、彫刻、書道といふやうな美術の各分野が異常な発達の途に就いたのは、仏教渡来

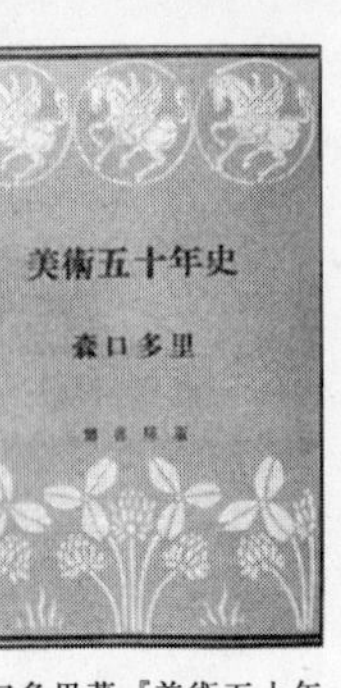

森口多里著『美術五十年史』
昭和18年（1943）

以後であつたとしても、それらの各分野を統合し包括する観念に与へられた言葉は、千数百年間存在しなかつた。社会はその必要を感じなかつたのである。書、画、彫鏤、といふやうな美的技芸のそれぞ〳〵に対する呼称があれば、それで足りたのである。それだけに、明治時代にはいつてから新しく総括的な「美術」といふ言葉の生れたといふことは、大きな時代的意義を持つのである。［13］

この本が刊行されたのは一九四三年（昭和一八）、すなわち太平洋戦争敗退期にあたる。「暗い谷間」といわれる時代の終わり間近であり、このくだりは、そうした時代背景と無関係に書かれたものとは思われない。というのも、この時代の言説には、翻訳語の来歴、素性を批判的に検討しようという発想がしばしばみうけられるからだ。

たとえば日本における認識論の草分けである紀平正美は、森口の本の前年に『なるほどの哲学』という日本主義の哲学書を上梓し、日本的な「「なる」の論理」の立場から、「人格」、「社会」、「科学」などの翻訳概念を、「止揚せらるべき諸概念」として批判しているし、美術に関しても、一九四一年（昭和一六）に出た鼓常良の『芸術日本の探究』は、美術が翻訳語であることを指摘したうえで「もし我国でも昔から文化のうちに「美術」の範囲が確立してゐたのなら、第一言葉がなければならぬのにそれを表はす言葉がない。（中略）この事実が既に我国では西洋流でいふ美の世界、人間が人工的に作り出す美の世界を日常生活の世界と区別して考へてゐないことを語つてゐると思ひます」と記している。

明治一〇年代の「谷間の時代」に国粋派の主導によって制度化の緒についた「美術」は、皮肉なことに、こうして昭和一〇年代の「暗い谷間」の時代における日本回帰の風潮のなかで批判、検証されることになったのである。

しかし、ここにみたような鼓常良や紀平正美の発想をたんにショーヴィニスムや日本への回帰としてかたづけてしまうわけにはいかない。紀平正美はともかく鼓常良の論はショーヴィニスムというものではないし、紀平の発想を日本回帰と呼ぶにしても、そういうだけでは事柄の半面をみたことにしかなるまい。この時代における日本回帰ないしショーヴィニスムの論調は、近代に対する懐疑、反発、批判、憎悪（あるいはそうした論調への迎合）と結びついていたからである。たとえば柳宗悦は、紀平正美の著書と同じ年に出版された『工芸文化』において、「絵画や彫刻を、今は凡て美術の部門に属させてゐるが、或時代までは明かに「美術」と云ふ特殊な存在はなかつた」と述べ、美術が西欧近代の産物であることを批判的に強調しつつ、美術というものの限界を指摘しているし、かの悪名高い座談会『近代の超克』が刊行されたのは一九四三年（昭和一八）、『美術五十年史』が出版されたのと同じ年のことであった。もっとも、先に引いた森口多里のことばは穏健であり、ショーヴィニスムや近代批判とは全く無縁であるかのようにみえるものの、それが、こうした状況のなかで語られたものであることを見逃すわけにはゆかぬのだ。

反近代と「美術」

もっとも、「美術」という語の来歴を省みることは、この時代に初めて行なわれたというものではなく、明治以来、繰り返し行なわれてきたことであった。たとえば、国粋派の機関誌的な役割を果たした明治一六年(一八八三)創刊の『大日本美術新報』をみると、翻訳語であり明治の新語である「美術」の来歴にふれることばが、しばしば見出されるが、しかし、それらは、おおむね「美術」を定着させる方向で記されたものであった。また、明治三四年(一九〇一)刊行の『米僊画談』は、「美術と云ふ名称に就て大分議論もある様ですが」として、「美術」が必ずしも適当な訳語ではないとする工部美術学校長をつとめた大鳥圭介の談話を引き合いに出しているし、このほかにも黒川真頼が「日本美術の由来」(明治二二年)に「美術の字を用ゐることは、能く適ふべからず」(『美術園』第六号)と違和感を表明した例などがある。とはいえ、だからといって、柳、鼓の論を「暗い谷間」の時代から切り離して捉えうるわけではないし、それどころか、むしろ、このように違和をかもしつづけてきた「美術」であればこそ、このような時代において批判から逃れようがなかったのだと考えることができるだろう。

明治政府による近代化路線は日露戦争ののちに漸く苦渋の様相を呈しはじめ、そこから昭和にかけて近代化にまつわる諸矛盾、産業化社会の軋轢、中央集権制の悪弊、労働問題、都市問題、農村問題等々が近代化の破綻をかくれもないものにしていった。近代を否定し、批判し、憎悪する論調はこうした状況のなかで形成されていったのだが、森口らの書物が上梓された一九四〇年代以前において、その流れはすでに急流を成しはじめていた。文学においては、文明開化=近代化の論理を、イロニーを武器として――近代を体現するものとしての自己を破滅に追いやることで――否定しようとした「日本浪曼派」という反近代の先駆けがあり、また美術においても、行き詰まった近代の先端で自己否定的に近代を乗り越えようとする動きがあった。たとえば、大正アヴァンギャルドの掉尾に位置する「造型」というグループ――岡本唐貴、神原泰ら旧アクション系の人々によって一九二五年（大正一四）に結成されたこのグループは、岡本唐貴の「造型とその意義に就て（2）」（一九二六年『アトリヱ』四月号）という論文によると「絵画彫刻等から近代主義のイデオロギーを抜去ると、造型芸術でなくて造型のしかも造型的範疇の特態としての絵画彫刻」を発見しうるという発想にもとづいていたのである。つまり、近代主義と造型芸術=美術をセットとして捉え、それらを撥無することによって、絵画や彫刻を、造型というニュートラルな活動（と、おそらく彼らが考えていたであろうところのもの）に還元しようというわけだ。

「近代主義のイデオロギー」というのは、私見によれば、ブルジョア的なフィクションとしての美術、つまりは近代的な制度のひとつとしての美術というように捉え返しうるものであり、それが、ここでは、近代と共に桎梏とみなされているのである。

もちろん、「日本浪曼派」と「造型」では、時代がずれるうえに、かたや右翼ショーヴィニスム、かたや左翼インターナショナリズムと思想の符丁が全く逆である。しかし、これらは近代の行き詰まりにおいて近代を超克すべく展開された運動として共通の課題をかかえていたのであった。周知のように、やがて、時代は前者が後者を圧倒し尽くす方向へすすんでゆくことになるのだけれど。

ちなみに、一九四〇年代は、近代美術研究の黎明期にあたっており、『美術五十年史』以外にも、隈元謙次郎の『明治初期来朝伊太利亜美術家の研究』(昭和一五年)、土方定一の『近代日本洋画史』(昭和一六年)、森口多里の『明治大正の洋画』(昭和一六年)、石井柏亭の『日本絵画三代志』(昭和一七年)、斎藤隆三の『日本美術院史』(昭和一九年)などの優れた書物が刊行されているのだが、これらも、近代の来し方への鋭い反省の意識と無縁に行なわれたしごとでは、もちろんない。また、この節の冒頭に引いた三木清の『構想力の論理　第一』が刊行されたのも昭和一四年(一九三九)、すなわち「暗い谷間」の時代においてのことであった。

要約しよう。「暗い谷間」の時代に美術の素性や来歴が省みられた動因は、明治にはじまる近代化＝文明開化が行き詰まり、その矛盾が自覚されたことにあった。近代の本格的なはじまりと共に翻訳によって西洋からもたらされた美術は、近代が問題化されるにともなって、それ自体ひとつの問題として浮上してきた、つまり、あれこれの美術の在り方ではなく「美術」という存在自体に大きな疑問符が突きつけられることになったのである。

反芸術と美術の制度性

ただし、美術の問題化は、「暗い谷間」の時代に特有の出来事だったというわけではない。近代に対する否定の意志がはたらくとき、そして、その意志が徹底したものであるとき、再び美術の存在は批判の俎上に載せられずには済まぬだろう。かくして、「暗い谷間」の時代につづいて思想の振子が大きく反近代の極へと動いた一九六〇年代——反近代の思いと日本回帰の風潮がないまぜになったこの時代において、再び美術は反芸術という掛け声のもとにすさまじい否定の嵐にさらされることになったのだった。

一般に制度といえば、美術に関してなら、美術をとりまく社会的な関係（たとえば公衆と批評家、美術館や教育機関）が論じられ、それはそれで充分に意味のあることだが、〈制度〉というものをもっと広義に、つまり〈自然〉に対するもの（physis/nomos）として考えるなら、むしろ美術そのものもまた、他の多くの人間の活動と同じように、決して〈自然〉ではなく、ひとつの〈制度〉、いわば見ることの制度ということはできないだろうか。[14]

これは、宮川淳が阿部良雄との公開往復書簡に記したことばである。宮川は、このあとで、自然に対するもの（nomos）である美術を、あたかも自然（physis）でもあるかのように作用させるイデオロギーのはたらきを指摘しているのだが、このような発想は、六〇年代の反芸術の動きのなかで得られたものであった。美術は反芸術の嵐のなかで自然性を失い、みずからの制度性を批評家の明眸にさらすことになったのである。もっとも、この書簡は一九七六年に書かれたものであるが、宮川淳が美術を制度として捉える発想を展開しはじめるのは六〇年代の美術状況——反芸術的思考に支配されていた美術状況とのかかわりあいのなかにおいてだった。制度としての美術という発想の理解のためにも、その当時の言説を引いておくことにしよう。次は一九六五年の「絵画とその影」の一節である。

絵画を institution に関する事柄というとき、美術団体や展覧会がすぐ想い出されるかもしれない。しかし、それらは単に institution の実体化した部分にすぎない。それよりも前に、絵画はイメージ、この不在の実在の危険な魅惑の魔除けとして、したがって人間のイメージへの欲望の institutionalisation（制度化）として成立したのではないのか。

[15]

そして、その四年後に書かれた「批評の変貌」の一節。

作品を見ることは、日常の視覚が自然であるという意味では決して《自然》ではないし、また美学者たちが主張するように、日常の視覚の〈純化〉でもない。それはむしろ制度的なものであり、したがって、単なる視覚的な事実ではなく、日常の視覚の上にある厚みを形成することなのだ。芸術とは、作品の中に実在するのではなく、この《見る》ことの厚みの中で成立するひとつの幻想、吉本隆明の表現を借りれば《共同の幻想》である。もし芸術家の創造をいうのなら、芸術家も、信じられがちなように、けっして ex nihilo に創造するのでは決してないだろう。彼もまたすでに芸術という幻想の中で制作しているのであり、彼の行為もまた本質的に《見る》ことにほかならないのである。

[16]

解説の必要はあるまい。ここには絵画—美術—芸術を制度としてみる見方がきわめて明快に示されている。芸術作品の制作は決して ex nihilo（無から）というかたちで行なわれるわけではないのだ。ここで、ひとつだけ私見を付け加えるならば、制度としての美術の実相を捉えるためには、宮川淳が、いったん脇に退けた美術館、教育機関、展覧会、美術団体、それから美術ジャーナリズムなど文字通りの社会制度にも、やはり眼を向けるべきであろうということを指摘しておきたい。多木浩二は『「もの」の詩学』のなかで、フランスの一八世紀末において、美術館という施設の誕生によって「「もの」が「芸術」でありうる文化的な条件（ないしは制度）」が生まれたことを指摘しているが、これと同様の事態が、ヨーロッパにおけるよりも明瞭に日本の一九世紀末において見出されるのだ。いうなれば美術という institution（制度）は、この国においてもまた、美術の institution（施設=公共建築）を通じて実現されていったのである。

では美術という制度ないしは美術の制度化とは具体的にいって、いかなる事態をさすのであろうか。それについては、これから史実をたどりつつみてゆくことにしようと思うのだが、議論の展開に資すべく、私見を仮説として述べておけば、こういうことになる。すなわち、制度としての美術とは――「美術」という語のもとに在来の絵画や彫刻などの制作技術が統合され、また美術の在り方が博覧会、博物館、学校などを通じて体系化され、規範化され、一般化されることで、美術と非美術の境界が設定され、さらに、かかる規範への適応如何が制作物への評価を決し、さらには、そのような規範が公認され、自発的に遵守され、反復され、伝承され、起源が忘却され、ついには規範の内面化が行なわれるといった事態=様態、これをさす。そうして明治一四年（一八八一）という国粋主義の時代への入口で構想された「螺旋展画閣」は、こうした意味での制度化の開始を告げるモニュメントであったのだ。そのことを何よりも如実に示しているのは、螺旋を巻きながら至高の一点へ向けて上昇してゆくその形態であろう。

凡美術ノ真理ハ一アリテ二アル可カラズ〔17〕

これは「螺旋展画閣」構想の四年後に書かれたある建言書（三—一六）に記された由一のことばだが、渦巻きながら上昇する「螺旋展画閣」の形態は、まさしく、このことばを先取り的に形象化したものといえるのである。

もっとも、このような由一の意志を尻目に、「美術」の制度化は、台頭する国粋派の主導で行なわれることになるわけだが、その過程をあきらかにするためには、明治一〇年代半ばに至る制度の歴史の大体と「美術」という語の誕生の顚末とをまずはみておかなければなるまい。そこで、次章では、「螺旋展画閣」とのかかわりにおいて、「美術」の制度史的な来歴に探りをいれてみることにする。

第2章　「美術」の起源

1 文明開化の装置──博物館の起源

博物館と「美術」

由一が展画閣の造築を思い立ったのは、『履歴』に載せる「展画閣ヲ造築センコトヲ希望スルノ主意」という文書によるとチャールズ・ワーグマンに入門した慶応二年(一八六六)のことであり、『油画史料』をひもとくと、「螺旋展画閣」構想以外にも同種の施設を幾度となく構想していたことがわかる。もっとも、それらで実現したものはひとつもなく、「螺旋展画閣」もまた計画のままに終わってしまったのだが、しかし、この「螺旋展画閣」構想は、美術への志向が明確に表明されている点と、螺旋建築という特異性において最も興味深いものであり、展画閣にかけた由一の夢の精華ということができる。

だが、「螺旋展画閣」構想には、きわめて重要な点で曖昧なところがある。すなわち、博物館として構想されたものなのか、それとも美術館として構想されたものなのかということが不明確なのだ。「螺旋展画閣」は、はたして美術館であるのか博物館であるのか、それについて明確な結論を出すまでには至らなくとも、「螺旋展画閣」構想なるものを把握するためには、美術館なるものと博物館なるものの関係を、当時の実態に照らしてあきらかにしておく必要は少なくともあるはずだし、これは美術の制度史的な来歴に探りを入れる格好のきっかけとなるはずである。

もっとも、そうは言っても、現在の東京、京都、奈良の国立博物館を想い浮かべるならば、美術館だろうが博物館だろうがどちらでも構わないように思われないでもない。これらの博物館は、ほとんど美術館と異ならないからである。しかし、明治の実情に照らして考えるとなるといささか勝手がちがってくる。明治初期に博物館といえば、それは、「博物館」という字義のとおりさまざまな自然物や文物をあまねく収集し陳列しようとする綜合的なものだったのである。すなわち、明治初期の博物館は、現在の自然科学博物館、種々の美術館(美術博物館)、歴史民族博物館などを合わせたようなものであり、その綜合性において「人智ノ進歩」を促し、文明開化を推進するための有力な装置、しかも、それ自体、文明開化によって西洋からもたらされた新来の制度のひとつだったのだ。したがって、この綜合的な明治の博物館においては、絵画や彫刻は、今日の東京、京都、奈良の博物館にみられるごとく博物館の基本的なイメージを規定する中心的な存在なのではなく、その一小部門を形成する存在にすぎなかったのである。

もっともこういう言いかたをすると博物館創設以前に「美術」なるものがまずあって、しかるのちに博物館がその綜合性の内に美術を取り込んだかのように思われるかもしれないが、実はそうではない。「美術」という語が西洋からもたらされ、それが徐々に日本語の語彙のなかに定着されてゆく過程は、博物館が創始され、徐々に充実してゆく過程とパラレルな関係にあり、しかも、新語「美術」の揺籃となったのは、博物館と一体のものとして西洋から移植された博覧会という制度であったのだ。

それでは、博物館および博覧会という制度は、いったいどのようにしてこの国にもたらされたのであろうか。由一の真意に迫るべく、主に『東博百年史』をたよりとしてその来歴をたどってみることにしよう。

「博物館」の起源

博物館やそれに類似する施設のことは幕末の遣外使節の見聞記や日記にすでに記されている。ただし、そこでは、博物館は「博物館」という以外に「博物所」、「百物館」、「諸種古物有之館」などという名前で呼ばれていた。「博物館」という名称が用いられた早い例は、文久元年（一八六一）に日本を発った幕府遣欧使節一行の日記（四月二〇日）のなかに見出されるが、次に引くのは、その折に松平石見守の随員として渡欧した市川渡の『尾蠅欧行漫録』の文久二年（一八六二）四月二四日の条である。この日、使節一行はロンドンにあって、大英博物館を訪れたのであった。

> 今日御三使博物館ニ行カル。午牌（ごはい）後ヨリ馬車ニテ出寓（しゅつぐう）、東北ノ方行凡二十丁許（ばかり）、路傍ニ一大石造ノ巨堂アリ。正面ヨリ入レバ神仙裸体ノ人物石像数種ヲ置タリ、又頭ハ人ニシ

1857年当時の大英博物館正面

THE ILLUSTRATED LONDON NEWS

大英博物館でのラマッス像収容の図
『イラストレイテッド・ロンドン・ニュース』紙1952年２月28日号より

テ四足ノ像アリ、其他奇怪ノ諸像及断碑数十ヲ並列セリ、又数個ノ人腊アリ布ヲ以テ全体ヲ包裏セシ故其胑肉ヲ諦視スル能ハザレドモ、世俗ノ所謂木乃伊ハ蓋シ此類ナラン歟［1］

「御三使」とは、正使竹内保徳、副使松平康直、目付京極高朗のこと、「午牌」は正午、「頭ハ人ニシテ四足ノ像」はスフィンクス、また「人腊」とは干からびた人体つまりはミイラのことであり、「胑」は「肢」で、手足のことである。一行が見た「断碑」のなかには当然ロゼッタ・ストーンも含まれていたにちがいない。市川渡が「一大石造ノ巨堂」と記した博物館の建物は、現在も使用されているギリシャ神殿風の建物で、その偉容に使節一行は強い印象を受けたことだろう。エンタシスのあいだをぬけて巨堂に足を踏みいれた一行が、アッシリアやエジプトの展示室を経巡り、ミイラの前に息をのんで足をとどめるさまが眼に浮かぶようだ。

もっとも日本人が博物館という施設を知ったのはこのときが初めてというわけではない。博物館を日本人が初めて訪れた記録は万延元年（一八六〇）の遣米使節一行の見聞記や日記のなかに見出される。たとえば村垣淡路守範正の『遣米使日記』の四月二日の条には「パテントオヒース」（Patent Office）をたずねたことが記されており、「パテントオヒース」に「百物館」の語をあてたうえで、その内部のようすを述べて「二階に登れば、両側数々の棚を玻璃（はり）の障子にて囲たるが三十間計もあるべし」と記し、また、四月一四日のスミソニアン博物館訪問の条には「広き堂内左右に硝子を覆ひたる棚に万国の物品鳥獣虫魚数万種有（中略）また、こなたの隅に硝子を覆ひたる中に人骸の乾物三つ有、千年を経しものといふ」などと記している。

これらの記述は、博物館なるもののイメージを的確に捉えているが、特に、このガラス・ケースについての記述は、ミイラや石像や剝製にまつわる死の雰囲気と共に博物館というものの本質的イメージを捉えたものといえるだろう。過去の品々や死物を展覧に供する博物館は、それらの事物を、不可触の禁制のもとで人々の視線にさらすのだ。

以上は日本人が実際に博物館を訪れた記録であるが、日本人はそれよりもさらに前から博物館という存在を知っていたのにちがいない。洋書やオランダ人のもたらす情報などを通じてその存在を知る可能性は充分あったわけだし、げんに蕃書調所が輸入した蘭書のな

19世紀半ば頃の大英博物館エジプト室のようす

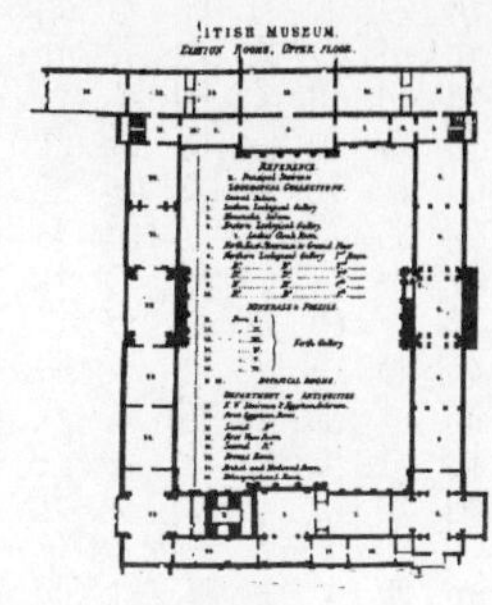

大英博物館２階フロア
19、20室がエジプト室。

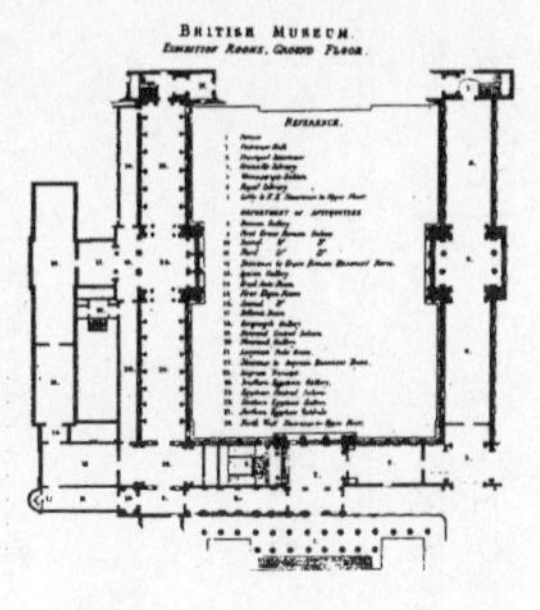

大英博物館１階フロア
25室がエジプト室になっている。

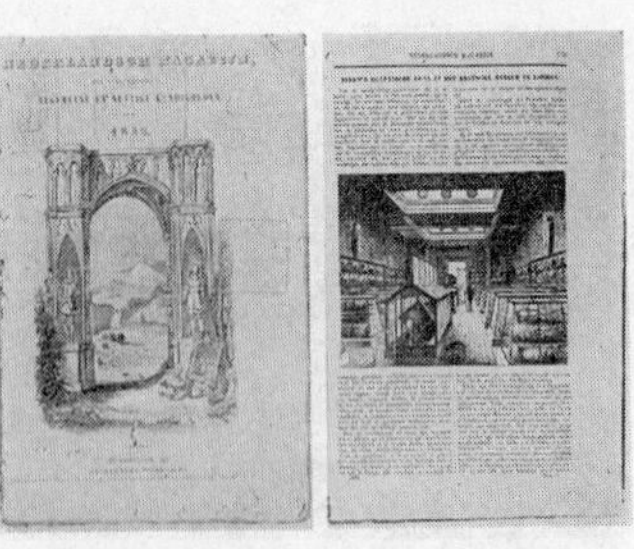

『NEDERLANDSCH MAGAZIJN』の1839年号（左）と大英博物館エジプト室（右）東京国立博物館蔵

かに『荷蘭(オランダ)宝函』（NEDERLANDSCH MAGAZIJN）があって、そこには大英博物館ほか欧州各地の博物館が紹介されており、一八三九年版『荷蘭宝函』に載る大英博物館のガラス・ケースを並べた室内を描いた図版などは博物館というものの雰囲気をかなりよく伝えている。こうした雑誌などによって幕末の知識人たちの一部にはすでに博物館というものが知られていたわけだが、西洋画の夢にとりつかれた三〇代後半の高橋由一が西洋画法を学んだのは、この『荷蘭宝函』を輸入した蕃書調所にほかならなかった。

物産会と博覧会

博物館のはじまりに関して、もうひとつ忘れてはならない重要なことがある。それは、一八世紀半ばから江戸その他の都市でさかんに開かれた物産会や薬品会という催しのことである。薬品会というのは薬用動植鉱物の陳列と研究の催し、物産会は、その名のとおりさまざまな物産を収集展示する催しで、これらの催しでは珍獣奇花その他、天下の珍品が展示されたのだが、これらは、博物館という外来の装置を明治の人々が受け容れる文化的な素地を形成したと考えられるのだ。もっとも、これらの催しは博物館より、むしろ博覧会の下地をなしたというべきものであるかもしれないけれど、博覧会はもともと博物館と一体のものとしてこの国にもたらされたのであった。このほか同様の催しや施設としては社寺が勧進のために所蔵の宝物を展覧に供した出開帳や、動物園のさきがけともいうべき花鳥茶屋などがあり、これらが「螺旋展画閣」構想の基盤ともなっていたであろうことは、すでに指摘しておいた。

しかし、これらの催しや施設は、あくまでも博覧会や博物館の素地を成したのであって、それがそのまま博物館や博覧会に発展したわけでは決してない。この点は、「螺旋展画閣」が見世物の伝統を基盤としながら、それを厭離するきまじめさをみせているのと同断である。西洋においてすでに実効が確かめられた制度に鑑みつつ、物産会や薬品会の伝統を文明開化・殖産興業という国家目標に向けて換骨奪胎することで、博覧会や博物館は確立されていったのである。もちろん、そのためには啓蒙活動による「博物館」および「博覧会」の概念の普及ということが重要になってくるわけだが、それに関して大きな役割を果たしたのは文久元年の遣欧使節にも加わった福澤諭吉のベストセラー『西洋事情』(初編巻之一、慶応二年)であった。そのなかで福澤は、「博物館」について「世界中の物産、古物、珍産を集めて人に示し、見聞を博くする為めに設るものなり」と記し、「博覧会」

については以下のように記している。『福澤諭吉全集』から引く。

西洋の大都会には、数年毎に産物の大会を設け、世界中に布告して各々其国の名産、便利の器械、古物奇品を集め、万国の人に示すことあり。之を博覧会と称す。（中略）博覧会は元と相教へ相学ぶの趣意にて、互に他の所長を取て己の利となす。之を譬へば智力工夫の交易を行ふが如し。［2］

ここで紹介されているのは、いうまでもなく万国博覧会のことである。ということは、つまり、この国の人々に知れわたるようになった当初において「博覧会」とは、まず万国博覧会のことであったということになるわけだが、鎖国を解いて列強諸国がしのぎをけずる国際社会にこれから乗り出そうとする日本人にとって、この記述が国際社会のイメージを与える重要な情報となったであろうことはいうまでもないとして、『西洋事情』のこのくだりを、当時の日本の現実に引きつけて読むためには、文字通りの「万国」に、江戸時代の日本が藩という大小の国に分けられていた事実を重ね合わせてみる必要もあるかもしれない。民族の統一による国民国家の創出は明治にゆだねられた最大の課題だったのである。

ただし、「博覧会」という語はこれより先に栗本鋤雲によって exposition の訳語として

『海外新聞』文久２年（1862）

造語されたといわれるものであり、万国博覧会については、一八六二年（文久二）のロンドン万国博覧会のことがその開催年に『官板バタビヤ新聞』によって報じられるということがすでにあった。しかも、日本は一八六七年のパリ万国博覧会に参加してさえいたのである。とはいえ、全国的な規模で「博覧会」が国民に知れわたったのは、やはり、『西洋事情』という幕末明治の大ベストセラーによるところが大きかったと言わねばならぬだろう。

2　美術への胎動――博覧会の創始

博覧会と博物館

物産会の伝統、海外情報としての博覧会・博物館、実際の見聞、そして「博覧会」および「博物館」という名称の発明と普及――こうした段階を踏んで幕末明初の日本に知れわたるようになった「博物館」と「博覧会」は、はやばやと明治の初めには実現されるはこびとなった。

「博覧会」を名乗る催しは明治四年（一八七一）一〇月に京都において開催されたものが最初であり、「博物館」はその翌年に文部省によって東京湯島の大成殿を利用して開館（設置は前年）されたのが最初であった。このとき、開館イヴェントとして「博覧会」が開かれたのだが、これが国家による最初の博覧会となった。京都で開かれた博覧会は三井八郎右衛門ら民間の有志が京都府の後援で開催したものであり、初めての「博覧会」として史上に位置を占めるとはいえ、その実、骨董会と評されるていのものであった。

文部省博覧会の前年すなわち京都の博覧会と同じ年に東京では、大学南校の物産局によって「物産会」と名乗る催しが開かれているが、これは実は当初「大学南校博物館」の名において「博覧会」として開かれる予定のものであった。この「博覧会」は、先に「螺旋展画閣」構想の影響源を考えたときにふれたプラン倒れに終わった例の博覧会であるのだが、実は「物産会」と名をかえ、規模を縮小して開かれることとなったのであった。しかしながら、その内容はかかる名称の変更を正当化するようなもの、つまり、「物産会」の域をでるものではなかったようである。また、これと同じ年に、「文部省博物館」の名で再び「博覧会」が計画されているが、これも計画倒れに終わっている。

しかし、その結果はどうであれ、官が「博覧会」と名乗ろうとしたということは、単なる名称変更では済まぬ事柄であろう。そこには、近世の物産会と一線を画さんとする強力

チャールズ・ワーグマン《第一回京都博覧会（美術工芸展覧会）会場》明治4年（1871）

文部省博覧会関係者（旧湯島聖堂大成殿前）
明治5年（1872）3月　東京国立博物館蔵
前列左から、田中房種、蜷川式胤、内田政雄、町田久成、田中芳男（洋装）、久保弘道、小野職愨
後列左から、広瀬直水、服部雪斎、谷森真男、伊藤圭介（いずれも洋装）、織田信徳

な意志がはたらいていたのにちがいないのだ。先にもいったように、江戸の物産会を、殖産興業といった明治の国家目標に向けて、西洋の制度に倣いつつ改編すること、これが、すなわち物産会から博覧会への道だったのである。博覧会と殖産興業の結びつきは、物産に関する学問を国家経済の根本とみる蕃書調所以来の考えであり、物産の学は享保の国産開発政策以来の発想によるものであったのだけれど、明治という時代は、こうした発想を引き継ぎつつ、それを近代的な制度に組み込んでいったのであった。

ところで物産会を開いた「大学（大学本校）」と称される機関は、現在とはちがって教育機関であると同時に教育行政の官庁でもあった。その大学は、南校物産会のすぐあとに廃止となり、かわりに「文部省」が設置されて、そのなかに「博物局」が置かれ、南校物産局がそこに引き継がれることになるのだが（南校および東校は存続）、明治五年（一八七二）に東京で開館した「博物館」は、この新設の文部省博物局の博物館であり、そのオープニングを飾ったのは、大学南校において実現できなかった「博覧会」であった。官による「博覧会」はこうして「博物館」と一体となってスタートしたわけである。

博覧会というと、今日ではとにかく非日常的なお祭り騒ぎになりがちであり、博物館とくらべて娯楽性が強く、往々にして見世物化しがちであった薬品会などの伝統を強く引いているように思われさえするものの、すでに指摘したように当初は、文明開化・殖産興業という国家目標との関連において、その啓蒙的・教育的価値が着目されたのであった。また、現在の考えからすれば、博物館は主に文明の過去にかかわり、博覧会は主に文明の未来にかかわるとみられるのだけれど、この国における博物館、博覧会の草創期には、博物館を拡充して一時的に施行するものが博覧会であるというような考え方がなされ、博物館を「永久博覧会」とか「常博覧会」などと称しもしたのであった。要するに、この当時において博覧会と博物館は、「人智ノ進歩」という目的を共有する文明開化の両輪と考えられていたのである。

昇斎一景《博覧会諸人群集之図》明治5年（1872）
湯島聖堂大成殿における文部省博覧会　東京国立近代美術館蔵

文部省博物館と「美術」

もっとも、博覧会や博物館が文明開化や殖産興業の推進装置として本格的に位置づけられるのは、内国勧業博覧会が開催され、博物館の建設がはじまる明治一〇年頃になってからのことと言わねばならないのだが、五年の文部省博覧会の賑わいを描いた昇斎一景《博覧会諸人群集之図》を見ると、並行するガラス・ケースのあいだにひしめく人々のようすが描きだされており、幕末の遣外使節の日記に捉えられた博物館の本質的イ

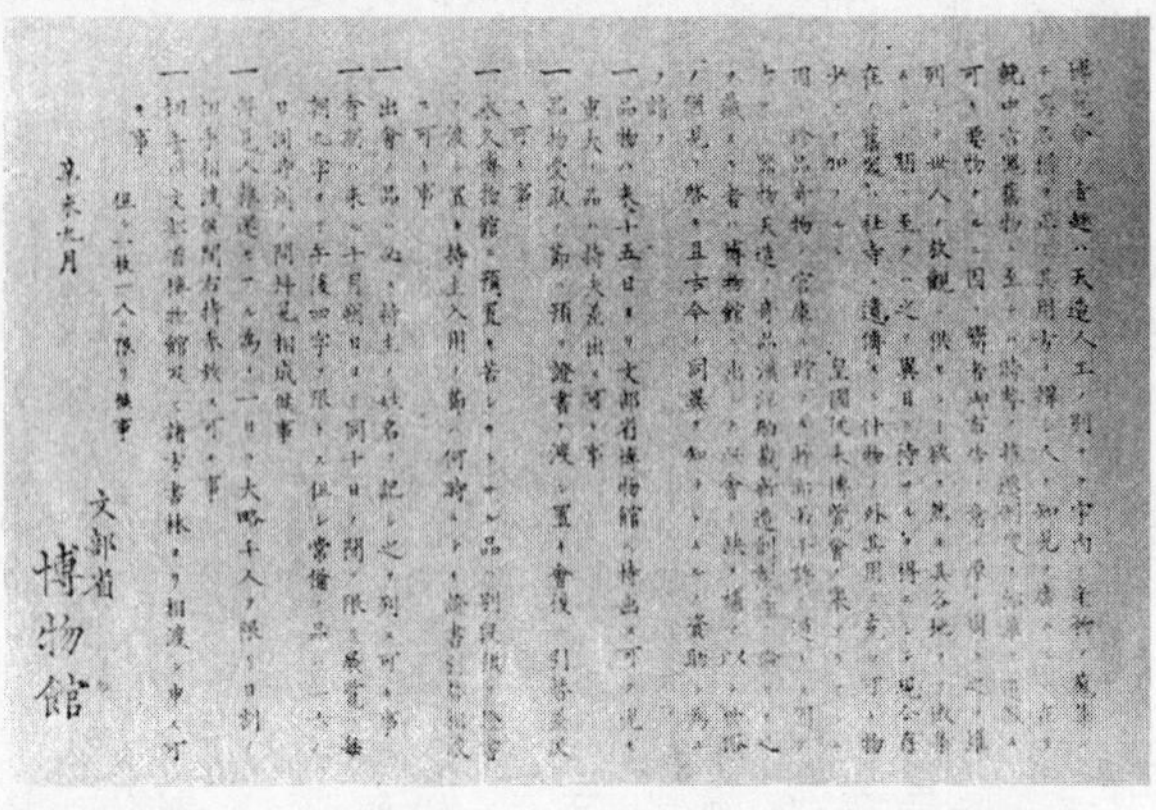
壬申九月

文部省
博物館

博覧会の開催を告げる布達文書　明治５年（1872）　都立中央図書館蔵

メージが早くも実現されていることが知られる。その内実はともかく、博物館＝博覧会は文明開化の装置としてとにもかくにも作動しはじめていたわけであり、博覧会の啓蒙的なはたらきもすでにこのときから、かなりはっきりと自覚されていたようだ。そのことは、五年の博覧会の開催を告げる布達の次のような一節に見てとることができる。

博覧会ノ旨趣ハ天造人工ノ別ナク宇内ノ産物ヲ蒐集シテ其名称ヲ正シ其用方ヲ弁ジ人ノ知見ヲ広ムルニ在リ。就中古器旧物ニ至テハ時勢ノ推遷制度ノ沿革ヲ追徴ス可キ要物ナルニ因リ嚮者（きょうしゃ）御布告（古器旧物保存の太政官布告―引用者註）ノ意ニ原（もと）キ之ヲ羅列シテ世人ノ放観ニ供セント

欲ス。〔3〕

ここに見られるのは自然物、人工物を問わず天下の事物を広く収集し、展観に供しようとする綜合性への志向であり、発想の中心には、事物と名の対応を定め、その効用をあきらかにしようとする名物学的ないし物産学的「正名」思想があった。ということは、啓蒙とはいっても、結局のところ江戸の薬品会や物産会の流れに、この博覧会がつらなることをうかがわせるわけだが、この博覧会は、布達にもあるとおり「古器旧物」の出品が中心を占めており、その点で従来の物産会とはかなりおもむきを異にしていた。いうなれば物産会から、美術展や歴史の展覧会の方へと近づいているわけだ。とはいえ、そこから直ちに現在のような美術展や博物館が生まれてきたわけではない。博物館は、この章の初めにみたように、まずは綜合化の道を歩むことになるのであり、官が独立した最初の美術展を開くのは明治一三年（一八八〇）のことなのである。つまり、ここから現在のようなかたちの博物館や美術展に至るまでには、博物館＝博覧会史は幾つもの曲折を経なければならなかったのだ。しかし、文部省博物館によるこの博覧会には、「古器旧物」の扱いをも含めて、「美術」の制度化を考えるうえで注目すべき点が幾つかある。

「歴史」という制度

第一に、明治五年（一八七二）の博覧会において古器旧物が収集されたのは、その前年の明治四年五月に太政官が発した古器旧物保存の布告の意を体したものであったということがある。この布告は、文明開化の風潮によって文化財が破壊されてゆくことへの危機意識に発するものであったのだが、この布告に関しては、博物館の歴史を考えるうえで見過ごせない事柄が幾つか見出される。

まず、太政官布告の基となった「大学献言」（明治四年四月）において「集古館」という名の博物館構想が打ち出されたことが第一に挙げられる。これは、「博物館建設の第一声」（『東博百年史』）といわれるものであり、ついに実現はしなかったものの、ここにおいて、「博物館」というものが確たる実体として志向されることになったということは見逃せない。布告を承けて明治五年に行なわれた古社寺調査においても、京都と大阪と奈良に「博物館」（奈良に関しては「古物館」という語を使用）を建設する準備が、その目的に含まれており、実体としての博物館への志向がかなり強固なものであったことが知られるのだが、かかる志向は、「古器旧物」なるものが、ひとつの画然たる領域として改めて体制化されようとしていたことを示していると考えられるのである。

あるいは、制度を意味する欧語 institution が、打ち立てることを意味するラテン語の instituere に由来することばであり、公共建築をも意味することばであることを思うとき、

「大学献言」に「抑（そもそも）西洋各国ニ於テ集古館ノ設有之候ハ」云々とあるように、西洋の例に倣って提案された「集古館」建設は、古器旧物つまりは文化財という領域にまつわるひとつの制度を確立せんとする——つまり社会的な規範として体系化しようとする意志の表明であったのではないかとも思われてくる。「大学献言」の文面によると「集古館」に収集される古器旧物は「古今時勢ノ沿革ハ勿論往昔ノ制度文物ヲ考証」するのに供せられることになっており、「歴史」という思考法が、はっきりと見出されるのだが、歴史が、道徳や文学の影響を脱して、一個の学として独立するのは明治以後——この「大学献言」が出されたのとちょうど同じ頃に西周が育英舎において行なった『百学連環』の講義にみえる歴史学の叙述あたりをメルクマールとする出来事なのであった。

ただし、ここで注意を促しておきたいのは、「集古館」建設の提案が、たとえ歴史考証の材料としての古器旧物にかかわるものであったとしても、それは「美術」の制度化と重大な関係を有しているということだ。まず、布告の品目分類に農具や貨幣と並んで古書画や仏像が含まれていること、次に、「大学献言」において「宝器」が「雑品」と区別されていること、これらは、「美術」という概念が、やがてそこで育まれることになるはずのコレクションの形成の端緒といってよい。そして、仏像の場合にあきらかなように、収集の対象が——本来あるべき場所から切り離されて——歴史の資料として位置づけられる手筈になっていること、これは、博物館が物品を収集する基本的な手続きであり、博物館が、どこかしら冷たい抽象的な雰囲気——あの死の雰囲気——をかもし出しているのは、こうした切断ゆえにほかならない。「大学献言」と同じ年に行なわれた廃藩置県がそうであるように旧秩序の破壊と、新たな統合へ向けての再秩序化が、排仏棄釈や文明開化の勢いを駆って、ここでも行なわれようとしていたのである。しかも、それは、いうまでもなく「美術」の制度化における重要な手続きでもあった。たとえば仏像という信仰の対象を、その本来の場所から切り離して鑑賞の対象として捉え直すという所為なくして「美術」の制度化はありえないからである。そうして、その際、制度化の足掛かりとされたのは「歴史」というもうひとつの制度にほかならなかったのだ。

折しも、「大学献言」が行なわれた翌年には、大陰暦から太陽暦への切り替えが施行され、これにともなって、民間信仰や民間習俗の取り締まりが行なわれることになるのだが、これは共同体の循環的な時間を切断して、国家が領導する時間へとつなげることであり、ひいては、線的に展開してゆく世界史的な時間のなかへと人々を連れ出すことでもあった。そして、やがてそこには蔦のように進歩の観念が絡まりついてくることになるだろう。

公開の思想

文部省博覧会の着目すべき第二の点は、博覧会開催の文部省布達に見える「放観」ということである。「放観」とは公開という意味であり、同じ五年の古社寺調査の心得を記した文のなかにもこの語は見出されるのだが、これが、博物館や美術館の基本であるのはいうまでもないことであり、「螺旋展画閣」構想の根底にあるのもこの「放観」の思想であった。しかも、ここには啓蒙にまつわる次のような重要な事柄が絡んでいた。

啓蒙というのは「文部省布達」の冒頭に、名を正し用を弁ずることによって人々の知見を広めるとあるような行ないであり、これは、「放観」の第一目的であった。それは、また福澤諭吉の言論に代表されるごとく、明治初年代の時代精神でもあった。いうまでもなくここにいう啓蒙の拠り所は西洋であり、西洋はこれ以後、隠顕のちがいこそあれ日本近代において価値の源泉とされつづけることになる。しかも、それは明治の日本が実現すべき具体的な未来でもあったから、ここに、進歩という発想が絡んでくることになるのは当然の成り行きであった。たとえば次節でふれる「博物局博物園博物館書籍館建設之案」には「放観」の語と共に「人工ノ進歩」ということばが記されているのだ。この「進歩」を促し、体現するのは明治の国家であり、国家は、そのために「放観」を実践したのだが、古社寺調査では、「放観」をめざして、個人の所有物にまで調査の手を広げることとなったのであった。こうして国家は私的な領域をこじ開け、国家の光は国の隅々にまでくまなく及ぶことになるのである。

第三に、綜合博物館への最初の一歩がこの博覧会を機に踏み出されていること、この点に注目しなければならない。綜合博物館への志向は「天造人工ノ別ナク」という博覧会開催の布達にもうかがわれるものの、そこへ向かう具体的な動きは、博物局がこの博覧会の期間中に文部卿の決裁を得た「博物局博物園博物館書籍館建設之案」という伺いの上申書にみることができる。この上申書は題にみられるとおり博物館その他関連施設の建設案であり、そのなかに書籍館（図書館）や博物園（動植物園）が含まれているのも興味深いのだが、ここは、博物館に焦点を合わせて考えることにすれば、建設案は博物館の取り扱う範囲をはっきり「天造物」（自然物）と「人工物」（もしくは「人造物」）に分けて、それぞれに規定を設け、それに則った分類表まで作成している。ということは、とりもなおさず、それらを綜合的に「天造人工ノ別ナク」展観させる施設として博物館を規定しているということであって、ここに、綜合博物館としての構想がみとめられるわけである。しかも、その「人工物」の規定をみると、古器旧物の保存や展観ではなく、殖産興業につながってゆく実用的観点や、文明開化の進歩主義的発想が示されており、ここに初期の博物館の原型を見出すことができるのである。

しかし、「美術」の制度化との関連で特記すべきなのは、綜合化ではなく、むしろ、その前提をなす人工物／自然物という対立についてであろう。もっとも、これは、おそらく江戸の本草学でいう「人類」と「物類」という発想あたりにまで遡れるものであるとはいえ、同じく綜合的な観覧計画によって開催された前年の大学南校の物産会の目録にこのような発想は見られないし、何はともあれこのような部立てが、明治にはじまる博物館史の冒頭にあらわれるということに注目しておきたい。

では、何ゆえにかかる対立に注目するのか。

人工物／自然物という対立が、博物館の分類体系の顕在的な枠組みとなるのは、その当初においてのみであり、翌明治六年（一八七三）には「天産」と「考証」、さらに翌々年には「天産」、「考証物品」、「工業物品」という分類に変えられるのであるが、しかし、たとえそのように分類が変わっても、この人工物／自然物という大枠は、大正一四年（一九二五）に東京博物館その他への天産部所蔵品の引き継ぎが完了するまで博物館の分類に潜在しつづけることになる。しかも、この分類の大枠は、この国の近代の根底にかかわる重要な事柄であった。すなわち、かかる大枠に表明されているような分類の発想は近代日本における自然観を、視覚志向と相俟って規定してゆくことになったと考えられるのだ。

唐木順三のいわゆる「おのづからがみづからであることの構造」（『日本人の心』）――「おのづから」も「みづから」も同じ「自」一文字であらわしてしまう認識の構えを生きてきた日本人にとって、みづからの主観に対して自然を客観として立てるような認識の構えは、決して得意とするところではなかった。「おのづからがみづからであることの構造」においては、自己が自然と融合的に捉えられてしまうからである。そうして、主客融合的なこうした自然観においては、主観－客観という一対の関係にもとづく人工－自然、精神－自然といった対も成り立ちがたいのは言うまでもない。対が成立しにくいということは、同一平面上での対立が成り立ちがたいということであり、自然を突き放し、自然と対峙するという構えが成り立ちがたいということでもあった。「造化(ぞうか)にしたがひて四時(しいじ)を友とす」(芭蕉『笈の小文』)といわれるように、自然のプロセスのままに、「四時」(＝四季)と和して生きることが理想とされる思想風土において、これは当然の成り行きであったというべきだろう。

しかるに、明治の日本が学ばねばならなかった西洋の近代文明を成り立たせてきたのは、この主観－客観という構えにほかならなかった。デカルトが『方法序説』で用いた比喩を使えば、この世界において俳優であるよりも観客＝主観であろうとする努力によって、世界を見られるもの(＝客観)として対象化し、それを観察し、計測し、法則化することを通じて、ついには支配するに至る道、これが西洋近代の歩んできた道であり、明治の日本がこれから歩みださねばならぬ道でもあったのだ。

しかも、このような自然観、事物観の革命は、当然のことながら絵画や彫刻などのテクネーに強大な影響を及ぼさずにはいなかった。つまり、近代美術の成立過程は上記のごとき自然観の転換とパラレルな関係にあったと考えられるのだが、かえりみれば「美術」というもの自体が、そもそも人工物／自然物という対立のなかから、いわば人工物の代表格で登場してきたのではなかったか。山川草木、花鳥風月といったことばの独特なニュアンスが示すように、自然というものを客体として突き放すのではなく具体的な体験性において捉えることを得意とした日本人は、絵や彫刻の制作という具体的経験を一般的、普遍的な概念で一括して捉えることにおいても、おそらく臆するところがあったにちがいないのだ。たとえばB・H・チェンバレンの『日本事物誌』（明治二三年初版）にみえる次のことばが示唆しているのは、そうした事情にほかならないのである。

> 誰も注意しない奇妙な事実は、日本語にはアート（art）に対する真の固有の語がないことである。（中略）同様に、日本語にはネイチャー（nature）に対する満足すべき語がない。もっとも近い語は、「性質」「万物」「天然」である。この奇妙な言語的事実のために、どのように熱心に腕をふるっても、西洋の言語を少しも知らない日本人に、西洋の美術（アート）や自然（ネイチャー）に関する議論を理解させるように翻訳することはむずかしい。［4］

では、近代の日本人は、かかる前代の自然観をよく近代西洋の自然観に改め得たかというと、むろんそんなことはない。江戸時代までの自然観は、今でも日本人についてまわっている。たとえば文化財に関する考え方にもそのことはよくあらわれている。文化財保護法の「文化財」概念には、自然物（天然記念物）までもが含まれているのであり、これは西洋における「文化財（文化遺産）」概念が、もっぱら人間活動の産物をさしているのと大いにおもむきを異にしているのだ。しかし、文明開化によって、西洋近代の自然観が日本伝来の自然観に喰い込んだこと、そうして日本人の自然観を改編しつつ近代化の推進装置となりえたということも事実であり、ここでは、その端緒を分類という事柄において捉えようとしてみたのである。

眼と分類

第四に分類ということ、それ自体について一言ふれておきたい。

博物局の上申書の列品分類構想（明治五年四月決裁）は、古器旧物保存の太政官布告の分類にもとづいて、そこに人工物（人造物）／自然物（天造物）という対立を設けながら、書籍、経文、仏像などのワリツケを省き、その代わりに医療器機、理化学器機、測量器機などを加えたもので、いわば文化財の領域を相対化し、殖産興業＝文明開化路線の反映をはっきりと示すものとなっている。しかし、翻って考えると、分類の内容もさることながら、そもそものごとを分類するという行ないそれ自体が、「文明開化」という名の近代志向を示しているとも言えるのではないだろうか。加藤秀俊は、江戸の博物学における分類学の業績をみとめつつ、しかし「分類学以上に、日本人は羅列的に事物を蒐集し、こんにちのことばでいえば、巨大なデータ・バンクをつくることに熱中してきたかのようにみえる」として、『嬉遊笑覧』(文政一三年)という引用にもとづく近世庶民生活誌ともいうべき書物について次のように述べている。

いちおう『嬉遊笑覧』は、いくつもの分類項目にわかれているけれども、著者の喜多村信節がより興味をもったのは、日常生活のなかで体験的に知ることのできるすべての事物を網羅することにあったようにわたしにはおもえる。つまり、網羅性が体系性に優越していたのだ。[5]

文部省博物局の分類構想は、体系性というにはあまりにも杜撰であるが、しかし、これを基礎に、博物館は分類体系を徐々に整備してゆくことになるのであり、分類の基本が、見比べ、見分けることにある以上、その過程は、体験的な「網羅性」から見比べることによる「体系性」へというように約言することができるだろう。見ることへの傾斜が「美術」の制度化とかかわる事柄であるのはいうに及ばず、見ることへの傾斜は、分類するという行為を介して、いっそう深々と近代化とかかわっていたのである。

ウィーン万国博覧会

第五、明治五年(一八七二)の博覧会で、もうひとつ注目したい点は、この博覧会がウィーン万国博覧会(以下、「ウィーン万国博」と略す)への参加準備を兼ねるものだったということである。ウィーン万国博は、明治政府が初めて本腰を入れて参加した海外の博覧会であり、この参加によって日本の博覧会・博物館行政は飛躍的な発展を遂げることになるのだ。

ウィーン万国博への参加事務の責任者となった佐野常民は、ウィーン万国博への参加の目的として、日本の国土の豊饒と人工の巧妙さを海外に知らせること、近代西洋の風土、物産、学芸を見学し、機械技術を伝習すること、貿易のための市場調査をすること、優良な出品物によって輸出増加をはかることなどと並べて、博物館を建設し、博覧会を開催するための基礎を整えることを挙げ、そのために、お雇い外国人のゴトフリート・ヴァーゲナー(通称ワグネル。以下この呼称を用いる)をヨーロッパの博物館の調査にあたらせている。佐野は、この調査にもとづいて、本格的な博物館の建築と博覧会の開催を提案、これを重要な契機として、やがて博物館の建設と内国勧業博覧会の開催が実現することになるのである。

近代技術の習得はいうまでもないことながら、日本という存在を世界に知らせることも、これから国際社会に乗り出そうとする明治の日本にしてごく当然のたくらみであり、また、明初以来の慢性的輸入超過傾向の是正は明治政府の重要課題であったから、そのための市場調査をウィーン万国博参加に際して行なおうというのはもっともなことであった。そして、ウィーン万国博は、佐野の思惑どおり、世界の眼を日本に集め、しかも直接に輸出増大の糸口を与えてくれることとなった。ワグネルの指導によって出品物の中心に据えられた陶器、七宝、漆器などの伝統的な工芸品が博覧会で好評を博し、有力な輸出品候補として浮上してきたのである。すなわちジャポネズリーの波がにわかに高まり、平山成信の『昨夢録』によると「見物人ガ盛ニ日本部ニ押寄セ、従ツテ品物ノ売レ方モ甚ダ好ク、又

「澳国博覧会場本館表門之図」、
『澳国博覧会参同記要』所載

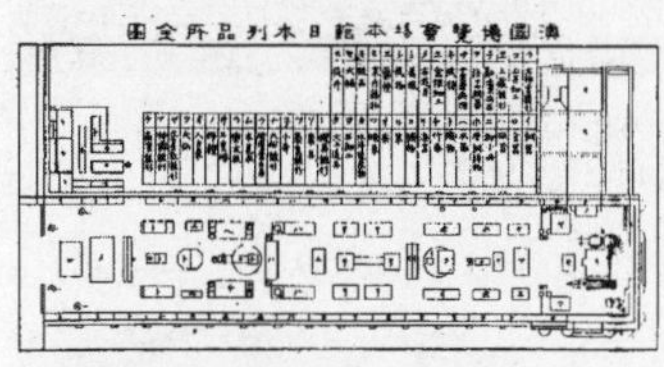

「澳国博覧会場本館日本列品所全図」、
『澳国博覧会参同記要』所載

「澳国博覧会場本館日本列品所入口内部之図」、
『澳国博覧会参同記要』所載

ウィーン万国博覧会出品物の一部

各国ノ博物館モ種々日本品ヲ買ヒ入レ又ハ譲渡シヲ希望シタモノモアリ」という好況を呈したのであった。そして、この博覧会を機に、日本工芸の製作と輸出を事とする起立工商会社が設立され、伝統日本の売り込みに一役買うことにもなるのだが、ちなみにいえば、「日本絵画の未来」論争や一九〇〇年のパリ万国博参加事務局のしごとを通じて美術の制度に大きな影を投げかけることになるジャポニスムの美術商林忠正が明治一一年（一八七八）に初めてヨーロッパに渡ったのは、この会社の通訳としてであった。

明治八年（一八七五）、佐野常民は、一六部九六巻に及ぶ報告書を政府に提出し、ウィーン万国博の成果を問うと同時に博物館や博覧会の未来に関する重要なかずかずの提言を行なっているが、この報告書のなかで佐野は、イギリスの例を引きつつ工業製品の美術的価値が輸出の増進に結びつくことを指摘し、ウィーンの事例のもつ意味を強調している。すなわち、一八五一年（嘉永四）の万国博覧会以後、イギリスは工業製品の美術的な質の向上にちからを注ぎ、これによって一二年間に、美術にかかわる輸出額が四億五〇〇〇万ドル、当時の日本円に直して約八八一二万円の増額をみたとして美術富国論を展開してみせたのだ。

ウィーン万国博覧会日本館庭園
明治6年（1873）

もっとも、美術的な工業製品の輸出によって実際どれだけ明治の日本が富むことになったか眉に唾したい気持ちになるものの、それはともかく、このように伝統的な工芸品がヨーロッパで好評を博し、しかも美術が工業と結びついて輸出伸張に役立つことをイギリスの例などで明治政府が知ったことは、明治初期の美術行政を国粋主義と実利主義へと方向づけ、「美術」概念の形成自体にやがて大きく影響することになるのである。

このようにみてくると、日本の博覧会＝博物館史上におけるウィーン万国博の大きさを改めて思い知らされるが、日本の博覧会＝博物館事業は、これ以後、ウィーン万国博の絶大な影響の下に展開してゆくことになる。明治五年（一八七二）にウィーン万国博覧会参加のための事務局が太政官正院に設けられると、文部省博物局は、以後それと一体となって活動を展開し、翌年三月には博物館と共に同事務局に合併されて、博物館は湯島聖堂から博覧会事務局のあった内山下町へと移転することになるのだ。こうして、ウィーン万国博覧会の巨大な影のなかで、博物館事業は第二ラウンドを迎えることになるのである。

節を閉じるにあたって付言しておかねばならぬことがふたつある。

ひとつは文部省における博物館事業の行く末である。すなわち博物局、博物館が博覧会事務局に合併されたのちも、文部省は独自に博物館事業を行なってゆくことになるのだが、それは当然ながら教育に力点を置いたものとなった。そこにおける展示の中心は教具、教材などの教育資料や、自然史、理化学の資料であり、やがてここから自然科学博物館の流れが形成されることになる。しかし、「美術」の制度化の過程を追究する本書では、その流れを追うことはせず、博物館の正系をたどらねばならない。

それからもうひとつ、この頃から民間や各地方においても博覧会が開催されるようになり、博覧会は一種の流行と化した観がある。京都と名古屋の例にはすでにふれたが、このほかにも和歌山、琴平、松本、奈良、仙台など各所で博覧会が開かれ、民間ではたとえば笑覧会、吉原博覧会などというものも開かれた。これらは、制度史と社会史の交差点として頗る興味深い対象なのだが、これも正系をたどるという発想から割愛せざるをえない。

3 「美術」の起源――翻訳語「美術」の誕生

書画というワリツケ

日本で初めて博物館の開館された明治五年（一八七二）は《花魁》の描かれた年にあたる。この年、由一は《花魁》のほかにも、ウィーン万国博に出品する《富嶽大図》を博覧会事務局に命ぜられて制作し、また《ヒマラヤの図》、《世界第二の大瀑布》、《牧牛図》の三点を博物館の博覧会に出品している。博覧会出品の絵は、博覧会の出品物を描いた一曜斎国輝の《古今珍物集覧》（明治五年）や「博覧会図式」という刷物に、他のさまざまな物品と共に描き出されているが、国輝のものでは、《牧牛図》や《世界第二の大瀑布》が、鳥獣の剝製、渾天儀（とプレートにあるが、実は地球儀であるらしい）などと並べて描かれており注意を引く。つまり、絵画がそれ独自の領域を与えられてはいないわけで、同博の出品物をイラストで示した「博覧会図式」にしても、楽器は楽器、絵は絵、剝製は剝製、武具は武具というように大雑把にグルーピングされてはいるものの、それらの境やグループ間の関係は曖昧である。まさに網羅的であって、体系的ではない。

《古今珍物集覧》や「博覧会図式」に見られる非体系性は、古い秩序は去り、新たな体系化――博物局による分類案を思い出されたい――も緒につかないアナーキックな事物たち

一曜斎国輝《古今珍物集覧》明治５年（1872）　東京国立博物館蔵

の状況を示していると、もしかすると考えるべきかもしれないのだけれど、それはともかく、この博覧会の二年後にウィーン万国博からの持ち帰り品を中心にして内山下町の博物館で開かれた博覧会では、博物館の施設が書画の展示に不適であるという理由で、書画だけが独立に博物館の古巣である湯島の大成殿で展観に供されることになり、これは、美術展めいた催しを官が開いた最初となった。書画というワリツケは伝統的に存在していたのだから、出品物のひとかたまりからそれを切り出すのは容易なことであったにちがいないのだが、この展覧会の目録（第二号）をみると古書画と現在の作者のしごとを「現今筆者」として区分しつつ、さらにその後に新興のメディアである「油絵」が置かれるという構成をとっていて、そこに過去と現在を結び未来へとつなげてゆく歴史的思考――やがて物語られるであろう美術史のきざしとでもいうべきものが感じられるように思われる。

「博覧会図式」明治５年（1872）

「博覧会図式」明治５年（1872）

翻訳語「美術」

ただし、この展覧会の名称は「書画大展観」であって美術展覧会ではなかった。つまり、美術展めいてはいても、美術展ではなかった。この点は、きわめて重要である。なにしろ「宇内ノ産物ヲ蒐集シテ其名称ヲ正シ其用ヲ弁ジ人ノ知見ヲ広ムル」ことを目的とする博覧会のことである、これを単なる名称のことといって済ますわけにはいかないのだ。しかも、「美術」という語は、この「書画大展観」を主催した博覧会事務局ゆかりのことばであった。すなわち、「美術」という語が日本語の歴史に初めて登場するのは、ウィーン万国博に賛同出品するに際して翻訳された同博の出品分類においてであり、この出品分類は、明治五年（一八七二）、すなわち博物館が開館したのと同年の一月に発せられたウィーン万国博への出品を呼びかける太政官布告に付されていたのだ。「美術」は万国博覧会参加に際してドイツ語に付された官製訳語だったのである。初出の部分を引いておこう。第二二区の規定である。山括弧内は訳官によるもので、原本では小字二行の割註となっている。

美術〈西洋ニテ音楽、画学、像ヲ作ル術、詩学等ヲ美術ト云フ〉ノ博覧場ヲ工作ノ為ニ用フル事。[6]

もっとも「美術」がfine artの訳語であるとする説もあり、たとえば惣郷正明・飛田良

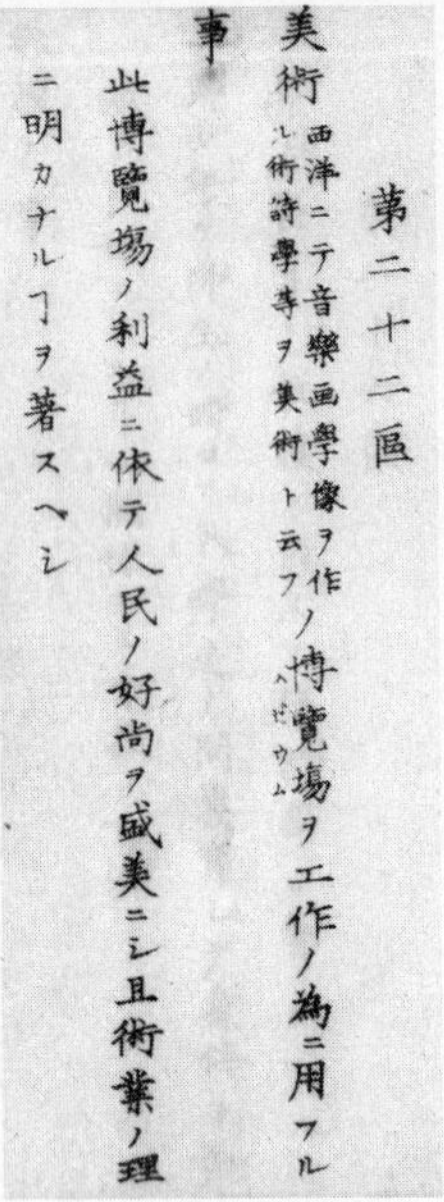

第二十二區
美術西洋ニテ音樂画學像ヲ作ル術詩學等ヲ美術ト云フノ博覧場ヲ工作ノ為ニ用フル事
此博覧場ノ利益ニ依テ人民ノ好尚ヲ盛美ニシ且術業ノ理ニ明カナルヿヲ著スヘシ

ウィーン万国博覧会出品分類第22区規定

文編の『明治のことば辞典』をみると、「美術」の意味として「英語 fine arts の訳語」とあり、明治二一年（一八八八）の『漢英対照いろは辞典』から大正三年（一九一四）の『美術辞典』まで、「美術」を fine art ないしは fine arts の訳語とした例を数多く引いている。そのなかにはドイツ語を原語として挙げるものはない。しかし、「美術」がドイツ語からの訳語であることはゆるがない史実であるように思われる。佐野常民を会頭にいただく竜池会の機関誌『工芸叢談』第一巻（明治一三年）に載る「美術区域ノ始末」という記事があり、そこに「本邦美術ノ名称ハ、実ニ明治六年墺国維府大博覧会ノ区分目録第二十二区ニ、美術ノ博覧場ヲ工作ノ為メニ用フル事ト云ヘル一文アルニ起リシモノニシテ、是レヨリ以往ハ未ダ之レ有ルヲ聞カザルナリ」と述べられているほか、ウィーン万国博の出品区分を訳出する際にドイツ語の Schöne Kunst の訳語選定に関してあれこれと議論があった

Wiener Zeitung.

№ 227. Sonntag, den 17. September 1871.

Nichtamtlicher Theil.

Amtlicher Theil.

1873年開催のウィーン万国博覧会の出品物分類を報じる『ウィーン新聞』1871年9月17日（日曜日）号

が、結局「美術」という造語をあてることで決着したという山本五郎の回想（『意匠説』明治二三年、鈴木健二『原色現代日本の美術』第二四巻「工芸」による）もあり、「美術」がウィーン万国博に際して翻訳造語されたものであることは、まずまちがいないと思われるのだ。もっとも、このことは、「美術」がfine artの訳語として頻繁に用いられたことと抵触するものではもちろんない。fine art説は、思うに、明治初期における英学の隆盛と関係づけて理解すべきものなのである。

ただし、「美術」がドイツ語からの訳語だとはいっても、山本五郎の回想を鵜呑みにするわけにはいかない。一八七一年九月一七日付の『ウィーン新聞』(Wiener Zeitung)に掲載された出品区分の原文にあたってみると、問題の二二区の「美術ノ博覧場」はKunstgewerbe-Museen（応用美術博物館）となっており、ここに記された「美術」は、そもそもKunstgewerbe（応用美術）の訳語であったことがわかるからだ。また、同じ出品区分の第二五区に「今世ノ美術ノ事」とあるのは、Bildende Kunst（造形芸術）のことであり、原語を鏡として出品区分のことばを読むと、当初から「美術」は現在と同じく視覚芸術ないし造形芸術の意味で用いられていたことになる。にもかかわらず出品区分の訳者は、山本五郎の証言によれば、Schöne Kunstという単語の原義に拘泥したものらしく、結局そこに「西洋ニテ音楽、画学、像ヲ作ル術、詩学等ヲ美術ト云フ」という註を付すことになったのである。つまり、日本語「美術」はこうして、諸芸術という意味を、つまりは美術を含む芸術の意味を担って誕生することになったわけだ。そして、この出品区分は布告と同時に『新聞雑誌』（二八号）にも掲載され、生まれたばかりの「美術」は、日本語として早くもよちよち歩きをはじめることになるのである。

【文庫版補論】

本書の根幹にかかわる二つの事柄について補論のかたちで以下に記しておくことにしたい。ひとつは「美術」という翻訳語の初出をめぐる異論への回答であり、いまひとつは、これと関連することだが、初版の「あとがき」で簡単にふれた欧文公文書の紹介を兼ねた検討である。

〈1　翻訳語「美術」の初出について〉

ウィーン万国博参加に際して「美術」という翻訳語が造られたとする本書の見解に対する異論があるのは承知している。ちょうどよい機会なので、その主要なものについて応答しておきたいと思うのだが、これについては、すでに「美術におけるカモノハシ問題―アヴァンギャルドと美術館」（国際シンポジウム「日本における「美術」概念の再構築」記録集編集委員会編『「美術」概念の再構築（アップデイト）――「分類の時代」の終わりに』〈ブリュッケ、二〇一七年〉所収）の註3において丁寧に論じておいた。とはいえ、科研の報告書という目立たない書籍の、しかも註に書いたことなので、これに手を加えたものを採録しておくことにする。

*

ウィーン万国博の出品分類の翻訳において「美術」という熟語が日本語の語彙のなかに登場したことは、すでに通説になっているように思われる。だが、これに異を唱える論者がいないわけではない。異論のうちで最も強力なのは、西周の「美妙学説」を以て「美術」なる語の初出と見なさんとする説である。しかし、これは妄説にすぎない。

「美妙学説」は「哲学ノ一種ニ美妙学（エッセチクク）ト云アリ、是所謂美術（ハインアート）ト相通シテ其元理ヲ窮ムル者ナリ」(『西周全集』第一巻〈宗高書房、一九八一年〉による。振り仮名は引用元のまま)と書き出されている。「美術」という語が見いだされるわけだが、これを「美術」という熟語の初出と見なすためには、「美妙学説」の成立が一八七二年一月以前でなければならない。すなわちウィーン万国博の出品分類の布達以前でなければならない。しかるに「美妙学説」の浄書された稿本には「右一月十三日御前演説」と記されているのみで、年は記されていない。では、「美術」の初出を「美妙学説」とする論者は、いったい何を以てそのように見なすのであろうか。

錯誤の遠因は森鷗外の『西周伝』(私家版、一八九八年)に見いだすことができる。西周が一八七一年九月以降に、宮中の「御談会」と称する場で「博物学」「心理学」などとともに「審美学」を講じたと鷗外は同書に記し、同書の末尾に配した西周の著作目録で、この「審美学」が「美妙学説」に相当するとしているのだ。しかし、鷗外は「御談会」と「侍講」を混同している節があり、その叙述を鵜呑みにするわけにはいかない。

くだって一九三三年刊行の『西周哲学著作集』(岩波書店)の解説で、編者の麻生義輝は、「美妙学説」を含む幾篇かの進講用稿本の成立を、用紙と書体の近似性や西の執務状況から推して一八七二年前後とした。また、麻生は、その後『近世日本哲学史』(近藤書店、一九四二年〔初版第二刷〕)では「美妙学説」に記された「一月十三日」を一八七二年の日付と断定している。しかし、麻生の説は史料の決め手を欠いており、推論も充分とは言いがたいものだった。クロポトキンの翻訳者でもあったこの早逝の哲学者は、その鋭い直観力と自恃の念ゆえに結論を急ぎ過ぎたというべきだろうか。

それればかりではない。仮に麻生説を肯って、「美妙学説」の稿本が一八七二年一月に成立していたとみとめるとしても、これを以て、ただちに「美術」の初出とするわけにはいかない。同年一月は、まさしくウィーン万国博の出品分類が印行された時点に当たっているからだ。「美術」という語の初出を「美妙学説」とする説は、その成立過程が、ウィーン万国博出品分類の訳出過程と重なるということを示すことにしかならないのである。

こうした麻生の説に対して、アジア太平洋戦争を経た後に強い疑義が提出されることになる。大久保利謙が一九六〇年刊行の『西周全集』第一巻（宗高書房）の「解説」で、一連の進講用稿本の用紙、書体にかんして綿密な批判的検討を加え、さらに、内容上の比較を踏まえて、稿本の成立を麻生の推定より数年引き下げる必要があると論じたのだ。

大久保の論述は信頼性に富み、強い説得力をもっていたが、しかし、決定的証拠を欠く点では麻生説と同断であった。つまり、この時点では両説のいずれに軍配を上げるかの決め手がなかったのである。一九六〇年代初頭の研究状況においては、麻生説を支持して「美妙学説」を「美術」という語の登場の最初の史料と見なすことも可能であったわけだ。

ところが、この歯がゆい状況も一九六〇年代末に至ってようやく終止符を打たれることとなる。大久保説を支持するきわめて重要なテキストが発表されたのだ。書物史研究者として知られる宮内庁書陵部の森縣が一九六九年に発表した「西周『美妙学説』成立年時の考証」（『国文学』第一四巻六号）である。森は、このテキストにおいて高松宮家所蔵の「熾仁親王御日記」の一八七九年一月一三日の条に「午後二時御談会ニ付参朝、宮内省御用掛西周美術美妙学、西村茂樹美国独立原論、右畢テ午後三時五十分帰宅之事」（振り仮名は引用者）とあるのを根拠に、稿本「美妙学説」の末尾に記された「一月十三日」が一八七九年の日付であることをあきらかにしたのだ。成立年を麻生説よりも引き下げるべきであるとする大久保説が史料的に裏付けられたわけである。

「美術」という翻訳語の起源を西周に帰そうとする企ては、これによって正当化の望みを絶たれたわけだが、それにもかかわらず、いまもなお「美術」なる語の初出として「美妙学説」を持ち出す論が、あたかも亡霊のように姿をあらわすのは、いったいなにゆえであろうか。森縣のテキストは、美術史や芸術学とは縁遠い媒体に発表されたため、美術関係の研究者に気づかれにくいということもあろうが、事柄は極東の近代をめぐる心性に深くかかわっているようにも思われる。

次項で詳述するように「美術ノ博覧場ヲ工作ノ為ニ用フル事」というのは不正確な訳文であり、誤訳といっても過言ではない。アカデミックな心性からすれば、これは我慢ならないことであり、この一文に日本語「美術」の起源を求めることは肯いがたいのにちがいない。こうした心性が西周説を生きながらえさせているのではないかと懸念するのだが、しかし、いかに拙い訳文であるとはいえ、この拙さこそ日本近代初発のすがたにほかならない。このことを受け容れることからしか、日本近代美術にかんするリアルな知見は、決して生まれ得ないだろう。

ちなみにいえば、くだんの訳文は明治初期の語彙に通じていないと意味を取りにくいかもしれないが、これは決して出鱈目な文ではない。たとえ誤訳であるとしても、語史を踏まえて読むならば立派に文として成り立っている。これについても次項で説くことにしたい。

〈2　欧文公文書にもとづく再検討〉

美術出版社版『眼の神殿――「美術」受容史ノート』刊行時点では、「美術」の原語にかんする調査が不充分であった。太政官布告「ウイン府澳地利（オーストリー）ノ都ニ於テ来一千八百七十三年博覧会ヲ催ス次第」に「美術」の語とその定義にかんするくだりを見いだしはしたものの、その部分に対応する欧文史料の探索と読解とに、充分な時間を割くことができず、欧文の公文書に言及することなく終わったからである。官報の役割を担っていた『ウィーン新聞 Wiener Zeitung』（一八七一年九月一七日付）掲載のプログラムから当該箇所を引いたものの、これは飽くまでも次善の策にすぎなかった。本書初版の「あとがき」にも書いたように、外交史料館が蔵する『墺国維也納開設萬国博覧会ニ帝国政府参同一件』という一八七一年のファイルを手にする機会があり、そこに収められている英、仏、独三カ国語の博覧会の「分類区分」と「プログラム」を目にしていながら、読み込む時間にめぐまれず、次善の策を講ずるほかなかったのだ。

その後、外交史料館の史料と向き合う時間を得て、欧文史料「分類区分」および「プログラム」を検討することができた。このうちプログラムについては、一九九五年に韓国美術研究所の『美術史論壇』第2号に寄せた「「美術」概念の形成と realism の転位——明治・大正期における「美術」の認識について」（日本語と韓国語のテキストを併載）で紹介を兼ねて論述し、このテキストは、のちにタイトルの realism を片仮名に変えて『境界の美術史——「美術」形成史ノート』（ブリュッケ、二〇〇〇）に収めたのだが、このたびの文庫化にさいして、翻訳語「美術」の成り立ちにまつわる事柄を、確実な史料を踏まえてまとめ直しておくことにしたい。

「第二十二区」にあたるプログラムのドイツ語は次のようになっている。

22.Gruppe. Darstellung der Wirksamkeit der Kunstgewerbe-Museen

美術工業（応用美術）博物館の効用を示すことというほどの意味であるが、「美術ノ博覧場（ムゼウム）ヲ工作ノ為ニ用フル事」という訳文は、その意味を正確に伝えているとはいいがたい。だが、これは決して理解不可能な文言ではない。近代初期において「工作」という語が——たとえばindustrialに「工作ノ」という訳語を与えた『ウエブスター氏新刊大辞書和訳字彙』（一八八八）にみられるように——工業（製造業）すなわちGewerbeの意味で用いられていたことを併せ考えるならば、「工作ノ為ニ」というのは「工業のために」という意味に解釈できるからだ。すなわち、くだんの文言は、工業のために美術館を役立てるという意味に理解できるのである。

「工作」の語史的理解を踏まえた解釈は、つとに天貝義教が示唆したところであった。天貝は「「美術」という言葉についてのノート」（『秋田公立美術工芸短期大学紀要』第四号、一九九九）において、太政官布告における「第二十二区」の訳文は、『墺国博覧会布告文』（『澳国博覧会報告書』第三四、一八七五）の附表にみえる同区の訳文「工作ニ適用スル美術博覧場ノ益アルコトヲ顕ハスコト」（「コト」は、原文合略仮名「ヿ」）、もしくは『墺国博覧会筆記』第一巻（雁金屋清吉、一八七三）の「日用の工業の助となるべき油絵彫物などの類」（濁点引用者）という語句に即して解すべきであると指摘しているのだ。また、天貝は、太政官布告の「第二十四区」ではKunstが「美術」と訳され、Kunstgewerbeが「其工作」すなわち「美術の工業」と訳されていることにも注意をさしむけてもいる。けだし正鵠を射た見解というべきだろう。

このようにして「工作」の二文字は、もともとは「美術ノ博覧場」ではなく「美術」に

――たとえば「工作ニ適用スル美術」というように――かかるべきものであったという推測が可能となるわけであり、これは当該箇所の原文にみえるKunstgewerbeに合致する。ところが、太政官布告の訳文は、それを、美術館を工業（工作）のために用いるというように改変したのであった。

なお、天貝は『応用美術思想導入の歴史――ウィーン博参同より意匠条例制定まで』（思文閣出版、二〇一〇）の第三章「ウィーン万国博覧会区分目録第二十二区――「美術ノ博覧場」」において、この問題を精細な手つきで掘り下げつつ、「応用美術思想」の展開過程と関連づけて敷衍している。

以上によって、「第二十二区」冒頭の「美術」はKunstに対応する語であった考えられるとして、その「美術」に、なにゆえ「音楽、画学、像ヲ作ル術、詩学等」という定義が与えられたのであろうか。たとえば『墺国博覧会筆記』の「日用の工業の助となるべき油絵彫物などの類」という語句こそ註として適切であったと思われるのに、今日の「芸術」に相当する広い意味を与えたのは何ゆえであろうか。今日いうところの「芸術」に対応するSchöne Kunstの語が当該箇所に見当たらないのに、なぜこのような定義が下されたのであろうか。あるいは、なぜKunstgewerbeをKunstとGewerbeに分解してKunstに注目したのであろうか。それについて、本書では山本五郎の『意匠説』（『織染研究会報告』第二号附録、一八九〇）を踏まえて仮説を提示しているのだが、肝心の拠りどころが孫引きにとどまっているので、原文を引いておくと、そこには、次のような言葉が見いだされる。文字を現行のものに改め、句読点と濁点を補って引く。

我国に於て美術と云ふ文字の世上に顕出したるは誠に近年のことなり。即ち明治六年墺国の維納府に万国博覧会のありしとき、我国よりも之に参同せしが、其の博覧会の区分目録中に美術の博覧場を工作の為めに用ふる事と云ふ一文ありしより起れるものなり。当時、独逸語 Schöne Kunst を訳するには議論随分やかましく、或は妙技と訳する方穏当ならんとの説もありしが、終に美術と訳することに定まりたり。

この証言に信を置くとして、しかし、それでもなお、なにゆえに翻訳者が当該箇所の原文にみられない Schöne Kunst の語にこだわったのかという疑問は残る。これについては、先に引いた Kunstgewerbe に対応する英語とフランス語が、それぞれ fine art applied to industry、Beaux-arts appliqués à l'industrie となっていることが手がかりとなる。すなわち、翻訳者は Kunstgewerbe の訳語を考えるにあたって、fine art や Beaux-arts の意味に引きずられて、Kunst に注意を引きつけられたと考えるのが、おそらく妥当なのではないだろうか。

なお、太政官布告の分類表の「第二十五区」にも「美術」の語が見いだされ、それに対応する独語は bildende Kunst（造型芸術）となっている。ここに見いだされる「美術」は、「第二十二区」の割註にみえる「画学」と「像ヲ作ル術」を合わせたものと考えられ、げんに『墺国博覧会筆記』では「第二十五区」の「美術」を「油絵彫物等妙技と称すべきもの」と言い換えている。つまり、芸術を意味する「美術」の諸ジャンルから視覚にかかわるものだけをピックアップして、これを「美術」と称したわけだが、このことには何らの不都合もない。概念の包摂関係に照らして、しごくまっとうといえる。上位概念は下位概念を兼ねるからだ。

4　「芸術」と「美術」――博物館の分類

ワグネルの提案

　さて、こうしてはじまった翻訳語「美術」の歴史の起点が博覧会であり、しかも、それが「博覧場」（Museen）に関する文脈において訳出されたというのは、こののちの「美術」概念の受容過程を考えるとまことに興味深い。すでに指摘したように、「美術」の受容ないしその制度化――つまり視覚芸術としての美術の確立は、博物館、美術館、博覧会、展覧会、美術学校、美術ジャーナリズムなどの諸制度（施設・装置）が確立されてゆく過程と対応していると考えられるからだ。しかし、ウィーン万国博参加によって飛躍的な進展をみせることになる博物館に関していえば、そこにおいて、まず形成の緒についたのは「美術」ではなく、「芸術」概念の方であった。

「芸術」ということばは明治以前から使われていた語であり、「美術」のように造語されたものではない。ただし、それは今日のような意味で用いられていたのではなかった。「芸術」は、ひろく技術や学問を意味することばであったのだ。「芸術」という語において、今日のような意味合いが強まってくるのは、『明治のことば辞典』に収められた諸種の辞典の語釈を年代順にみてゆくと、幾つかの例外はあるものの、明治三〇年代も終わりに近づいた頃からのこととみられるのである。

しかしながら、それ以前に「芸術」が今日と近い意味で用いられた例がないわけではない。中江兆民がウージェーヌ・ヴェロンの著書を訳した『維氏美学』(明治一六―一七年)において「芸術」が今日の意味で用いられているのはよく知られているし、ウィーン万国博に際してワグネルが行なった博物館調査の報告書の翻訳にも同様の用例を見出すことができる。『澳国博覧会報告書』(明治八年)に収められたワグネルの報告は、「芸術博物館」とそれに付属する「画学校」の必要を説いて次のように述べているのだ。訳者は佐野常民の養子である佐野常樹(浅見忠雅)である。

抑日本真正ノ芸術トハ一個殊特ニシテ、其原本アリ。而シテ実ニ美麗ノ品格ヲ有スル物ヲ製出シタリ。今此画学校及ビ博物館第一ノ目的ハ、恰モ此日本芸術即チ其最上美麗ノ造物術ヲ学ビ得ベキ又学ブベキ地ナル一中心ヲ建立シ、其良好ナル伝業ヲ教へ、努メテ数人ヲシテ容易ニ一様同価ノ物ヲ造リ得セシメ、且ツ往時及ビ当今ノ卓越ナル本国芸術者ノ優劣ヲ比競スルニアリ。[7]

「日本芸術」を学ぶための画学校を開設し、伝来のしごとを教え、過去現在にわたる優れた「芸術者」のしごとを比較検討させることが博物館の第一の目的だというわけだが、こここにいわれる「芸術」が現在一般にいわれる美術の意味であることは、「日本芸術即チ其最上美麗ノ造物術」という表現からあきらかである。しかし、同じ報告書には「百工上芸術」や「百工芸術」という語もみえており、もしこれがウィーン万国博の出品区分の原文にみえるKunstgewerbeの訳語だとしたら、「芸術」とはKunstの訳語ということになるわけで、そうだとすれば、ワグネルのいう「芸術」には、今日いうところの諸芸術の意味も重なり合っているということになるであろう。

ところで「芸術及百工上芸術博物ニ付テノ報告」と題されたこの報告書は、もともと、綜合博物館をその分類体系案に従って論じた「ドクトル、ワグネル氏東京博物館創立ノ報告」のうちの芸術に関する項目を独立させたものであった。そこでワグネルが提案している分類とは以下のような六部立のものであり、それはやがて博物館の分類の基本とされることになる。煩雑になるので分類の細目は省いて記すことにする。

第一　農業及ビ山林業ノ部
第二　百工、工芸学、器械学、土木等ニ使用スベキ九品（「元品」〈＝原料〉の誤植か――引用者註）ノ部
第三　芸術及ビ百工ニ関スル芸術ノ部
第四　人民教育ニ使用スル物料ノ部

第五　万有ノ部

第六　歴史伝及ビ人類学ノ部［8］

分類の第二にみえる「百工」とはもろもろの工業という意味、「工芸学」の「工芸」とは工業ということであるが、「工業」という語は、この頃には、むしろ今日の工芸や手技というような意味を有しており、工＝たくみの業＝なりわいというような意味であった。それに対して「工芸」は、むしろ現在の工業（工場制機械工業）に近い意味で用いられていたのである。それが美術工芸というような意味で用いられるようになるのは「美術」の制度化の過程においてであり、それについては、のちにいささか詳しくみることになるだろう。

第五の「万有」は自然の意味、第三の「芸術」については、「此部ハ百工部ヲ完備スル為メ甚ダ緊要ノ者ナリ」として、「其細密ノ事ハ特別ノ報告書ニ譲ルベシ」としてある。これが芸術博物館についての報告書にあたるわけである。

博物館と「芸術」

ワグネルのこの分類案は、同じウィーン万国博の報告書に載っている佐野常民の大博物館建設に関する意見書の採用するところとなり、さらに、この意見書を承けて書かれた大久保利通の博物館建設の建議書に修正を加えて採り入れられるという紆余曲折を経て、ついに博物館の分類の基本とされることになる。すなわち博物館は、明治九年(一八七六)に、それまでの「天産」、「考証物品」、「工業物品」という分類に代えてワグネル案に符合する次のような分類体系を採用し、「芸術」なる語もこのとき博物館の分類用語に取り込まれることになるのである。対応するワグネルの分類を括弧内に示し、細目を省いて記すことにしよう。

天産部(第五部)
農業山林部(第一部)
工芸部(第二部)
芸術部(第三部)
史伝部(第六部)
教育部(第四部)
法教部(第六部第四区)
陸海軍部(第二部第七類・第六部第三区)[9]

「工芸部」とあるのは従来の「工業物品」を引き継いだもの、「法教部」の「法教」は宗教の意、「陸海軍部」は過去から現在にわたる兵器等である。

さて、肝心の「芸術」であるが、これの細目は以下のようになっていた。

彫刻類、楽器類、刀剣類、蒔絵漆器類、非金属類、陶磁玻璃類、紙及紙細工類、織物類、図書写真類、茶器類〔10〕

視覚芸術、なかでも工芸品の種別ばかりが眼につく内容だが、工芸品というならば、「工芸部」（工業部）にも「陶七宝類」、「織物類」、「木細工類」、「竹細工類」、「塗物類」などが含まれている。これは、いったいどういうことかといえば、いわゆる「名物」などの上手物を「芸術部」に、日用雑器の類を「工芸部」にそれぞれ振り分けたのであろうと考えられる。つまり、「芸術」の形成には、こうした伝統的な価値観が、内実ばかりではなく制度化においても深くかかわっていたと考えられるのである。

それから、いわゆる工芸に属するジャンルばかりが眼につくという点に関してはワグネルの「芸術博物館」構想の影響が考えられる。ワグネルの「芸術博物館」とは応用美術博物館であり、その中心となるべきものは、工業の部と芸術の部に両属する物品であったからだ。

この「芸術部」には、翌一〇年（一八七七）に英国のサウス・ケンジントン博物館（現ヴィクトリア・アンド・アルバート博物館）から寄贈された陶磁器、ガラス器、織物、図画写真類などヨーロッパ各地の美術品三一五点も収められることになるのだが、このサウス・ケンジントン博物館は「各国ノ物品ヲ展列比較シ専ラ工商ノ事業ヲ勧奨スル」（博物館建設に関する佐野常民の意見書）ことを目的とするものであり、こうした在り方はイギリスを模範とする勧業政策のなかで育まれた初期の博物館構想に大きな影響を与えたのであった。

美術か芸術か

ところでワグネルの報告書における「芸術」の用法に留意して、工芸品ばかりが眼につくこの分類をみていると、博物館の分類において「芸術」は視覚芸術の意味を担っていたかのように思われてくる。しかし、そう受け取るのは早計というものらしい。

『東博百年史』は「詩歌・音楽として考えられていた物品を外したわけではなく、この分類にない「書画」と共に、浅草文庫にあるためにのせなかったもので、「書画及ビ詩集詩話歌集歌書等ノ如キハ姑ク浅草文庫ニ備フヲ以テ茲ニ載セズ」と説明があり、分類上はこの部に含まれていたものと見てよかろう」と述べている。つまり、分類にいう「芸術」が諸芸術の意味であったとしているのである。浅草文庫とは、明治五年（一八七二）の「博物局博物園博物館書籍館建設之案」にもとづいて建設された書籍館の後身であり、内山下町の博物館施設が書画の展示に適当でないという理由で、古書画の類はこの施設において管理していたのであった。

博物館の「芸術」が視覚芸術の意でないことは、「博物館分類一覧表」(明治一二年)という刷物に「芸術部」は「吟詠書画学ヲ初トシ音楽、彫刻其他意匠ニ成ル内外諸芸術ヲ研究シ、我諸芸術ノ進歩ニ稗益スルモノヲ採集シ」とあることによっても裏づけられるのであるが、しかし、博物館というものの在り方によって当然「芸術」が被るであろう限定ということも、ここでは考慮されてしかるべきであろう。人々の構えを「見る」ことへと制度化する博物館という文明の装置において「芸術」が被るであろう限定を、である。

なお、「博物館分類一覧表」の規定には、「芸術部」には、「殊ニ形状、彩色、模様等ノ優等物品ヲ網羅」するとあり、造型にまつわる美的価値あるいは鑑賞価値が分類の重要な基準とされていたことがわかるのであるが、しかし、同時に、「尤楽器、書画、吟詠等他ノ区ニ関渉セザルモノハ一切此区中ニ陳列スルモノトス」とあって当時の「芸術」概念の在り方をうかがわせる。つまり、それは、一方で価値判断を踏まえながら、他方では価値判断を含まぬ単なる類同性——他の区分に分類できないというネガティヴな類同性——によっても仕分けされるもの、すなわち、絞り込まれた内包をもたぬゆえに広い外延をもつ概念としてあったのだ。

しかも、この当時の博物館にあって曖昧だったのは「芸術」概念ばかりではなかった。

「絵画」というものもまた、現在の捉え方からすればかなり曖昧な処遇がなされていた。絵画が詩集や歌集と共に書籍館で管理されたというところに、絵画というものの在り方の曖昧さを感じざるをえないのである。この曖昧さは「書画」という分類に由来するとも思われるのだが、この東洋独特の分類も、やがて、「美術」が制度化される過程で解体されずには済まぬだろう。博物館の分類から「書画」という語が消えるのは明治二二年（一八八九）、博物館が帝国博物館となったときであり、それは「芸術」に代わって「美術」という語が大きな分類体系に登場するのと時を同じくしていたのである。

博物館の「美術」

ただし、それ以前からの列品の小さな分類では「美術雑品」（「書画用筆墨幷用具」）という語が用いられているし、明治八年（一八七五）の行幸啓記録には「第三　美術ノ部」として「図画彫鏤等ノ美術ニ干スル諸品ヲ列ス」とあるのがみられ、当初から「芸術」と「美術」が使い分けられていたと考えるべきかとも思われるのであるが、しかし、たとえそうだとしても、それが一般化するのは明治三〇年代以降、国粋主義の時代を過ぎ、「美術」が美術になる過程を経たのちになってからのことであり、それについては語るべき文脈の成ったところで改めて考えることにしよう（ちなみに、一〇年の内国勧業博のワグネルの報告書［大木房英訳］をみると、「芸術」と「美術」が、かなり曖昧ながらも使い分けられており、それによると「美術」はKunstgewerbeに「芸術」はKunstに相当するようにも思われる)。

ただ、ここでは、次のことに注意を促しておきたいと思う。というのは、「芸術」という語が、もともと一般的に技術というほどの意味で使われていたとして、しかし、そこには、この国に固有の技術観が当然ながら投影されていただろうということだ。たとえば福澤諭吉は、明治一五年(一八八二)の「帝室論」において、書画、彫刻、馬術、弓術、相撲、挿花、茶の湯、大工・左官の技術、盆栽、料理、陶芸などを総じて「諸芸術」と呼び、「芸術は数学、器械学、化学等に異にして、数と時とを以て計る可きものに非ず、規則の書を以て伝ふべきものに非ず。殊に日本古来の風にして、仮令ひ規則に拠る可きものにても、所謂人々家々の秘法に伝るもの多くして、其人に存するが故に、其人亡れば其芸術も共に亡ぶ可きは当然の数にして」(『明治文学全集』第八巻)云々と述べ、文明開化で失われつつある「芸術」の保護を帝室に頼るべきであると論じているが、そこにいわれている「芸術」はもちろん今日のいわゆる芸術とは異なるものの、今日の技術とも大いにおもむきを異にしており、むしろ、いわゆる芸術に近い、というか、技術一般を芸術として見る見方とでもいうべきものを思わせるのである。

分類が孕む意味

なお、節を結ぶにあたって、九年の博物館の分類に関して、もうひとつ注意を促しておきたいことがある。それは、「天産部」が筆頭にあり、農林業、工業、芸術、歴史とつづくその配列が、基本的には自然物／人工物という対立に依拠しているということだ。吉田光邦は博覧会の分類が「主催国のもつ当時の文明の現実、文明観の反映」として読みうることを指摘しているが（『改訂版万国博覧会』）、同様のことは博物館の分類についても言えるはずで、分類の序列が自然物／人工物であって人工物／自然物ではないこと、それから自然、農林業、工業、芸術、歴史と並ぶ配列は、大雑把にいって、未だ産業革命前の段階にあった当時の日本の文明観を映し出したものといえるだろう。また、ここには「農ヲ基トシ工商之ニ応ジ気脈相通」（『大久保利通文書』第六・巻三二）ずるものとされた内務省勧業寮の方針も、あるいは反映していたかもしれない。この分類が定められた前年の明治八年（一八七五）に博覧会事務局は「博物館」と改称して、そっくり内務省へと移管されていたからである。

5　眼のちから――内国勧業博覧会の創設

博物館の礎石

「内務省」は国内行政を司る機関であり、勧業、警察、監獄、戸籍、土木、地方行政など内政全般にわたる、統一権力確立の中枢として明治六年（一八七三）に設置された。初代内務卿の大久保利通は、岩倉全権大使の副使として欧米をつぶさに見聞した経験から、それまでの文明開化の在り方を、虚名にとどまって効験のないものとし、大蔵省と工部省を両翼とするいわゆる三省体制を基軸として、それまでの文明開化の行き方と、工部省中心に行なわれてきた従来の殖産興業政策に転換を迫ることになる。すなわち工部省において鉄道と電信において把握されてきた近代工業の移植を鉄と石炭において把握し直すことで、工業化の道が改めて模索されることになるのだが、こうした動きのなかで、博物館は内務省に移され、本格的な殖産興業の装置として位置づけられることとなったのであった。しかも、内務省は大久保の建議になる博物館の建設計画を具体化し、明治一〇年（一八七七）にはその建物のひとつが上野公園の一角（寛永寺本坊跡地）に竣工することとなった。

この建物は現存しないが、工部省営繕局の設計にかかる煉瓦造りで、高さ約一二・八八メートル、幅約二七・三メートル、奥行約一〇・九メートル、階段をもつ出入口を四面に設け、正面入口のペディメントには菊の紋章を配置して、採光は三つの越屋根の窓から行なうようになっていた。この建物の建った一〇年は、ちょうど銀座の煉瓦街が完成した年でもあり、それとの相乗効果も手伝って、この建物は、明治のモダニストたちの眼に、それまでの内山下町の博物館とはくらべものにならぬほど素敵に映ったのにちがいない。内山下町の博物館は旧佐土原・中津両藩邸および島津装束屋敷の建物に修理を加えながら利用するといった実情であったのだ。

この煉瓦造りの建物は、いわば博物館の礎石であった。この前年に、内務省達で博物館の事務を取り扱う行政組織を「博物局」と称し、「博物館」はたんに陳列場をさすということに決まっていたのであるが、ここに建設されたのはたんなる陳列場ではなく、「博物局」をも含めた意味での博物館そのもの（博物館‐博物局全体）の基礎であった。内務省の方針に対して、名称を「博物館」に一本化するべきであると主張した町田久成――文部省博物館以来、博物館事業の中心につねにあったこのひとが、明治六年（一八七三）に博物館の建設を建言した文書のなかで、「官私力ヲ合セテ此館ヲ造立シ、往々盛大ニ至ラシメン事ヲ議定致シ、即今其基礎ヲ建（たて）申度」と述べたとき、そこに言われる「基礎」とは、単なる比喩を超えた意味を、つまり文字通り物的な基礎そのものをも意味していたのにちがいないのだ。あるいはこういってもよい。集古館以来の実体＝museum 志向はここにおいて実を結び、博物館という institution が制度と施設の両義において漸く実現したのだ、と。制度は観念ばかりか物的な施設にも定礎されるのである。

見るための制度

さてそれでは、こうして漸く基礎を据えるに至った内務省博物館に、時の為政者たちは、いったい何を期待していたのであろうか。それは、大久保利通の博物館建設に関する上申「博物館ノ議」のなかの次の一節に端的に示されている。

夫人心ノ事物ニ触レ其感動識別ヲ生ズルハ悉ク眼視ノ力ニ由ル。古人曰ク百聞一見ニ如カズト。人智ヲ開キ工芸ヲ進ムルノ捷径、簡易ナル方法ハ此ノ眼目ノ教ニ在ル而已。

〔11〕

すなわち、ものを実見させることによって民衆を啓蒙し、勧業の功を挙げようという発想であり、これは、博物館というものの在り方、その文明の装置としての有効性を鋭く見抜いた言辞というべきだろう。大久保は博物館が「眼視ノ力」をよく発動させる装置であることを見抜き、これを殖産興業の推進力たらしめようとしたのである。しかも、大久保は、「人智開明の進歩を助くるに博物館の設ありと雖も、於時博覧会を開設せずんばあるべからず」(『大久保利通文書』第七・巻三五)として、博覧会をも勧業政策の強力な装置として作動させるべく明治一〇年（一八七七）に、その名も「内国勧業博覧会」（以下、「内国勧業博」と略記する）を開催した。この殖産興業を目的とする博覧会は明治三六年（一九〇三）までに五回催されることになるのだが、それが、古器旧物を中心としたかつての文部

三代目歌川広重《東京名所上野公園地内国勧業博覧会美術館之図》
明治10年（1877）
神戸市立博物館蔵

朝香芳春《大日本内国博覧会図・美術館出品之図》
明治10年（1877）
国文学研究資料館内国立史料館蔵

省の博覧会とも江戸の物産会とも決定的に異なるものであることは「出品者心得」の第二条に「珍敷品物たりとも都てかたわの鳥獣虫魚又は古代の瓦、曲玉、書画等の類は此会に出すべからず」として、将来性のある実用的な物品、国の内外に売り広めようとするもの等を出品するように指導していることにうかがうことができる。つまり、未来と現実に狙いを定めているわけで、現在の博覧会のイメージに重なる在り方がここに見出されるのであるが、これは、博物館と博覧会の分化のきざしにほかならない。とはいえ、ここで博覧会に期待されていたものは博物館の場合と同じく「眼視ノ力」による啓蒙であった。啓蒙という絆で両者は、まだしっかりと結びつけられていたのである。『明治十年内国勧業博覧会場案内』所収の「観者注意」（みてのこゝろえ）は、出品物を見る要点として、物質の精粗、製造の巧拙、機能の便否得失、時用の適否、価格の廉不廉を挙げ、「凡そ会場に入るものは人々審査官の気象あるを要す」として、次のような指摘を行なっている。

> 斯くの如く仔細に観察し来らば、凡そ万象の眼に触る皆智識を長ずるの媒となり、一物の前に横たはる悉く見聞を広むるの具たらざるなし。／然りといへども以上に論ずるところは、特に具眼の士、有志の人と共に道ふべきのみ。彼の漠然看過して一点の注意なき輩に在りては数回場に登るとも徒らに心目を娯ましむるに過ぎず。豈能く斯会の実益を望んや。（スラッシュは段落―引用者註）［12］

思うに、ここにみられる視覚による啓蒙という発想は、岩倉使節団の米欧回覧の体験から得られたものであるのにちがいない。『特命全権大使米欧回覧実記』(以下、『回覧実記』と略記する)を読むと、使節団一行は工場、監獄、警察、病院(「癲狂院」も含む)、学校、軍隊、裁判所など実にこまめに欧米の諸施設＝制度を見学しているが、そのなかには博物館(美術館を含む)や博覧会も含まれており、大久保は、それらが学校や工場と同じく文明開化になくてはならぬ装置であり、その機能は眼のちからによって文明を進歩させ、富国の基礎を固めることにあるという認識を得て帰国したのである。

もっとも、大久保の上申書は、ウィーン万国博の体験にもとづく佐野常民の博物館建設に関する意見書に依拠したものであり、「眼視ノ力」も「百聞一見ニ如カズ」も共に佐野の意見書に記されていることばであるから、眼のちからの認識は佐野常民の明察に帰せられるべきかもしれないのだけれど(岩倉使節団はウィーン万国博の会場を訪れているが大久保は一足さきに帰国したため立ち寄っていない)、いずれにせよ、見ることのちからへの認識が西洋から学ばれたことにちがいはなく、そこに、西洋の近代が視覚優位の知覚秩序において、つまりデカルトのいう観客たらんとする努力の結果達成されたのだということに対する洞察がはたらいていたのはたしかであろう。

しかも、かかる洞察は彼ら為政者だけのものではなかった。げんに「螺旋展画閣」構想も同じ洞察にもとづいている。油絵を見、また油絵を通して森羅万象を見つつ、やがて遠望台に至るというその在り方は、視覚の潜在力を発現させようとする意図によって貫かれていたのである。もっとも、いちいち指摘するまでもなく、画人である由一が視覚を重視するのは当然のことであるといえないこともない。しかし、そういうだけでは、眼の神殿ともいうべきこの奇怪な建物を了解したことになりはすまい。「螺旋展画閣」構想は日本の近代の根底にその礎石を置いているのだ。由一は「創築主意」の冒頭にこう書いている。

> 百聞一見ニ如カズノ成語ヲシテ吾人ノ脳裡ニ存セシムルニモ拘(かか)ハラズ、本邦人ノ癖トシテ耳ヲ尊ビ眼ヲイヤシムノ語ハ曽テ海外人ノ説ク所也ト、此語ヤ実ニ其頂門（「頂」は原文「項」―引用者註）ニ砭(へん)セリ。然ラバ則(すなわち)眼ヲ尊クスルノ道如何ン。[13]

ここに引かれている「海外人」の指摘は、西洋近代が、中世における聴覚優位の知覚序列を視覚優位のそれに顚倒することによって開かれたということを想起させる。視覚の優位性というのは、ごく自然なことのように思われないでもないけれど、中村雄二郎もいうように、西洋中世においては聴覚が視覚以上に重視されていたのであり、このヒエラルキーが顚倒したときに近代がはじまったのであった。しかも、近代においては「視覚が優位に立っただけでなく独走した」のである(『共通感覚論』)。とすれば、西洋化としての近代化の道を歩みはじめた明治の日本人にとって、この「海外人」の指摘はまさしく「頂門の一針」であったことだろう(ちなみに平賀源内は「東都薬品会」の引札で、日本の本草学者を「貴耳賤目」の語で批判している)。由一にとって、いや、日本の近代化を推進しようとする明治の人々にとって視覚の顕揚は、ほとんど近代化ということと等しかったのである。ということは、つまり、視覚による開明を目的とする博覧会や博物館は、同時に視覚自体の開明の場でもあったということであり、これらの制度を移植しようとした明治の支配者たち、そして近代文化のパイオニアたちは、数百年前の西洋に起こった顚倒を、この国において早急に実現させようと企てたのだといえるだろう。時の為政者が、このことを如何に重要視していたかということは、西南戦争の最中であるにもかかわらず内国勧業博を開催したことにみてとることができるし、あまつさえ官は助成をしてまで出品者を募ったのであった。もっとも、T・フジタニがいうように「世界の他の国々と同様、日本においても、国家的イベントは国家のシンボルと儀礼をふんだんに披露することによって、民衆のあいだに挙国一致の感情を育成・誇示する重要な機会となった」(「近代日本における国家的イベントの誕生」米山リサ訳)ということを思うならば、西南戦争の最中であればこそ、これを開く必要があったのだという理屈もたてられないではないのだけれど。

6　眼の権力装置——監獄と美術館

ガラス・ケースの意味

へだたりを絶対の条件とする視覚は、見る主体を事物から疎隔し、あらゆる事物を対象と化してしまうはたらきをもつ。近代は、そのような視覚のはたらきを極度に、しかも他の諸知覚を差し置いて、一方的に発達させることによって確立されたわけで、由一たちが必死に学びとろうとした写実画法、とりわけ透視遠近画法は、こうした近代の在り方を示す典型的事例であり、博物館や博覧会もまた視覚の時代の産物であった。このような視覚への傾斜は「螺旋展画閣」の遠望台に象徴されているともいえるし、博物館の本質的なイメージを形成するガラス・ケースにも見出される。ガラス・ケースとは、視覚に必要なへだたりが物質化された存在にほかならないのである。それは、見る者と事物のあいだに不可侵の距離を設け、事物を視覚の対象として固定することで事物との接触を断ち、その結果として、見ることにのみ集中する構えを来館者にとらせるのだ。ガラス・ケースが無くとも同じことだ。「陳列物品へ手を触るべからず」——博物館が開館した翌年には、早くもこのような条項を含む注意書きが博物館に掲示されることになるのである。もっとも内務省博物館では、「触手熟覧」を許す「特別縦覧」という制度が設けられはしたものの、もちろんこれは、その名のとおり、あくまでも「特別」のことであった。

また、前節に引いた内国勧業博の「観者注意」は出品物をつぶさに見比べることを見る人々に勧めていたが、この見比べるという行ないこそは、先にも指摘したように、博覧会や博物館の骨格をなす分類の基本であった。そればかりか、見比べるということは、「観者注意」で観方の手本とされる審査というものの基本でもある。それについて、少し考えてみることにしよう。

博覧会と審査

さまざまな事物が博覧会の秩序に収められるためには、それらが生産され、流通し、消費され、位置づけられる現実の秩序——つまりはそれらが本来ある場所からきり離されなければならない。いいかえれば、事物を博覧会に組み込むための手続きが必要とされるのだが、日本各地から集められた事物が、こうして、国家が創出した博覧会の秩序のもとで一堂に展覧されるというのは、明治日本の縮図の提示であり、このような意味で博覧会は、明治が創出すべき統一国家の模型であったということができる。万国博覧会が『回覧実記』がいうように「宛トシテ地球上ヲ縮メテ、此一苑ノ内ニ入レタル思ヒヲナス」もので あったとすれば、内国博覧会はあるべき日本国家を縮めて示す模型であったのだ。

近代世界の模型ないしは模像としての博覧会という発想は、吉見俊哉も指摘するように、

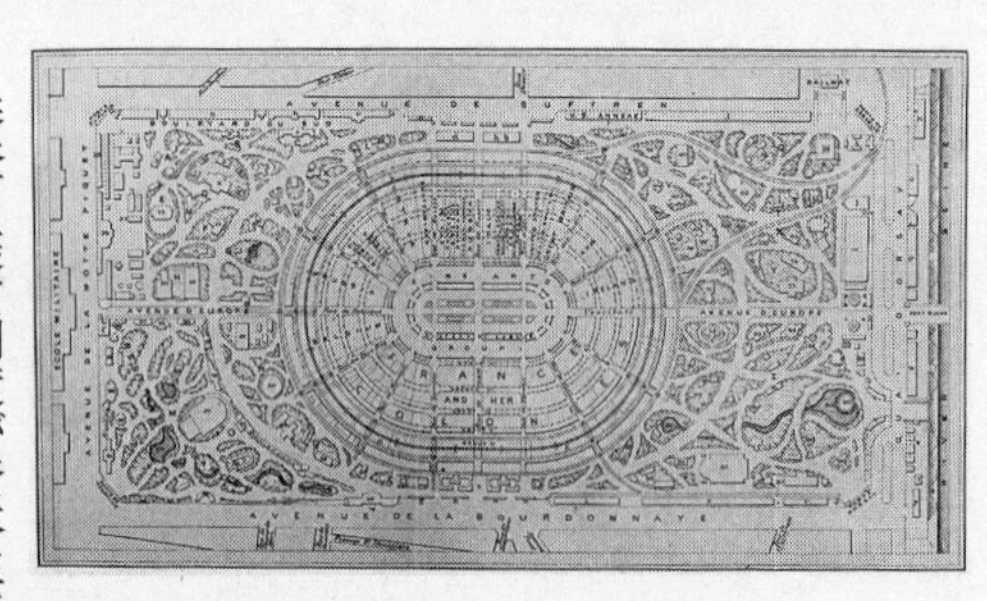

1867年パリ万国博覧会平面図

慶応三年（一八六七）のパリ万国博の会場構成――幾重にも同心円状にとりまく楕円形の展示棟のそれぞれに出品分類の各部門をあてはめ、さらに放射状に切り分けた領域を参加国に振り分けるという構成についてもいえるところであるのだが（『都市のドラマトゥルギー』）、同様に内国勧業博が近代国家の模型であったとして、その体験を現実に媒介し、国家というものの存在を広く民衆に知らせるためには、何か特別の仕掛が必要とされたのにちがいない。その仕掛とは、いったい何か。藩や村やクニとは異質な「国家」という未だなじみのない、それだけに抽象的な存在を現実化するうえでちからがあった仕掛とは、これも西洋の博覧会体験を通じて学ばれたとおぼしき審査・褒賞制度であったのではないかと思われる。

審査・褒賞制度が資本主義化の重要なモメントである競争力の発揚をもたらす契機と考えられたであろうことはいうにおよばず、それは、国家が望む価値観の尺度にみずからのしごとを寄りそわせてゆく自発性を――たとえば出品者に審査を請わせるというかたちをとることで――人々にもたせ、それに寄りそうしごとを規範化し、観衆に「審査官の気象」を要求することで規範を内面化させ、そうすることによって、事物をつくりだす行為とつくりだされた事物とを国家のもとに統合するはたらきをする。つまり審査・褒賞制度は、現実を模型に馴致させる仕掛として、事物と事物をつくりだす行為とを制度化するはたらきをなしたと考えられるのだ。

一望監視施設(パノプティコン)

見ることは、こうして、分類と審査によって博覧会を支え、支えることによって権力に仕えることになる。眼は支配の道具と化す。そして支配の道具としての眼の端的な例は、監獄のつくりにおいて見出される。

明治一二年(一八七九)、西南戦争や自由民権運動にかかわる大量投獄に対処すべく内務省はフランスの制度に倣って集治監を東京と宮城に置くことになるが、同年中に建設された宮城集治監は中央の六角塔から放射状に獄舎を配置したパノプティコン型の監獄で、重松一義の『図鑑日本の監獄史』によると、土地ではこれを「雲形六出の構え」と称したという。また、日本で最初につくられた洋式監獄建築である東京警視庁の鍛冶橋監獄(明治七年竣工)もパノプティコン型の十字形獄舎であった。パノプティコンとは、ジェレミ・ベンサムの発案になる施設であり、中央に塔を建て、その周囲に、房室を円環状に配し、中央の塔からすべての房内を一望のもとに見渡せるといった基本形式をもつ。ミシェル・フーコーのことばを借りれば、「〈一望監視施設〉（パノプティコン）は、一種の権力実験室として機能する。自らの観察機構のおかげで、その施設はもろもろの人間の行動へ介入する能力および効力の点で成果をあげるわけであり、知の或る種の拡大が、権力の及ぶすべての突起部（つまり、この施設の末端）で確立され、さらには、権力が行使されるにいたるすべての表面で、認識されるべき客体を発見するのである」（『監獄の誕生』田村俶訳）、あたかも「放観」（公開）の実践が私的領域をこじあけ、国家の光を国の隅々にまでくまなく及ぼそう

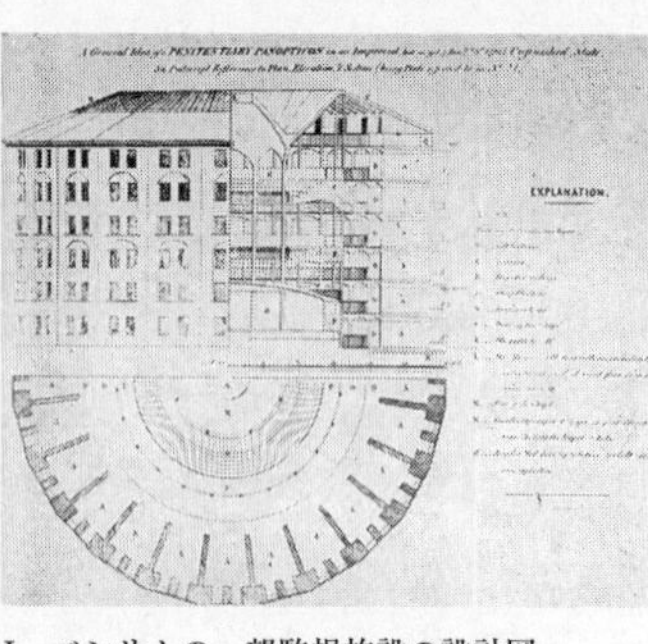

J・ベンサムの一望監視施設の設計図

東京集治監正面　明治21年（1888）

宮城集治監の六角獄舎　明治12年（1879）

としたように――。

「美術館」の位置

自由民権運動の弾圧にみられるような内務省の素早く果敢な秩序維持体制は、警察官たちの眼と眼を結ぶ監視情報網に支えられたものであった。監獄、警察、そうして博物館や博覧会というさまざまな眼の機構・施設によって国家の建設と統合をはかる内務省は、要するに眼の権力装置であり、こうした内務省によって支えられる明治国家は、いうなれば眼の国家であったといえるのだが、このような国家の在り方は第一回内国勧業博覧会の会場構成に象徴的にあらわ（さ）れていた。博物館建設地の寛永寺本坊跡に特設されたその

「第一回内国勧業博覧会美術館之図」

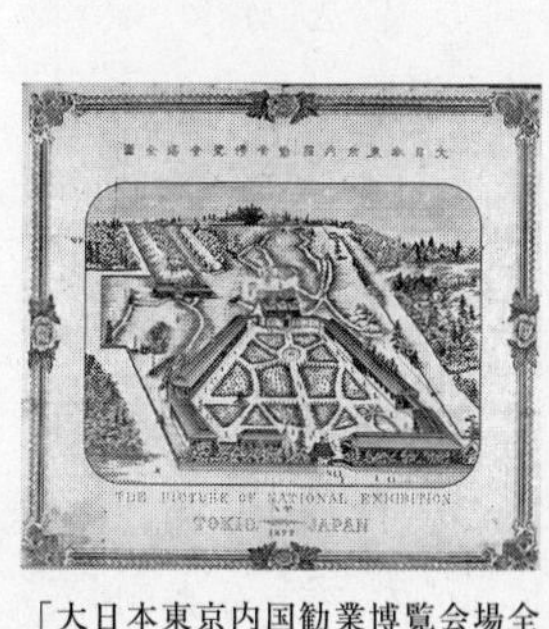

「大日本東京内国勧業博覧会場全図」
明治10年（1877）
国文学研究資料館内国立史料館蔵

会場の図を見ると、その要の位置に「美術館」が設けられているのである。

この「美術館」は、この国における最初の美術館であり、しかもそれは、先にふれた博物館建築の第一号、越屋根付きの煉瓦造りのあの建物を用いたものであった。つまり博物館のいしずえともいうべき建物が、博覧会の要として最初の「美術館」に用いられたわけで、それは、いうなれば見ることの制度の原点とも称すべき存在だったのである。もっとも、「美術」という語は、ウィーン万国博に際して訳出されたときは今でいう芸術を意味する語であったわけだが、次節で述べるように、内国勧業博においては、現在と同じく視覚美術に限定して用いられたのである。『明治十年内国勧業博覧会場案内』に載せる「美術館之図」をみると、先に記述したような煉瓦造りの建物の入口に額が掛けてあり、「美術館」と書いたその下にFine Art Galleryと記されている。つまり、この時点では、「美術」は官によってfine artの訳語とされていたわけであり、「美術」が英語の翻訳語として広まったのは、あるいは、これをきっかけとしてのことであったのかもしれない。

ところで、建築や都市計画が目に見える国民的な象徴として統一国家実現に果たした役割を強調するジョージ・モッセの研究を手掛りに、日本近代史の検討を試みた井上章一の「三島通庸と国家の造形」（飛鳥井雅道編『国民文化の形成』所収）は、ナポレオン一世や三世のパリ改造や、ヒトラーによるベルリン改造、あるいは織田信長の安土、豊臣秀吉の大坂造営に匹敵する建設事業が明治政府によって行なわれなかったことに注目して、それは、決定的なヘゲモニーをとるものが存在せず、それゆえ「官僚機構のナワバリあらそい」が常態化せずにはいない権力の性格に因るものだと指摘しているが、この指摘を踏まえていえば、「美術館」を要に据えて東西本館、農業館、園芸館、機械館などをあたかも要塞のように配置した第一回内国勧業博の会場は、大久保独裁政権がかろうじて創出しえた理想都市であったと、あるいはいえるかもしれない。

それから内務省と「美術」のかかわりについて、もうひとつ記しとめておかねばならぬことがある。それは、工部美術学校が創設されたのは、内務、工部、大蔵の三省体制のもとにおいてであったということだ。眼の権力装置と「美術」のかかわりには、悪縁とでも呼びたくなるような不気味な奥深さが感じられるのである。

「洋画」の台頭

第一回の内国勧業博の「美術館」には、由一も六曲一双の屛風に仕立てた油絵『東京十二景』その他の絵を出品し、これらの出品物と洋画拡張の功によって花紋賞を受けている。第一回における授賞の等級は名誉賞牌、竜紋賞牌、鳳紋賞牌、花紋賞牌、褒状の順になっており、このとき絵画で最高の名誉・竜紋賞牌を受けたのは菊池容斎の《前賢故実ノ図》であった。これはいわゆる日本画に属するものであるが、ここで注意を促しておきたいのは、内国勧業博の初期には日本画／洋画という区別が行なわれていなかったということである。内国勧業博において日本画／洋画という類別が用いられるのは明治三六年（一九〇三）の第五回の出品鑑査と審査においてであり、げんに、この容斎の絵も「審査評語」の分類名では「水彩画」とされており、また、川端玉章《魚籠群花図》、幸野楳嶺《鯉魚ノ図》も「水彩画」とされていて、この時点では「水彩画」が今日いうところの日本画の意味で用いられたことが察せられるのである。「審査評語」にはこのほかに「墨画」や「水墨画」の分類名もみえるものの、いわゆる日本画を代表するのは彩色膠絵であるから、ここは「水彩画」を日本画に相当する語としておいて大過あるまい。

「日本画」とは、いうまでもなく「洋画」に対する語であるが、この「洋画」という語は、陰里鉄郎が『明治美術基礎資料集』の解説で指摘するように、すでにこの回の内国勧業博において用いられており、玉章の《魚籠群花図》の評語には「洋画ヲ折衷シ陰影ヲ施用シ設色頗ル美麗ナリ」とある。「水彩画」や「水墨画」に対応する分類名は、ほんらい「油絵」であり「鉛筆画」であるはずなのだけれど、ここでは、ひとまとまりのものとして「洋画」という略語によって捉えられている。この事実はゆるがせにできない。「洋画」という名は、たとえば「洋学」がそうであるように江戸以来の命名法によるものであり、また西洋の画法を一括する「西洋画」、「西画」などという呼び名も江戸時代からすでにあったわけだが、文明開化＝西洋化が政策的に着々と進行しつつある明治のこのときにあたって、「洋画」という語のおもむきは、かつての「西画」などとはかなり異なったものであったにちがいないのだ。それが、「洋服」、「洋楽」、「洋書」、「洋行」などと共に開明期を象徴するものごとのひとつとしてあったのはもちろん、開化の進展にともなって、単なる新興の画法というのではなく、一大画派として在来の諸画派を圧倒する勢力に急成長しつつある最中のことだったからである。そして、第一回内国勧業博では由一のほかに五姓田義松、山本芳翠、五姓田ユウ（渡辺幽香）、本多錦吉郎、亀井至一、亀井竹次郎（竹二郎）、諫山麗吉、田中篤郎、田村宗立ら多数の「洋画」家が受賞し、そのうち最高の賞は五姓田義松の富士の絵が受けた鳳紋賞牌であった。

竜紋賞の方が鳳紋賞より上位であったのだから、洋画は、在来画派に一籌（いっちゅう）を輸（ゆ）したことになるわけだが、在来画派にしても、維新後のものみな欧風へとなびく世の中で、やっと日の目をみたという感慨があったにちがいなく、また洋画派は洋画派で、ここにおいて多人数の洋画家が伝統画派と並んで受賞したということは実に慶賀すべきことであったにちがいない。これによって洋画の勢力拡大に拍車がかかったのはまちがいないところなのである。しかも、見世物としてではなく、官の主催する博覧会において、官の積極的な価値づけのもとで洋画が注目されたのであったから、これは重大な出来事であったといわねばならない。五姓田派の見世物的な油絵興行のようすを伝える平木政次の文章を先に引用したが、それと同じ文章で平木は第一回内国勧業博についてこう書いている。

橋本周延《内国勧業博覧会開場御式の図》明治10年（1877）
神戸市立博物館蔵

会場の正門が、美術館であつた、（中略）赤煉瓦の建築で、屋上には数本の、白赤交りの小旗が、立て、あり、正門の昇降階段には、御紋章の紫幔幕（「幔」は原本「慢」――引用者註）、赤あげ巻の房が下がり、上には、美術館と文字の額面が掲げられて有り、自然頭を下げて、入場をする様で有つた。一般の入場者は左右の口より昇降した様に覚ゆ。当時会場へ入る人は、礼装で、御物でも拝観する様な気分であつた。[14]

洋画派への授賞にはこのような厳かさ、きまじめさ、ものものしさがつきまとっていたのであり、そのようなものとしての授賞は彼らの社会的ステータスを決定づけたといってよい。しかも、これは官が工部美術学校という西洋画法と西洋彫刻法の学校を開設した翌年のことであった。このときの高橋由一への授賞について「審査評語」にはこう書かれている。

油絵ノ珍賞ス可キヲ先覚シ、本会ニ数種ノ自画ヲ出品シ、其法ヲ衆人ニ勧奨スルノ労少

カラズ、且其進歩ヲ見ル。〔15〕

由一による「洋画拡張」は官の奨励するところとなったわけで、内国勧業博における審査は、このようにして内国勧業博が体現する国家の価値観を闡明し、現実の社会に向けてそれを実現してゆくことになる。「書画」部門の審査官のなかには洋書調所・開成所時代の由一の指導者であった川上冬崖がおり、洋画派の授賞に大きく影響したと考えられるのだが、しかし、西洋派の冬崖が審査官となったということが、そもそも官の価値観を証しているといえるわけであり、かかる価値観の拠って来るところを探ってみると、はたしてふたつの源泉に到達することになる。そのひとつは、いうまでもなく西洋であり、いまひとつは天皇である。

西洋が価値の源泉とされ、明治の日本が実現すべき未来とされたということについてはすでに述べたので、ここでは天皇に関して一言しておくことにしよう。

天皇と博覧会

褒賞を官から受けるということは、つまり「お上」から褒められるということであり、「お上」とは、この場合、究極的には天皇にほかならない。こうして褒賞の価値観の源泉を探ってゆくと天皇にゆきつくわけであるが、これは、同時に内国勧業博というもの自体の価値を保証するものが天皇であるということでもあるだろう。つまり、博覧会と明治国家は拠り所を同じくするわけであり、こうして博覧会の体験は、国家というものの体験と重なってゆく。いいかえれば、天皇は、博覧会という特殊な空間を、褒賞によって博覧会の外へ——すなわち博覧会がそのなかに位置づけられる現実の世界、もっと具体的にいえば、これから本格的な近代国家として建設されようとしている明治国家の空間に媒介するのである。したがって、内国勧業博での受賞を嘉(よみ)することは、そのまま国家を嘉することになるという仕組みが、ここには存在するのだ。

それればかりではない。内国勧業博の拠り所に天皇があるということは、この博覧会が志向する文明開化を天皇が嘉賞するということ——伝統の体現者であり、また絶対的な権力の体現者であるものとしてあらわれつつある天皇が、近代化を嘉するということにほかならず、そのことが社会に与えた影響はきわめて大きかったといわねばならないし、博覧会への行幸はそのことを、人々に対して決定的に印象づけたのにちがいない。しかも国家にせよ天皇制にせよ、その近代的形態を生み出したのは文明開化にほかならないのであるから、近代を嘉する天皇は近代によって嘉される存在でもあったと、おそらく、ここはいうべきなのであろう。

洋画のことでいえば、由一が洋画の保護育成を皇室に期待していたことは、『油画史料』に収められている幾つもの文書——たとえば、維新によって大小名、神社仏閣というパトロンを失い、よるべのない身の上となった「美術」が頼みとするべきものは、「名誉の源泉」たる皇室以外にないとする『毎日新聞』の記事の写しなど――が物語っているし、実際に皇室は由一にとって最上の客であったのだが、こうした洋画と天皇の関係が明治初期において最高潮に達するのは、明治一二年（一八七九）に元老院に天皇像制作を依頼されたときであるだろう（明治一三年上納）。それはジュゼッペ・ウゴリーニというイタリア人画家の描いた肖像にもとづくものであったけれど、とにもかくにも、こうして明治の洋画は天皇像をものすることとなり、それと同時に洋画は国家のものとなった。つまり、それは、見世物小屋のたのしみ、盛り場のざわめきから遠ざかることになった。あるいは少なくとも、このとき、決して見世物にはなりえぬものが洋画のなかにあらわれたことは確かであろう。

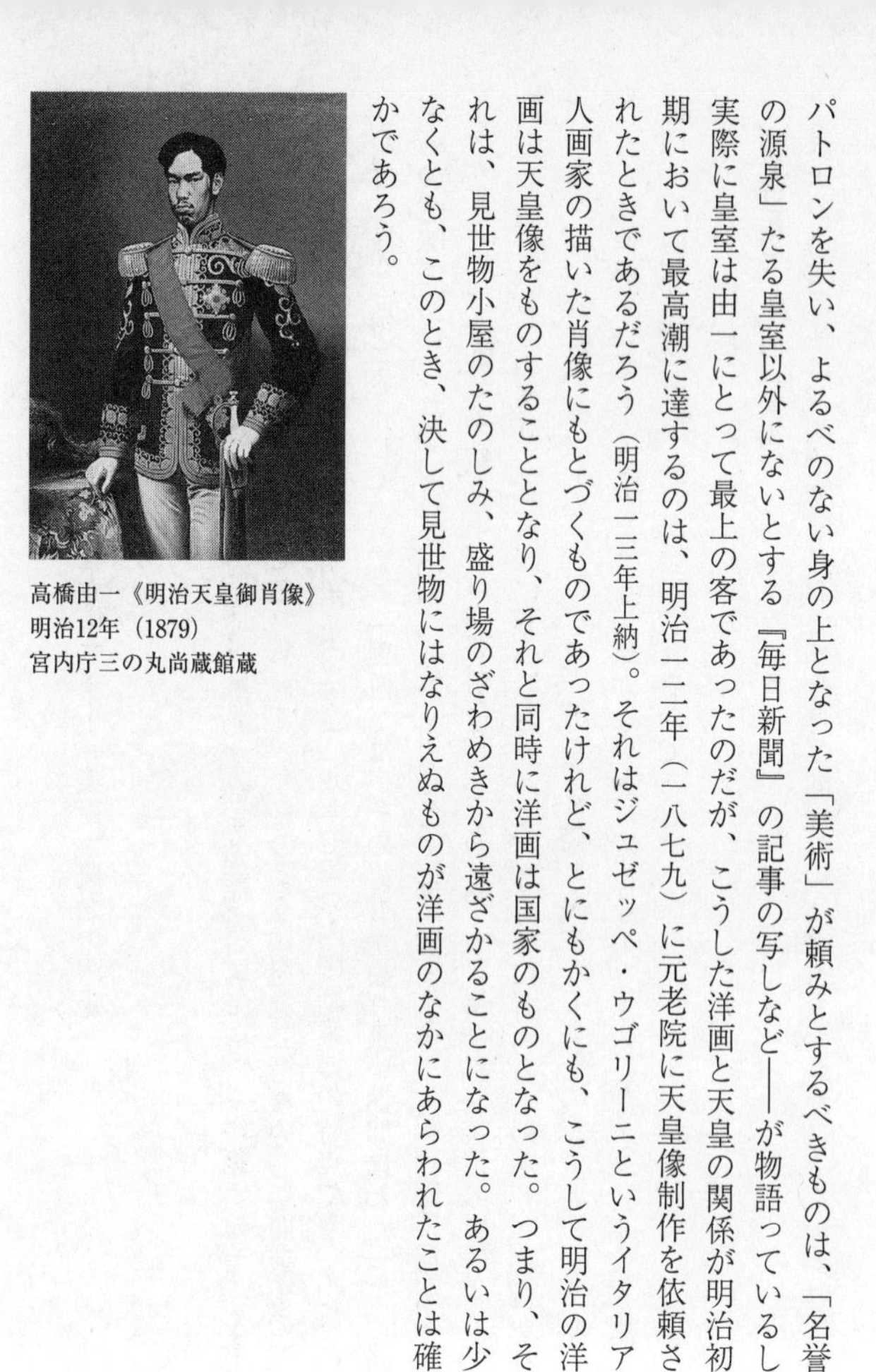
高橋由一《明治天皇御肖像》
明治12年（1879）
宮内庁三の丸尚蔵館蔵

7 すべてであろうとする「美術」——「美術」概念の限定

芸術という意味の「美術」

すでにみたように、ウィーン万国博に際して翻訳造語されたとき、「美術」は音楽や詩を含む諸芸術の意味で用いられたのであって、今日のように視覚芸術ないし空間芸術の意味に限定されてはいなかった。明治一〇年（一八七七）の内国勧業博の時点でも、一般に「美術」は諸芸術を意味していたし、「美術」は、その後もかなり長い期間にわたって、諸芸術の意味で用いられつづけたのだった。たとえば、坪内逍遥が『小説神髄』（明治一八—一九年）でつかう「美術」は今日の芸術の意味であり、そこには「其美術の質によりて専ら心に訴ふるものあり、専ら眼に訴ふるものあり、専ら耳に訴ふるものあり」と書かれている。「美術」は、文学と、いわゆる美術と、音楽とを含んでいたのだ。いや、それどころか戦後においても、そのような用例がないわけではない。家永三郎の『日本文化史』には「空間的美術」という語が見出されるのである。

視覚芸術としての「美術」

家永の例とは逆に、明治初期において今日と同様の用法が行なわれた例もないわけではない。たとえば工部美術学校の例がそれである。つまり、絵画と彫刻を教授する学校が、「美術」学校を名乗ったわけで、一般的な意味に照らせば、これは、僭称のそしりをまぬかれない用法であった。もちろん絵画も彫刻も「美術」に属しているのであるから「美術」を校名に用いるのは論理的には何ら問題ないと考えられるのであるが、工部美術学校の校名に関しては、次のような歴史的事由があったのではないかと思われる。

まず、ウィーン万国博で、日本の美術工芸品が好評を博して、政府の注目するところとなったことが考えられる。つまり、「美術」（＝芸術）のなかで、現在では視覚芸術に属するものが特に注目を集め、それが、いわば「美術」のなかの「美術」という印象を与えたであろうということである。

五姓田勇子《博覧会前面之図》

また、工部美術学校の校名は、世界史的近代における視覚の優位性と深いところでかかわってもいた。第二帝政期には世界的に知れわたっていたフランスの Ecole des Beaux-Arts も、建築、彫刻、絵画、版画という視覚芸術の分野から成っていたのである。Kunst あるいは art といえば、それだけで今日いうところの美術を意味することがあるという西洋近代語の事情についても同断である。しかも、日本の場合は、「美術」に対応する欧語が、ウィーン万国博の出品区分にみえる Kunstgewerbe（応用美術）や Bildende Kunst（造形芸術）であったという事情も絡んでいただろう。

博覧会の「美術」

工部美術学校の校名に関しては、以上のような事由が推測されるのだが、これによって考えれば、内国勧業博で「美術」が美術の意味で用いられたとしても、何の不思議もないであろう。はたして、内国勧業博の列品区分をみると「第三区美術」の脇に次のような但し書きが見出されるのである。

但シ此区ハ、書画、写真、彫刻、其他総テ製品ノ精巧ニシテ其微妙ナル所ヲ示ス者トス。［16］

つまり、この但し書きによれば、「美術」の範囲は、しぜん視覚芸術の範囲と重なり合うわけで、実際、その詳しい内容をみると次の六類に分けられており、その内容は視覚芸術のそれにほぼ該当するのだ。

第一類　彫像術
第二類　書画
第三類　彫刻術（エングレーヴィング─引用者註）及ビ石版術
第四類　写真術
第五類　百工及ビ建築学ノ図案、雛形、及ビ装飾
第六類　陶磁器及ビ玻璃（はり）ノ装飾○雑嵌細工（モザイク─引用者註）及ビ象眼細工〔17〕

つまり、内国勧業博覧会は工部美術学校の科目に新しい項目を付け加えたにすぎないのだが、官の学校と官の博覧会が共に「美術」をそのような意味に用いたということは、「美術」の意味が、現在の意味に向けて絞り込まれてゆく大きなきっかけとなったのにちがいない。しかも、それに拍車をかけるかのように、第一回内国勧業博の三年後には、内務省博物局によって視覚芸術に的を絞った観古美術会という催しが開かれることになるのである。

博覧会と「螺旋展画閣」構想

さて、こうして開設された内国勧業博は、第一回の閉会直後に、太政官布告によって「五ケ年目毎」に開催されることとなり、その第二回目が明治一四年（一八八一）に、第一

回と同じく博物館の建設地で開かれた。おりしもこの年は、一一年に暗殺された大久保利通の忘れ形見である博物館の本館が竣工した年でもあり、この度は、その一階が特設「美術館」にあてられることになった。しかも、その年はまた、由一の「螺旋展画閣」の構想の成った年でもあり、「創築主意」に記された五月という日付は博覧会の会期中にあたっ

三代目歌川広重《上野公園内国勧業第二博覧会美術館扞猩々噴水器之図》
明治14年（1881）

《第二回内国勧業博覧会》
都立中央図書館蔵

ていた。これは決して偶然のこととは思われない。展画閣と博物館と博覧会と――由一は、この時期をねらって「螺旋展画閣」構想を打ち出したのにちがいないのだ。げんに由一は「創築主意」で「官立博覧場」（博物館）を引きあいに出して、展画閣の必要を説いているし、由一の発想には機会主義的なところが往々にして見受けられるから、その可能性は充分すぎるほどあるのである。そしてこのように考えると、本章の冒頭に記した「螺旋展画閣」は美術館か博物館かという問いは、ここにおいて、自然にひとつの答えを得ることになるようだ。すなわち、由一は博物館建築を美術館に流用した内国勧業博美術館に対して、博物館＝美術館という一歩踏み込んだアイディアを対置したのではなかったろうか、というようにである。

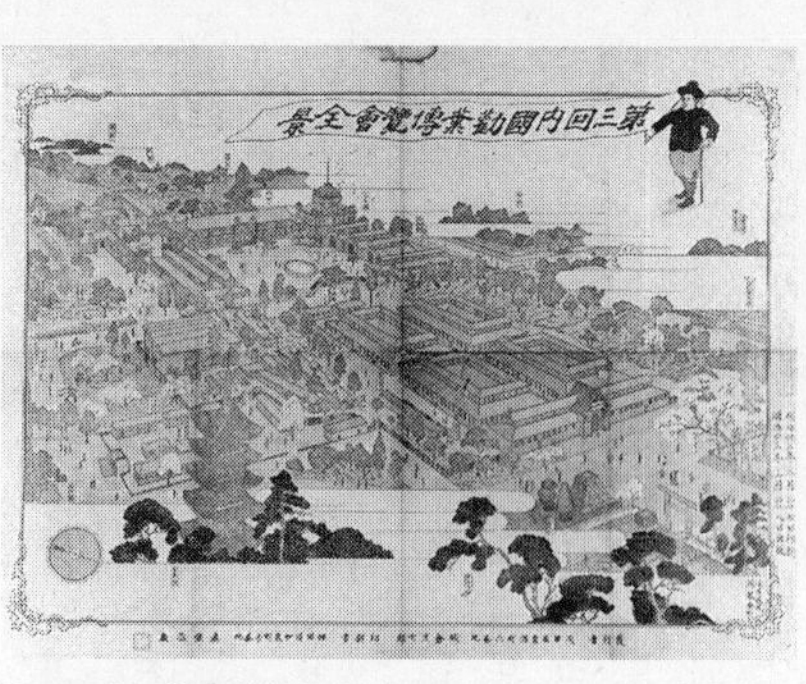

第三回内国勧業博覧会全景
明治23年（1890）
国文学研究資料館内国立史料館蔵

　このアイディアは、美術博物館によって代表される現在の博物館の在り方を、不完全ながら先取りした構想ともいえるが、この博覧会の会期中に、内務省博物局は新設の農商務省に移管され、その事務章程には次のように記されていた。

第七条　博物局ハ古器物ノ保存、美術ノ勧奨ニ関スル事務ヲ調理シ、博物館ヲ管守ス。[18]

内務省時代と同じく綜合博物館であるにもかかわらず、博物館のしごとの大本は「古器物ノ保存」と「美術ノ勧奨」にあるとされたわけで、ここには「螺旋展画閣」に見出されるのと同様のアイディアがみとめられるのである。

ただし、ここで急いで断らねばならないのは、「螺旋展画閣」は油絵という「美術」によって綜合博物館を成り立たせようという構想であったということだ。不完全ながらと断ったゆえんだが、由一は、「美術」や「芸術」をその一部門としてもつはずの綜合博物館を、逆に「美術」のなかに呑み込んでしまおうと考えていたのである。あるいは、こういってもよい。綜合博物館が森羅万象をサンプルによって人々の眼に供する機関なのだとすれば、由一の「螺旋展画閣」は、写実的な油絵によって森羅万象をイメージと化してしまうのだ、と。すべてをイメージとして呑みくだす眼、貪婪な「美術」。「美術」は視覚に所在を限定されつつ、しかも、それゆえに、すべてであろうとする欲望を抱くことになるのである。

8　美術の揺籃——内国勧業博覧会と「美術」

博覧会の列品分類

明治一〇年（一八七七）の内国勧業博において視覚芸術という意味へ絞り込まれた日本語「美術」は、これ以後、博覧会の分類名として定着することになる。これに対して博物館においては、当時は博覧会と博物館は一体のものと考えられていたにもかかわらず、明治九年（一八七六）以来ワグネル＝浅見忠雅による「芸術」が主として用いられることとなった。同じくウィーン万国博を機に生まれたふたつの翻訳語が、博物館と博覧会に振り分けて用いられることになったわけである。

なにゆえ博物館の分類名である「芸術」が、博覧会において用いられなかったのか、はっきりしたことはわからないが、博物館よりも、幅広い階層にわたる多数の人々が観覧するはずの博覧会に関して特殊な配慮がなされたのであろうか。すなわち、「芸術」という語が「ケイコゴト」（『増補漢語字類』明治九年）というような意味を、そもそもはもつということが問題になったのでもあろうか。博覧会開催に際して、内務省のなかに、博物局と別に事務局が設置され、その御用掛のひとりに工学頭であった大鳥圭介がいたところからすると、博覧会における「美術」の採用は、工部美術学校とのかねあいから、大鳥圭介が

一曜斎国輝《第三回内国勧業博覧会図》明治23年（1890）
国文学研究資料館内国立史料館蔵

「美術」という分類名を主張したのだったかもしれない。

もっとも明治一三年（一八八〇）に内務省博物局は、最初の官設「美術」展である「観古美術会」を視覚芸術に的を絞って開催しているし、「美術」の語は分類細目などでは用いられているのだが、散発的な使用であり、「美術」の制度化の過程をたどる史料としては扱いにくい。これに対して、明治一〇年（一八七七）から三六年（一九〇三）まで五回にわたって開催された内国勧業博の列品分類の変遷は、「美術」の制度化の過程を史的に追跡するにはもってこいの資料であり、そこには「美術」が制度化されてゆく過程が鮮明に示されている。また、「美術」という新語を人々のあいだに広めるうえでも、また、その制度的定着においても、内国勧業博が果たしたであろう役割の大きさを思うならば、内国勧業博は「美術」の揺籃であったといっても決して過言ではあるまい。

内国勧業博美術館の内実

「螺旋展画閣」構想は、内国勧業博美術館に対して打ち出されたものではなかったかという考えを前節の末尾に述べたが、「螺旋展画閣」と内国勧業博美術館のあいだには、建築的にも、展示の内容においても対照的な点が見出される。第一回内国勧業博美術館は煉瓦造りの西洋建築であり、第二回に美術館として用いられた博物館本館もジョサイア・コンダー(コンドル)の設計にかかるイスラム様式を取り入れた西洋建築であったのに対して、「螺旋展画閣」は日本風の楼閣建築を想わせる造りであり、その展示内容についてみても、「螺旋展画閣」が油画一本に統一されているのに対して、内国勧業博美術館の内容は実に雑然たるものであった。視覚芸術という意味に限定して「美術」という語が用いられたとはいえ、初期の内国勧業博美術館の内実はほとんどアナーキックな状態だったのである。

初期の内国勧業博美術館の内容が、どのようなものであったかは「区分目録」の詳しい内容や「出品目録」を見れば一目瞭然である。第一回内国博の「書画」を例にとれば、「区分目録」は以下のように細分されている。

第二類　書画
其一　紙、布帛等へ墨書セシ書画、各種水絵具ノ画、及ビ石筆、烏賊墨(いかずみ)、白堊筆等ノ画
其二　粗布、片板等ニ描キシ油画
其三　織出シタル書画

細工般編
骨屏形

額（一）絹地、牡丹鶴彩色畫（兵庫縣士族）狩野永秀

額（一）絹地、山水墨畫（東京本材木町二丁目）蓑齋貝知

額（一）絹地草花畫（北品川宿）久保寺儀兵衛

額（一）絹地、山水人物圖（二）草花蟲類之圖（淺草公園地内）酒井擣造

○花瓶（三）陶人物細畫金襴模様研出　○香爐（四）

畫（一）唐紙地　○書（二）（下谷茅町二丁目）豊島海城

畫（一）絹地梅花（市谷左内坂町）小間梅心

畫（一）絹、櫻猿彩色（矢之倉町）佐竹永湖

畫（一）絹地孔雀彩色畫（兵庫町）石田昌蔵

畫帖（一）唐紙櫻花畫（府下須崎村）片岡吉寛

畫帖（一）唐紙、打目金、外金大絵絹、彩色（仲門前一丁目）福田喜右衛門
南芝濱松町二丁目松下寅三郎

畫（一）絹絵張、三番叟舞之圖（淺草上平右衛門町）柴田愼次郎

畫（一）絹絵張、「松」孔雀旦春花ノ圖（靜岡縣士族）目賀田介庵

畫（七五）絹絵張水葡萄老鷹圖、東京數寄屋三丁目（日本橋區一丁目）榛原直次郎
川喜多忠兵衛、蒔工上平右衛門町柴田是眞（七八）花襟衛金樹村總田綾岳　○懐紙掛（七六）
繪、椽木ニ草花蒔繪、柴田是眞○短冊掛（七七）繪　○短冊挾（七九）黒柿
濱和泉町瀬井政太郎　○短冊箱（八〇）桐一枚木

畫（一）絹彩色（神奈川縣士族）尾口雲錦

掛物（一）絹地、花鳥彩色畫（二）（三）（東京三田四丁目）小林朴宇

畫（一）絹、日光山霧降瀧彩色（矢之倉町）春木南溟

屏風（一）白綸圖、上野公園弘福友仙墨二枚折（上槇町）小和田米藏
畫、高砂町山本常次郎、時繪芝濱松町二丁日本橋平右衛門、表装、數寄屋町納崎数八

版下畫（一）紙、唐草印形模様（北槇町）小菅早次郎

上繪紋（一）寒冷紗、模様陸奥、金紋、丹紋（金澤町）山口三之助

屏風（一）白布油繪六枚折（旅町一丁目）高橋由一

油畫（一）唐紙彩色（二）（宇田川横町）大橋吉五郎

額（一）西洋布、甲冑ノ油畫、旅町二丁目高橋由（沿池靈南坂下）内藤耿叟
一（二）日本人物鐵筆肖像

東三ノ七

額（一）布、海邊ノ景油畫（二）深山月夜ノ景（三）河邊鳥類ノ圖（四）野菜ノ圖（五）草木花實ノ圖（京都府平民）池田雄藏

額（一）玫瑰、人物油畫（二）牡丹支鳥ノ圖（東京深川西森下町）吉岡林之助

額（一）布、人物、景色油畫（廣島縣士族）本多錦吉郎

額（一）麻布、不二山遠望ノ圖、東京濱町一丁目（矢ノ倉町）安藤信光
高橋山一

額（四）布、人物、油畫、四谷左門町山上藻山（麹町十丁目）比留間先之助

額（一）硝子、婦人、彩色油畫（二）俳優似顔（淺草八馬道町）吉田金太郎

額（三）白紙、文字繪、四谷左門町、秋田芳三郎（麹町十三丁目）林勘兵衛

屏風（一）風鎮地、白綸田紺屋町小林眞助（上野北大門町）加島重郎兵衛
（二）白綸地、馬鐵山○額（三）風鎮地、白綸田（四）白綸地馬鐵田

屏風（一）白絹地百合、鉢花押繪二枚折（本所緑町二丁目）田中吉之助

編物（一）金絲繍田花鳥模様（深川西平野町）上沼榮三郎

簞笥（一）檜、兩開、緝色塗花鳥蒔繪、木地下谷（材松町）磯谷仁兵衛
淺町錦谷東次郎、蒔繪淺草田町中村由五郎、蒔繪濱町武井惣助外二名○莨烟草抽

（二）八角高欄付花鳥蒔繪　○七寶盆（三）車輪付、黒内塗、山木花鳥蒔繪津輕塗安　○廣

蓋（四）檜木瓜形夏付蟲喰塗

簞笥（一）檜竹形塗観音開内金梨地木高蒔繪錠 金具（東京金澤町）塚越長五郎

簞笥（一）檜、表面ニ牡丹、左右、山水、後面若松鶴ノ、蒔繪塗東京鍛冶町北留峨五郎、蒔繪大傳馬町一丁目柴田卯之助（青物町）杉田總兵衛
（三）扇子、形花鳥畫蒔繪、花鳥蒔繪　○歩障（二）鋼地、花鳥蒔繪
（五）花鳥蒔繪　○廣蓋（四）花鳥蒔繪　○烟草抽

簞笥（一）印籠蓋蒔繪、青貝檢物等ノ象眼（木挽町六丁目）起立工商會社
蒔繪阿部川町長谷川雲次郎外十二名○戸（二）黒地、螢、装ノ蒔繪、木地、長谷川雲次郎、蒔繪、箔屋町…
[illegible]
○茶入（五）…　○筆立（六）…

東三ノ八

『明治十年内国勧業博覧会出品目録』第三区第二類　書画

其四　蒔絵、漆画、焼絵等
其五　陶磁器、七宝及ビ金属ノ画〔19〕

つまり、ここには油絵や墨絵や色彩膠絵と並んで、現在では工芸作品として一括されるさまざまな技法による絵が含まれているのだが、それはまだしも、「出品目録」を見ると額、掛軸、屏風、衝立はもちろんのこと、扇子、絹織物、綴錦、簞笥、テーブル、花瓶、重箱、果ては蝙蝠傘の柄から刀掛に至るまで、実にさまざまな物品が出陳されており、言うなればバベル的な状況にあったことを示しているのだ。しかも、こうした状況は、「彫像術」についても、また第二回の内国勧業博についてみても変わらない。

出品目録を見ると、そればかりか、今では当然、美術にワリツケられるもので工業製品の区分に出品されたものもあったことが知られるのだが、このような混乱が起きたのは、出品物をいかなる区分に編入するかが基本的には出品者の判断に任されていたことによるところが大きかったと考えられる。しかし、そうであればこそ、この混乱は、当時の「美術」観を、社会的な次元において如実に示すものといえるわけである。そして、こうした外延の混乱は、とりもなおさず内包（定義）の未熟さであり、それゆえ第一回内国勧業博の報告書でワグネルは、「美術館」への出品物を評して「大抵形容粧飾並ニ織巧ヲ極メタルヲ以テ美品トナスニ似タリ。是レ洵（まこと）ニ誤見ト謂フベシ」と述べ、「抑美術家タルモノハ唯ニ工術ノ精詣ニ止ラズ亦天成ノ感情ニ通ゼザルベカラズ」と指摘しなければならなかったのだ。当時の「美術」概念は、おおむねこの指摘にあるようなものであるか、ないしは、工部美術学校の場合と同じく実用主義的なものであったと考えられるのである。

それでは、内国勧業博美術館においてこうした雑駁さが整理されるのはいつのことかと言えば、それは明治二三年（一八九〇）の第三回内国勧業博においてであった。この回に至って「美術工業」という一類が、「美術」部門のなかに設けられることとなったのである。「美術工業」というのは「美術工芸」と同義であり、第四回からは後者の名称が採用されるのであるが、美術と工業の中間に位置づけられるいわゆる工芸が、こうして自立の道を歩みはじめたわけである。

この過程については日野永一「万国博覧会と日本の「美術工芸」」（吉田光邦編『万国博覧会の研究』所収）が、すでに跡づけているが、この過程は、同時に「美術」概念の形成過程でもあり、「美術工業（美術工芸）」の独立は、絵画や彫刻の領域が純化され、「美術」が絵画と彫刻を中心とする体制をとりはじめたということでもあった。換言すれば、ウィーン万国博以来「工芸」（=工業）と重なる部分を中心に考えられてきた「美術」が、その中心を絵画、彫刻の方へと移しはじめ、その輪郭を明確にしはじめたのだ。はたして、明治二八年（一八九五）の第四回内国勧業博では、それまで「美術」とされていた分類名が「美術及美術工芸」と改められ、「美術工芸（美術工業）」は「美術」の周縁に位置づけられることになるのである。

また、第三回内国勧業博では、それまで「書画」と称されていた分類を「絵画」と「書」に分離し、「美術」部門にかぎり出品の適否を決める監査が行なわれることになった。第一、第二回でも「危険、汚穢、醜体等ノ物品」（「明治十年内国勧業博覧会出品規則」・「第二回（明治十四年）内国勧業博覧会規則」）および輸入品は出品が禁じられていたものの、それはもちろん、美術か非美術かということとは関係がない。それに対して第三回に至って積極的な仕分けが、つまり美術と非美術のあいだの線引きが――ジャンル間の、より明確な線引きと共に――官の手によって行なわれることとなったわけである。

国粋主義と「美術」の制度化

では、明治一四年（一八八一）の第二回と明治二三年（一八九〇）の第三回の内国勧業博のあいだにいったい何が起こったのか。内国勧業博は「五ケ年目毎」に開催されることになっていたにもかかわらずこの第三回と第二回のあいだには九年もの歳月が流れており、この九年間に何かが起こったわけであるのだが、この期間はちょうど絵画・工芸上の国粋主義の勃興期にあたっていた。その間の動きを、国粋主義運動の拠点であった竜池会の結成を起点として年表風に記してみると、以下のようになる。

明治一二年(一八七九) 官僚と輸出業者らが「考古利今」をモットーとする竜池会を結成。美術の国粋主義の拠点となる。

明治一三年(一八八〇) 内務省博物局、最初の官設「美術」展である観古美術会を開催(観古とはいえ、由一の油絵なども展観される)。


明治一四年(一八八一) 第二回内国勧業博の「美術」関係の審査は竜池会会員の牛耳るところとなる。ただし伝統画派は低調。

博物館、内務省から農商務省に移管。

東洋美術の優秀さを説くフェノロサによる連続講演。

この年から観古美術会は竜池会が主催することになる。

「螺旋展画閣」構想成る。


明治一五年(一八八二) 明治天皇、第三回観古美術会を観覧。

竜池会主催の『美術真説』の講演と出版。竜池会はこの頃から勢力を伸ばしはじめる。この年六二人であった会員が翌年には一六九人となりさらにその翌年には三五九人となる。

小山正太郎と岡倉天心のあいだに「書ハ美術ナラズ」論争起こる。

内国絵画共進会の開設。同会は洋画の出品を拒絶する。これ以後、二〇年まで洋画は公会から閉め出されることになる。

明治一六年（一八八三）

工部美術学校廃校。

竜池会、パリで日本美術縦覧会を開催。

国粋主義陣営の機関誌『大日本美術新報』創刊。

明治一七年（一八八四）

鑑画会の設立。伝統絵画の改良運動の開始。

天絵学舎廃校。

新皇居の造営がはじまる（旧江戸城西之丸の皇城は六年に焼失）。

文部省に図画調査会が設置され、初等教育における図画教育において毛筆による伝統画法と鉛筆による西洋画法のいずれを採用するかで論争が行なわれる。

明治一八年（一八八五）

竜池会初代副会頭の河瀬秀治、竜池会の変革に関する建白書を会頭佐野常民に呈す。保守主義と改良主義の対立を浮彫りにす

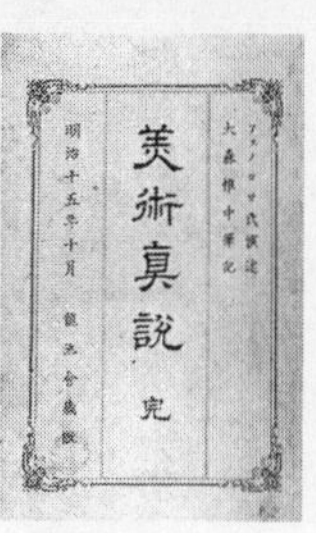

『美術真説』

『大日本美術新報』

る。

明治一九年（一八八六）　この年の一二月、内閣制度創設。

博物館、農商務省から宮内省へ移管。

フェノロサと岡倉天心、美術事情調査のため欧米へ出張。翌年帰国、日本美術の可能性を強調する報告を行なう。

明治二〇年（一八八七）　第三回内国勧業博覧会規則が告示される。

東京府工芸品共進会において洋画が久々に受け付けられ、浅井忠、小山正太郎ら洋画家が勇んで出品する。

東京美術学校の設置が公布される。

竜池会が日本美術協会と改称する。

明治二一年（一八八八）　日本美術協会会館竣工、開館。

第三回内国勧業博覧会出品部類目録が告示される。

宮内省に臨時全国宝物取調局を設置。

新宮殿竣工。「宮城」と称す。

明治二二年（一八八九）　東京美術学校開校。

博物館、帝国博物館となる。同時に帝国京都博物館（開館三〇年）、帝国奈良博物館（開館二八年）を設置。

明治二三年（一八九〇）

明治美術会創立。

この年の二月、大日本帝国憲法が発布される。

『国華』創刊。

第三回内国勧業博開催。

岡倉天心、東京美術学校において日本美術史を講義。

帝室技芸員制度設置。

この年の一〇月、教育勅語発布、翌月、第一通常議会が召集される。

すでに指摘したように、「美術」の制度化が決定的な局面を迎えることになるのは、明治一〇年代後半の国粋主義の時代においてであり、そのことは、右に記したところからも、大方の察しはつくことと思うが、この時代はまた、憲法体制の構築期でもあった。すなわち、「美術」の制度化は、憲法体制の整備とパラレルに推しすすめられ、明治二二年の憲法発布と時を同じくして大きな山場を迎えることになるのである。この過程をたどることは、思うに、そのまま近代美術の原像を探ることであり、美術なるものの成り立ちの発端を明かすことでもあるのにちがいない。そこで、次章では、「螺旋展画閣」構想以後の由一の活動と、国粋主義のイデオローグであったフェノロサの言説を通して「美術」の制度化の過程をたどってみようと思うのだが、その際、由一のしごととフェノロサの言説の内容からいって、これまでと同様もっぱら絵画を導きとして考察をすすめることになるだろうことを予め断っておく。

第3章　「美術」の制度化

1 建築＝制度への意志──明治一四年の由一【一】

背伸びをする子ども

明治一一年（一八七八）刊行の『回覧実記』は、明治の日本はすべからく工場制機械工業を志向すべきことを説いて、「徒（いたずら）ニ手技ノ巧ヲ善ヒ（つくろ）、陶、銅、漆ノ工ニテ些少ノ輸出ヲナシ、工芸（工業─引用者註）ハ此等ノ業ニアルト謂フハ、大ナル誤リナリ」と述べている。しかし、ヨーロッパ回覧の途次に使節団も立ち寄ったウィーン万国博では、皮肉なことに、陶銅漆器はじめ日本の手工品が好評を博し、輸出品として注目されることになったのであった。これを、ひとつの重要な契機として明治一〇年代には国粋主義的な「美術」行政が行なわれることになるのだが、万国博覧会は、貿易のための市場調査の機会であると同時に工業化のための調査研究の重要な機会でもあったのだから、ウィーン万国博における日本の立場は、かなり微妙なものであったといわねばならない。自国の前近代的な工業製品が好評を博すその会場で、工業化という大方針を貫くための調査、学習を行なわねばならない日本は、一刻も早く大人になろうと努めながら、一方で大人たちに愛敬をふりまかねばならぬ子どものような立場にあったのだ。そして、微妙というならば万国博における当時の洋画は、まさしく微妙極まりない立場にあった。それは、大人に愛敬をふりまく仲間のかたわらで、背伸びをして大人を演ずるようなものだったからである。『回覧実記』は、ウィーン万国博に出品された洋画について、こんなふうに記している。

油絵ノ如キハ曽テ欧州ノ児童ニモ及バズ、本色ノ画法（日本固有の画法―引用者註）、反テ価ヲ有セリ［1］

ウィーン万国博のために博覧会事務局の命で《富嶽大図》を描いた由一は、これをはたして読んでいただろうか。読んだとすれば、どのような思いで、これを読んだであろうか。そのとき由一は、足もとにひたひたと寄せてくる国粋主義の波を感じとっていたであろうか。『回覧実記』が刊行された年は、フォンタネージが病気を得て帰国し、それと入れ替わるようにフェノロサが来日した年であり、その翌年には、美術に関する国粋主義運動の拠点となる竜池会が結成されることになるのである。

しかも、文明開化における価値の源泉にして日本の未来図でもある西洋は、おりしもジャポニスムの季節のさなかにあり、ウィーンにつづいて、政府が参加にちからを入れた明治九年（一八七六）のフィラデルフィア万国博覧会では、サウス・ケンジントン博物館、エディンバラの科学芸術博物館、ボストン美術館などが日本の出品物を購入し、また、このフィラデルフィア万国博覧会と同じ年には、ジェイムズ・ジャクソン・ジャーヴィスの

『日本美術瞥見』がニューヨークで出版され、ヨーロッパでも広く読まれるところとなっているのである。

第二回内国勧業博覧会

ウィーン同様このフィラデルフィア万国博覧会においてもワグネルの尽力があったのだが、ワグネルは、おりしもこの万国博の期間中に開設が布告された第一回内国勧業博の報告書（明治一〇年）で、「時好ノ油絵ニ移ル斯ノ如ク速カナルハ日本美術工業ニ裨益スルヤ否ヤハ未遽カニ論ジ易カラズ」として、伝統技法を重視することを勧めており、早くも、国粋主義的発想を政府に促していた。そして、第二回内国勧業博の報告になると、ワグネルの言説は、がぜん急調子を帯びることになる。

> 油絵ハ本会ニ於テ場区ノ多分ヲ占メタリ。之ニ反シテ日本固有ノ画ハ較々少シ。其油絵ヲ検按スルニ大率甚ダ醜悪ニシテ当ニ美術品ト視認スベカラザルガ如ク然リ。抑此絵ト日本固有ノ画トノ関係ハ殊ニ緊要ノ一問題ナリ。（中略）日本人ニシテ此新様ノ画風ニ眩惑シ、翻テ純粋タル日本着色ノ古規ヲ蔑焉シ若シクハ忽諸スルガ如キコトアラバ、国家ノ為メ断ジテ一大不幸ナリト云ハザルヲ得ザルナリ。［2］

この第二回内国勧業博の「書画」部門には、工部美術学校の教師サンジョバンニとその生徒たちの風景画や人物画（裸体画を含む）が出品されたほか、本多錦吉郎、渡辺文三郎、亀井至一らの洋画家が出品し、由一も《江堤》（目録では《風景ノ図》）という油絵を出品して妙技賞牌二等を受けている。一方伝統画派は洋画に押されて低調であり、洋画の影響を受けたものが多かった。それゆえワグネルの報告も危機感をあおるような調子になったわけであるが、報告書に載る福田敬業の「美術概論」は、そのような風潮を「洋画ノ皮相ヲ混設シ猿頭蛇尾一種ノ邪門ヲ建立シ」と表現している。

しかし、そうは言っても、この博覧会の審査結果をみると、名誉賞牌、進歩賞牌、妙技賞牌、有功賞牌、協賛賞牌、褒状という序列において由一より上位の入賞は伝統画派と工芸にかぎられており、西洋派への評価は第一回のときよりも落ちたようにみえる。もっとも、山口静一が指摘するように、この度の審査員は、そのほとんどが竜池会会員であったのだから（『フェノロサ』上巻）、これは、至極当然の政治的成り行きであったというべきかもしれない。しかし、審査結果が公表されてみると、当然の成り行きなどといって済ますことのできない事件が由一の《江堤》をめぐってもちあがった。当時の新聞の投書の表現を借りて要約すれば「夫レ同一ノ画図ニシテ世人ハ雨後ノ夕景トシテ之ヲ賞賛シ、審査官ハ月夜泊舟トシテ妙技ノ賞ヲ与ヘラレタリ」（『朝野新聞』明治一四年六月二六日）という事件が起こったのである。すなわち、由一の《江堤》は、夕日に照らされた雨後の情景を描いた油絵であったにもかかわらず、その審査評語ではタイトルが《江堤夜景》となっており、夕陽の光を月光と見なす評語が記されてあったのだ。

絵が所在不明なのではっきりしたことは何もいえないのだが、平木政次の回想によると、この絵はフォンタネージの画風に倣ったもので、「一寸と見ると、雨後の風景とも見へ(ママ)れば、月夜の景とも思はれた」(「明治時代(自述伝)」、『エッチング』第三六号)ということであるから、この事件は、フォンタネージ＝正統的なテクネーとの出会いによって由一の画技が却って遅滞していったことを示す事柄とも考えられる。しかし、そうであれば、なおさら由一は激しく苛立ったのにちがいない。由一は審査評語を大書して自作の下に掲げ、青木茂によると、さらに、幾つかの変名を用いて新聞へ投書し、論争の動きをつくりだそうとすらしたようで、先に引いた投書も実は由一自身によるものであるらしいのだ。

写実性に重きを置く単純な西洋画観が未だ支配的であった当時の状況において、この事件は洋画の社会的生き死にかかわる問題であり、絵画の世界を覆いはじめていた国粋主義の暗雲は、由一をさらに苛立たせたことであろう。この事件が起こる一年前に、由一はものみな欧化へと向かう明治初頭を回顧しつつ次のように記している(三―一二)。

急激摸擬ノ進歩ハ、彼ノ進ム疾(はや)キモノハ退ク亦速カナルノ成語ニ違ハズ、今ニシテ此ヲ思ヘバ夢ニ夢ヲ談ゼシガ如ク、百事皆守旧ノ一偏ニ傾キ(中略)遂ニ退ヒテ旧来ノ技術ニ就キ一向ラ之ヲ研究スルモノアルニ至レリ。[3]

しかし、洋画の命運をかけた由一の反論は、「其油絵ヲ検按スルニ大率甚ダ醜悪ニシテ当ニ美術品ト視認スベカラザルガ如ク然リ」という声にかき消されて、時代は、由一の不安どおり国粋派の領するところとなる。夕景を夜景とした審査官の評語そのままに、絵画の西洋派は夜のときを迎えることになるのである。

由一は、こうして国粋主義の時代の入口に立つことになった。そして、その入口で、由一は「螺旋展画閣」を構想した。しかし、それは実現せずに終わり、建設のために行なったはずの運動の実態もつかめない。第二回内国勧業博の開催と時を同じくして成った「螺旋展画閣」構想は、あるいは当の博覧会の審査にかかわる事件にまぎれて、運動としては遂に未発のままに終わったのかもしれない。だが、構想のままに終わったとはいえ、いや、そうであればこそ「螺旋展画閣」は、時代の姿の純粋なあらわれとして捉えうるのではあるまいか。実現されなかったがゆえに、それは純粋に、しかも強度を失うことなく初一念を保ちつつ、明治一四年という時点に位置を定めて動かない。夜の入口に立つ見えない塔として、「美術」の制度化の起点として、それは観念のなかに、観念の塔として聳え立つ。

不審な行動

明治一四年（一八八一）を、由一は四国の琴平で迎えている。自作の《海魚図》と《桜花図》を金刀比羅宮に奉納して、天絵学舎の拡充資金の援助を申し入れるための琴平行きであった。もっとも、その結果は、はかばかしいものではなかったらしく、二月に帰京した由一は、それかあらぬか学舎拡充の意気込みとはうらはらとも見える動きに出ることになる。

高橋由一《海魚図（鯛図）》明治12年(1879) 頃
香川・金刀比羅宮

まず、由一は、明治九年（一八七六）以来、主要な発表の舞台でありつづけてきた天絵学舎月例展を二月の展観を最後に、中止してしまう。中止を知らせる文面によると、その理由は「方今ノ形勢従前ト異ナリテ画道漸ク隆盛ノ緒ニツキ、随ツテ看客モ学生輩試筆画等ノ如キハ、敢テ意ヲ注ガザルモノニ似タリ」（三―五一）というものであった。もっとも、のちのち再開するつもりではあったらしく、今引いた一節のあとに「追テ一層盛会ヲ興行スベキニ決セリ」と記されてあるものの、国粋派の台頭をいちはやく察していた由一にして、この中止の理由は消極的にすぎるし、中止ではなくもっと別のやり方はなかったものかなどと思われもする。しかし、月例展は予告どおり中止され、その後再び開かれることはなかった。

そのあと、由一は、三月一日からはじまった第二回内国勧業博に《江堤》を出品し、五月に「螺旋展画閣」構想を成文化する。そして、六月頃に審査評後をめぐるくだんのごたごたを起こし、七月には、当時山形県令であった三島通庸の依頼で、三島の土木事業の記録画その他を描くために東北地方へと旅立ってしまう。

一方、この間の国粋派の動きを見ると、第二回内国勧業博覧会の審査は竜池会会員の牛耳るところとなり、この前年に開催されたこの国で初めての公設美術展である観古美術会が、この年からは、やはり竜池会にゆだねられることになったうえに、フェノロサが、油絵に対する東洋画の優位性を説く連続講演を行なうといった具合で、明治洋画の開拓者たる由一としては、ここで、大々的な反国粋派キャンペーンのひとつもやってよさそうな雲行きなのである。にもかかわらず由一は、天絵学舎の月例展を中止して、東北に旅立ってしまう。天絵学舎での授業は、この頃はすでに息子の源吉に任せていたとはいえ、また第二回内国勧業博の審査評語をめぐって西洋派の意気地をみせた由一であったとはいえ、この間の動きは、いささか消極的すぎるように思われてならない。この時期、逸材は多く海外に在り、浅井忠や小山正太郎はまだ若かった。由一は、どうしても頑張らなければならない立場にあったはずなのだ。あるいは消極的とみえる行動は、実は国粋派に対する深謀遠慮のしからしむるところであり、かつまた、天絵学舎拡充計画を資金的に支えるためのものであったのだとしても、何かもうひとつ解せないものをそこに感じざるをえないし、特に三島通庸とのかかわりは、いろいろな意味で気にかかる。

三島通庸

東北行

三島通庸は、福島事件（明治一五年）で知られるように自由民権運動に対する弾圧の急先鋒として「鬼県令」の名を後世に残した人物であるが、三島はまた「土木県令」と称されるほど土木・建築に情熱をかたむけたひとでもあった。首府に通ずる幹線道路網を東北、北関東に整備すべく強権を以て人民を使役し、反対運動を踏みにじって道路工事を断行する一方、菊地新学の写真に残る山形市街の建設にみられるごとく建築と都市計画にも意欲を燃やしたのであった。三島は、このようにして明治国家の中央集権体制を土木的に基礎づけるべく尽力し、のちには警視総監にまで累進するのであるが、由一は、このような人物からしごとを請け負った、というよりも、実は土木事業の記録画作製のアイディアを三島に売り込んだのであった。しかも、由一が、こののちも長く、三島を洋画拡張事業のパトロンとして頼りにしていたことは、三島が開いた新道の風景を描くために再び一七年に東北、北関東を訪れていることや、国立国会図書館憲政資料室所蔵の「三島通庸関係文書」に収められている由一の願書などからあきらかなのだが、青木茂が『油絵初学』で言うように、由一は「援助を約束してくれるならば相手は誰でもよかったのかどうか」、いささか気になるところではあろう。自由民権運動という同時代の動きを、はたして由一は、どのように考えていたのであろうか。由一は自由民権運動の時期にこんな文章を書いている(一―四七)。

こつちが画かきの身で考へて見ると、やれ民権だ国会だ人民が無気力だ、なんだかだとやかましい(中略)夫よりも理窟先生輩が少し脇道へ転んじて美術学の興る世話でもしたら、却て人民も面白半分にはまり込むやからが出来て、しまいのはてには今迄のちから瘤を切つて捨るものもあるだらふ(ママ)。(中略)人の心が上品になれば素直になるから、よく相談も行き届いて、ごつたすつたもなくなる。人気が揃ふから一拍子に物がと、のい(ママ)、ひんよくひらけて国もとむだらふ(ママ)。[4]

由一は、「螺旋展画閣」構想がまさしくそうであるように、明六社に代表される明治初期の啓蒙的知識人と共通する発想をもっていたし、開成所出身という点でも、世代的にも明六社グループに近く、西村茂樹とは、共に江戸大手前の佐野藩邸内に生まれた間柄でもあったのだが、このことを念頭に置いて、明六社グループの転向に思い及ぶとき、すなわち――自由民権運動の端緒となった明治七年(一八七四)の民撰議院設立建白をめぐる論争以来、明六社グループが急速に右旋回していったことを思うとき、この由一の一文は複雑な陰影を帯びてみえてくるだろう。

また、由一が東北に旅立った一四年の時点で考えれば、自由民権運動は前年の国会開設請願運動をピークとして停滞気味であり、「政治世界ノ景況ヲ通観スルニ願望ヤ建白ヤ凡ソ社会ノ表面ニ顕ハレテ能ク俗人ノ耳目ヲ驚カス可キ者ニ至リテハ、実ニ昨年ニ盛ニシテ今年ニ衰ヘタリ」(『郵便報知新聞』明治一四年七月二一日、後出永井論文より引用)という状況であった。もっとも、この年には、そのかわりに都市知識人=民権派ジャーナリストの政策批判、政府批判が、官有物払下事件をきっかけに高まったのであるが、永井秀夫「明治十四年の政変」(堀江英一・遠山茂樹編『自由民権期の研究』第一巻)によると、その主張は、政権担当者の革命的な置き換えではなく、政府の内部からの改革を期待したものであった。ジャーナリズムによるこうした政府攻撃には、政府に近い立場をとる『東京日日新聞』も参加しているが、由一は、同紙の福地桜痴、岸田吟香とは旧知の間柄であり、由一自身、都市知識人のひとりなのであった——というように考えてくると、自由民権運動に対する、また三島通庸に対する由一の立場が、おのずと浮かび上がってくるように思われるのだが、どうだろうか。

ひるがえって、仮に由一が洋画拡張に関してマキャベリストであったのだと考えるとしても、それによって画家である由一のねうちが下がるものではもちろんあるまい。由一のねうちは、彼が実現した絵画のちからによってこそはかられるのであり、一四年の由一は、自由民権派が国会という制度の確立をもとめたように、絵画のちからを「美術」として制度化しようと意志していたのである。

三島通庸への共感

先にも指摘したように「螺旋展画閣」こそは、かかる意志を形象化するはずのものであったわけだが、あるいは、かかる形象化の意志において、由一は三島通庸に或る種の共感をもつことがあったかもしれない。井上章一は、明治一〇年代の県庁舎がおおむね凸字形か内務省型と呼ばれるE字形の平面で構成されているのに対して、三島が建てた山形県庁舎は多角形の中央ホールをもつものである点を捉えて、そこに「建築家・三島通庸」の「官僚的な枠組をこえてまで、自分流のデザインをおしとおそうとする意志」(「三島通庸と国家の造形」、飛鳥井雅道編『国民文化の形成』)をみとめているが、「公共建築」を意味するinstitutionという欧語が「制度」をも意味するということをここで考え併せると、由一は、建築＝制度への意志とでもいうべきものにおいて三島に共感をおぼえたのではなかったかと思われてくるのである。すなわち、国家という制度の構築に邁進する三島通庸と、美術という制度の構築にいそしむ由一とは建築＝制度への意志において意気投合したのではなかったか、と思われるのだ。

高橋由一《最上川風景》
明治14/15年（1881/82）　東京国立博物館蔵

高橋由一《山形市街図》明治14/15年（1881/82）
山形県蔵

一四年の東北の旅において由一は《栗子山隧道図（西洞門・大）》、《宮城県庁門前図》など充実したしごとを残している。また、西那須野町編『高橋由一と三島通庸』の図版解説は、従来、明治一八年（一八八五）作とされていた《山形市街図》、《酢川にかかる常盤橋》の二点も、新聞記事、絵のサイズ、状況証拠等によって一四年の旅の成果（一五年に完成）としており、また、《最上川風景》も当時の新聞記事を証拠に一四年の作としている。もしこの説に従うとすれば、一四年という年は、由一にとってまさしく恩寵の年であったというべきであろう。これらの絵は、《花魁》（明治五年）のような野蛮なちからに満ちてはいないけれど、また、緊密な表現力を欠くプリミティヴィズムへの傾斜の露わなものもなかにはあるのだけれど、しかし、そのどれもが捨てがたい清新な魅力を湛えている。なかでも、福島経由で山形を中央に結ぶ新道の要所である栗子山隧道を描いた《栗子山隧道図（西洞門・大）》は特に魅力的だ。三島通庸の土木事業の記念碑ともいうべきこの油絵は、次節で改めてふれるように、空間の発生に立ち会う悦びとでもいうべきものを見るものに与えてくれるのである。

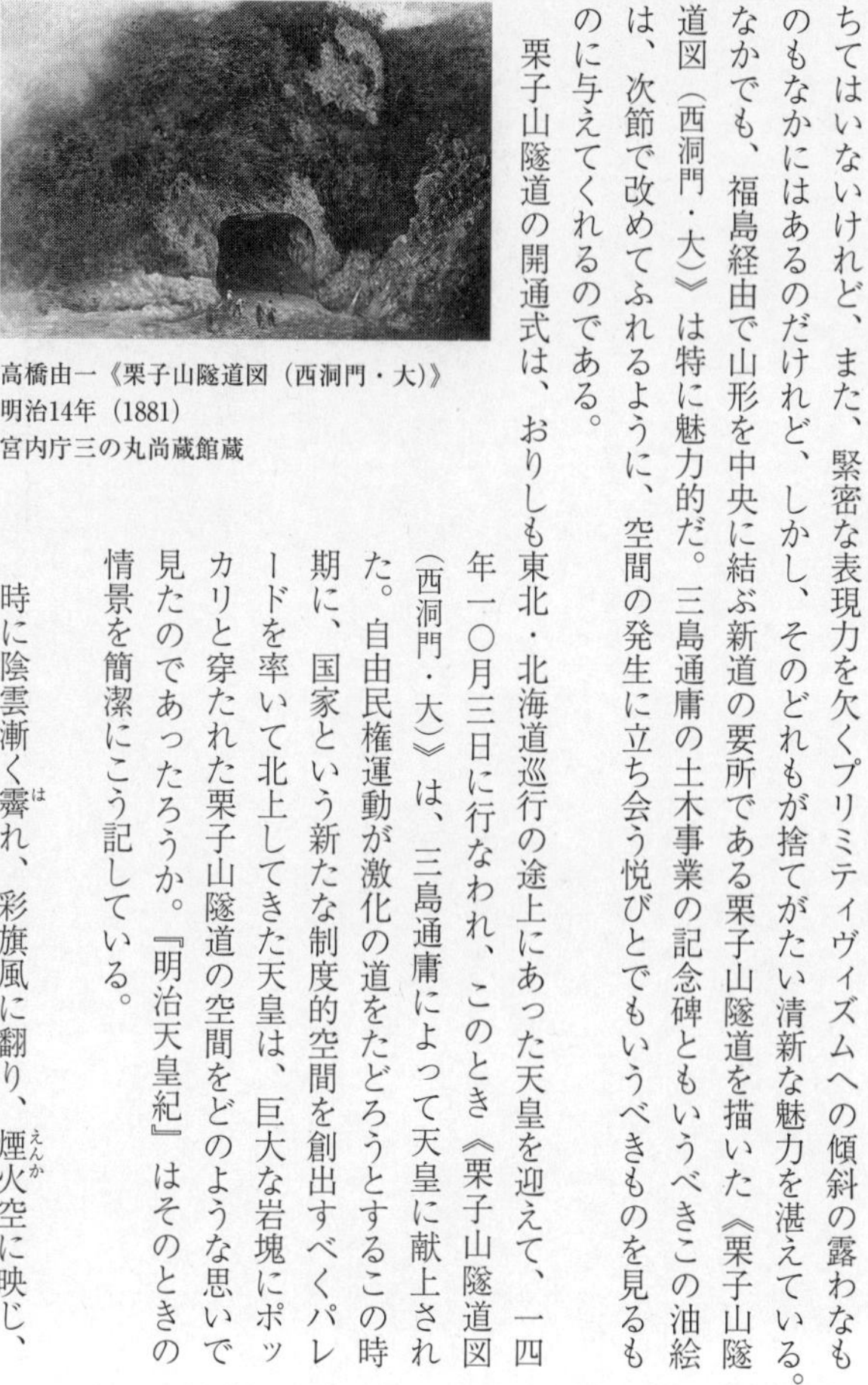

高橋由一《栗子山隧道図（西洞門・大）》
明治14年（1881）
宮内庁三の丸尚蔵館蔵

栗子山隧道の開通式は、おりしも東北・北海道巡行の途上にあった天皇を迎えて、一四年一〇月三日に行なわれ、このとき《栗子山隧道図（西洞門・大）》は、三島通庸によって天皇に献上された。自由民権運動が激化の道をたどろうとするこの時期に、国家という新たな制度的空間を創出すべくパレードを率いて北上してきた天皇は、巨大な岩塊にポッカリと穿たれた栗子山隧道の空間をどのような思いで見たのであったろうか。『明治天皇紀』はそのときの情景を簡潔にこう記している。

時に陰雲漸く霽（は）れ、彩旗風に翻り、煙火（えんか）空に映じ、

歓声山谷に震ふ、御昼餐(ちゅうさん)所に掲ぐる栗子隧道の油画を天覧、県官をして之れを献らしめ、其の価を賜ふ［5］

2 天の絵画——明治一四年の由一【二】

空間の生成

由一の明治一〇年（一八七七）頃までの油絵の魅力の中心は《巻布》（明治六—九年頃）、《読本と草紙》（明治八—九年頃）、《豆腐》（明治九—一〇年頃）など事物を題材にしたしごとにあると思われる。これらは事物に向かう視線の強度によって成り立つしごとであり、それだけに空間の表現は等閑に付されている。また、由一のしごとは、一般に実在への欲望とでもいうべきものが顕著であり、歌田眞介は、伝統的な西洋画法では原則的に明るい部分を描くのに用いる厚塗りを由一は質感描写に用いていると指摘して「質感表現は日本の絵画には少なかったのでこうした描法に由一は酔ったに違いない」（「鑿道八景及栗子山隧道図修理報告」、『高橋由一と三島通庸』）と述べている。このような欲望は、由一のしごとの随所にみとめられるのだが、たとえば第三回内国勧業博に際して栗子山隧道の模型を博覧会場の門として造築することを計画しているのなどは、その極端なあらわれといえるだろうし、当の《栗子山隧道図（西洞門・大）》の山肌の表現にも同じ欲望の痕跡をみとめることができるのだけれど、この絵には、しかし、事物を描いた明治一〇年（一八七七）頃までの一連の油絵とは決定的に異なったおもむきがあるといわねばならない。すなわち、ここには物ならぬ空間の表現を志向する画家の構えがみとめられるのだ。西洋絵画の歴史が空間表現の歴史であったことを思うならば、これは由一の洋画家としての更なる深化を示す出来事であると言えるだろう。

生い茂る緑樹に縁どられた岩塊に隧道の出入口がぽっかりと口をあけ、暗い洞窟の奥には赤い灯がともっている（それは、まるで洋画が「冬の時代」をすごすこもりの穴のようだ）。その空洞の周囲には工事にたずさわる人々や山の清水が配され、それらの左上方から霧がいましも緑樹をつつんで流れ下らんとしている。この緑樹の茂みと霧とによって爽快な空間性が——ともすれば美的距離を喪失するほどの質感へのこだわりや、ともすれば絵を破壊してしまいかねないほどの実在へのこだわりに抑えをきかせつつ——かもしだされる。アモルフな物質に隧道という穴が穿かれ、それをめぐって空間が生まれる。山気＝空間性の内に配される岩塊、人々、樹木、そして霧。いささか、ぎこちないところがあるとはいえ、荒涼たる山中の生まれたばかりの隧道をなまなましい質感とすがすがしい空間性において描きだしたこの絵は、山水画や名所絵に見られる伝統的な景観意識や

高橋由一《読本と草紙》
明治8～9年（1875～76）頃
香川・金刀比羅宮

空間意識を、モチーフと作画意識において超えでている。あるいは、そこから大きくずれている。記憶の堆積をもたぬ隧道の景観は、歴史的な共同性に根ざす名所絵とも、また「胸中の丘壑（きゅうがく）」を描く山水画とも大きくおもむきを異にするし、ここで、いわゆる真景図の系譜を想い出すにしても、実在の質感にしつこく迫る描法や空間表現は伝統画法のものではない。記憶の堆積がかもしだす景観の意味にとらわれるのでもなく、精神の発露として生み出される意味の景観を描くのでもなく、ありのままの景観をまるごと——もちろん空間をも含めて——客体的に捉えんとするこの絵の構えは、伝統的なテクネーによるいかなる景観表現にもなずむことなく、西洋の意味での風景画に近づいているのだ。

この絵のしんとした雰囲気は、何かガラス越しに世界をのぞき込んでいるような感覚へといざなうが、思うに「風景」とは、つねにすでに前方にあって、見る者を疎外する景観、いうなれば博物館のガラス・ケースのなかの物品たちのような在り方を示すものであり、それに見入る眼は、世界の外に在って、しかも、みはるかす世界を呑み込もうとする。柄谷行人は『日本近代文学の起源』において、「周囲の外的なものに無関心であるような「内的人間」inner man において、はじめて風景がみいだされる」と述べているが、おそらく、つねに風景というものは、みはるかす世界を内に収めてじっと見入っている孤独で内面的な眼をともなって——かかる眼において——出現するのだ。そして、この眼を成り立たせているのは、固定された唯ひとつの視点から世界を見とおす視線の形式、眼窓によって世界をさえぎり、見る自分と見られるものを分断する視＝知の体制――一言でいい止めれば、西洋近代の発明にかかる透視画法的な視＝知の構えにほかならない。

写真と由一

由一の後期風景画でいえば、この構えは《山形市街図》に最も顕著であるが、それもそのはずで、この絵は菊地新学の写真にもとづいて描かれたのであった。もっとも、由一は写真の風景に、通行人や煙などの動くものを描き足しているばかりか、背中ばかりを見せる通行人は画面の奥へと視線をいざなうことで空間表現の装置となっており、写真のまる写しというのではない。だが、同時期の《酢川にかかる常盤橋》は、目立たぬ添景を除けばほとんど写真のまる写しであり、こちらは、言い訳のしようがない。しかし、写真を引き写しにしたからといって由一の価値をいささかでも低くみるとすれば、それは、あまりに近代主義的な判断といわねばならない。明治の前半を画家として生きた由一にいわせれば、写真とは「月日をかさぬるの後色替り消ゆるの憂あれば、ひとたび鏡影（写真―引用者註）をもとむるも二たび油絵に写さゞるべからず」（三―五二）というものであり、言ってみれば、写真の模写は油絵による重要なしごとのひとつであったからだ。しかも、写真の模写は、透視画法の実践的学習の意味をもってもいたのにちがいないのである。

とはいえ、透視画法の視＝知の体制を日本人が学んだのは、はるか一八世紀に遡る出来事であり、その当時からカメラ・オブスクーラ（どんくるかあむる）も知られていたのであるけれど、遠近画法という視＝知の体制が身体化されたテクネーとして平面のうえに完全なかたちで展開されるようになるためには、認識論的な構えの社会的な転換と相携えて、絵画体験全体にわたる制度的転換が行なわれる明治まで待たねばならなかったのだ。しかし、それでは、西洋画のテクネーを由一がどこまで身体化しえていたかといえば、それはかなりおぼつかないものであったといわねばならない。明治元年にすでに四〇歳であった由一にとって、それは、かなり困難なことであったにちがいなく、そのことは残されたしごとが如実に示している。由一において写真による実践的学習が必要とされたゆえんだが、

高橋由一《酢川にかかる常盤橋》
明治14/17年（1881/84）
東京国立博物館蔵

撮影者不詳　常盤橋の写真

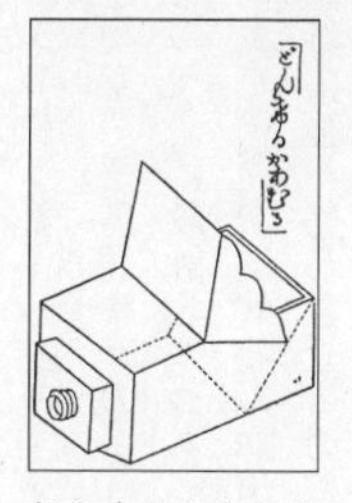

どんくるかあむる
（カメラ・オブスク
ーラのこと）
「蘭説弁惑」から

写真によって遠近法を確認しつつあるとき――みずからの身体を暗箱としてじっと写真に見入っているとき――由一は、山形市街を造成した「建築家・三島通庸」のように、透視画法という「視覚のピラミッド」（アルベルティ）を画布のうえに設計しつつあったのだといえるだろう。たとえば、「形而上絵画」ということばを思い浮かばせる《酢川にかかる常盤橋》は、写真に見入る由一のそのようなまなざしを特に強く感じさせるのだが、そのまなざしは、しかも写真が開示する無意識のレヴェルにまで届いているように思われる。つまり、それは写真の模写とか実践的学習といったレヴェルを超えて写真に対する由一の感受性の鋭さを示しているのである。

風景画の原初

ただし、たとえ由一が暗箱＝内面を身中に抱え込んだとしても、それは決して持続的なものではなかった。持続的な内面世界が発生の緒につくのは、思うに、西洋の風景画の系譜に対して遜色のない、情理をかねそなえたうつくしい風景画が日本人の手によって描かれるようになったのちの時代、すなわち浅井忠以後の世代においてなのだ。

浅井忠の友人であり、写実的な洋画の影響下に俳句における写生の探究を行なった正岡子規は、「地図的観念と絵画的観念」（明治二七年）という文章において、蕪村の「春の水山なき国を流れけり」が地図的にみればよし、絵画的にみるときには、いささか価値がくだるとして、こう述べている。

> 地図的観念、絵画的観念とは主観的人事の上には何等の関係も無く只客観的万物の見やうの相違なり。一言にして之れを蔽（おお）へば地図的観念は万物を下に見、絵画的観念は万物を横に見るなり。吾人（ごじん）が実際界に於て普通に見る所の景色は是れ絵画的にして山々相畳み樹々相重なり一山は一山より遠く一樹は一樹より深く空間に遠近あり色彩に濃淡あり前者大に後者小に近き者現はれ遠き者隠る、を免れず。［6］

子規は、地図的作品の例として江戸時代の道中図を挙げているが、地図的な俯瞰法は、《洛中洛外図》から《千山万水図》に至るまで日本絵画の伝統的な在り方を形成してきたものであり、それに対する「万物を横に見る」絵画的な構えとは、伝統絵画に対する近代絵画の構えにほかならなかった。引用からもわかるとおり、それは個体に定位された人間的な視覚世界であり、そのような視線は《栗子山隧道図（西洞門・大）》の俯瞰する視角から、浅井忠の《春畝》（明治二一年）、そしてグレー滞在中の水彩画へと至るあいだに、内面性と共に徐々に獲得されていったと考えられるのだ。とはいえ、《栗子山隧道図（西洞門・大）》を含む幾つかの由一のしごとには、描くことにおいてのみあらわれる内面とでもいうべきものが、すでにみとめられるのも確かであり、それらは日本近代における風景画の胚芽とでもいうべきものであったと考えることができるだろう。換言すれば、フォンタネージから受けた正統の衝撃に対する由一からの精一杯の応答を、ここに見出すことができるのである。

さて、由一と三島通庸の出会いは、かくして清新な風景画を日本近代絵画史上に生み出すことになったわけだが、このことについては、つとに芳賀徹が明快な指摘を行なっている。芳賀徹は、三島通庸を讃える由一の書簡を引いて、三島に対する由一の共感を証したうえで、次のようにいうのである。

> 自然に挑戦し、自然の資源を開発するこのダイナミックな人力の営為に接して、由一はついにあの矮小な浮世絵的自然観の枠を脱して、明治日本にふさわしい風景画の新乾坤を開き、日本風景画史上に一期を画するにいたったのである。［7］

由一の三島通庸に対する関係はこういう次元でこそまずは捉えられるべきだと思われるが、ここに、ひとつ私見を付け加えるならば、以上に述べたところからすでにあきらかなように、三島通庸の土木事業に由一が共感をおぼえ、絵心を触発されもしたのは、そこに建築＝制度への意志を見出したからではなかったかということをいっておきたい。かかる共感性において由一は、伝統的な作画法の混在する初期の作風を脱して、風景画の原初を開きえたのだと考えてみたいのである。

《花魁》や、一〇年頃までの事物を描いたしごとについて高階秀爾は『日本近代美術史論』で、それらが空気の存在を感じさせないということ、そして、それゆえにいっそう迫真的であるということを語っている。このような迫真性は、たしかに由一の絵画の魅力の源泉をなしているのだが、しかし、油絵の魅力としては変則的なものといわなければならない。高階秀爾のいうように、油絵というメディアは空気の発見と共に登場してきたのだからである。由一が、空気の表現に自覚的に取り組むようになったのは、フォンタネージとの邂逅以後のいわゆる後期風景画においてであり、そのことは後期風景画の代表作ともいうべき《栗子山隧道図（西洞門・大）》においてみとめられるところであるわけだが、このことは、とりもなおさず、由一が《花魁》にみられる「野蛮」状態を脱して西洋画の正統的在り方へと馴致されていったということであり、かかる馴致の過程は絵を「美術」として制度化してゆく過程と対応していた。

では、由一にとって「美術」とはいったいどのようなものであったのだろうか。

由一にとっての「美術」

残念ながらというか、画家にして当然というか、「美術」について由一はまとまったものを書き残してはいない。けれども、『油画史料』には、由一の「美術」観をうかがわせることばが随所に見出される。たとえば「螺旋展画閣」のコンセプトを示すと思われる例の「凡美術ノ真理ハ一アリテ二アル可カラズ」ということばを含む明治一八年(一八八四)の文章(三―一六)や、そのヴァリアント(三―一五)は、由一の「美術」観をうかがうための格好の資料といえるだろう。比較的表現のすっきりしている後者から肝心と思われる部分を引いてみる。

凡ソ美術ノ真理ハ一アリテ二アラズ。苟(いやしく)モ其結構紀律ヲ守テ種々ノ新機軸ヲ発生セシムルハ、泰西美術ノ大本ナリ。而シテ其学術ノ結構紀律ハ彼レニ精(くわ)シク我レニ粗ナリト云フベシ。故ニ我邦区々タル画派ノ如キハ、彼レノ一少部分中ノ細技ニ属シ、決テ向後之ニ望ミヲ属スベキモノニ非ラズ。[8]

ここにいわれていることを嚙みくだいて箇条書きにしてみると、(一)「美術ノ真理」は唯一無二であること、(二)西洋の美術は、システムやディシプリンに従って「新機軸」を打ち出してゆくこと、(三)「美術」にかかわる知と技術のシステムやディシプリンは、西洋において緻密であり、日本において粗雑であること、(四)日本のもろもろの画派は、西洋美術の精緻なシステムの「細技」にすぎぬこと、(五)西洋美術の「細技」にすぎぬ日本の在来の諸画派は将来に望みをかけえないこと、の五点になるが、これを再びまとめ直してみると、由一の思い描く「美術」なるものの概要がみえてくる。すなわち、日本の在来画派がその一部分に組み込まれてしまう精緻なシステムやディシプリンを備え、それに従ってつぎつぎに新機軸を打ち出さしめる西洋美術の在り方、これが由一のもとめる唯一正当な「美術」であった——というようにである。

「うつす」ということ

さて、由一が「美術」なるものをどのように捉えていたか、その概要はこうしてどうにかうかがい知ることができるものの、これだけでは、しかし、隔靴搔痒の感をまぬかれまい。由一にとっての西洋美術の具体相が、これだけでは何もわからず、したがって、「美術ノ真理」といわれるものに関しても漠然たる了解が得られるのにすぎないからだ。しかし、そうだからといって、由一にとっての西洋美術の具体相を、知りうるかぎり詳細にここで検討しなければならないというものでもないだろう。隔靴搔痒の感をぬぐいさるには、由一にとっての「美術」のシステムの枢軸となるものがいったい何であるのかを見届けるだけで、おそらく充分なのだ。いいかえれば、「美術ノ真理」に至る道とは、由一にとって如何なる道であったのかということだが、これを言い止めるのは、さして困難なことではない。それは、たとえば次のようなことばのなかに、容易に見出すことができる。

泰西諸州ノ画法ハ元来写真ヲ貴べリ。眼前ノ森羅万象、既ニ皆造化主ノ図画ナレバ、写照スル所ノ像ハ則人功中筆端ノ小造物ナリ。〔9〕

これは、由一の西洋派第一宣言ともいうべき「画学局的言」の冒頭であるが、ここに端的に示されているように、「真」をうつすということ、これが由一にとって絵画の本務であり、したがってまた「美術ノ真理」に至る本道でもあった。つまり、由一にとっては「写真」＝写実ということが西洋美術のシステムの枢軸だったわけだ。このことは、ほかにも、たとえば「螺旋展画閣」が「美術中実ニ其第〔原文「弟」――引用者註〕一位ヲ占ムル」（「設立主意」）油絵の写真的機能から構想されたものであったことにも見出されるし、例の「嘉永年間或ル友人ヨリ洋製石版画ヲ借観セシニ悉皆真ニ逼リタルガ上ニ一ノ趣味アルコトヲ発見シ」という『履歴』の有名なくだりに読みとることもできる。また、何よりも由一の描いた絵のかずかずが、それを雄弁に物語っているだろう。

写実とは、この場合、あるものをあるがままに描きだすというほどの意味であるが、由一にとって、それは、技法的には西洋画の透視画法と陰影法による作画のこと、思想史的観点からいいかえれば、事物を客体化して捉えるという認識の構えを絵という場において実践にうつすことにほかならなかった。すなわち由一は、明治の日本が西洋近代から学びとろうと努めた主観‐客観という構えを絵という場において実践的に体得しようとしたのである。たとえば《豆腐》（明治九―一〇年頃）についてこれを見れば、この絵は、まず豆腐があって、それを由一が描いたというような単純なものではない。この豆腐や油揚は、たんに描写されたというのではなく、由一が描くことによって初めて存在しはじめたといったおもむきをもっている。すなわち由一は描くことによって客体としての豆腐をそこに存在させた、というか、客観＝豆腐（絵具製の豆腐！）を絵において生みだしたのであり、しかも、その過程は、とりもなおさず新しい絵画＝洋画をつくりだす過程でもあったのだ。

ただし、これに関しては、おおいそぎで断っておかねばならないことがある。由一は、たとえ写実を重んじていたとしても写実一点張りの絵画観をもっていたわけではないということだ。『履歴』のくだりにもあるように、由一は西洋画のうちに、ひとつのおもむきをみとめていたばかりか、《江堤》を出した第二回内国勧業博の出品願には「画モ亦写形ノミニ止ラズ、併セテ写意ニ富ミ、加フルニ筆力アマリアリテ写外ノ余趣ヲ想像セシムルノ妙アルニアラザレバ、愛玩スベカラズ、且後世ニ残スニ足ラザルナリ」（五―三〇）と記してさえいるのである。つまり、由一は必ずしも写実にばかり意を用いていたわけではないということが、これによって知られるわけだが、しかし、由一のしごとにおける「うつす」ということの重さが、これによって変わるというものではあるまい。木村荘八の言うように、傑作と称される由一の絵は「あまり本気な写実技法にほだされて美がうんと云はされたやうな、天真の作例」（『随筆美術帖』）というべきものなのである。

ところで、「うつす」とは、『岩波古語辞典』によると、もともと「物の形や内容そのままを、他の所にあらわれさせる」という意味のことばだが、このような原初的な意味での「うつす」ことへの志向は由一のしごとのさまざまな局面においてみとめられるところであり、油画による博物館ともいえる「螺旋展画閣」構想にもかかる志向を読みとることができる。この点を踏まえて、「うつす」ということに対する由一の執着を考えると、それは幕末明初の社会的モビリティーの増大という事態とも対応しているのではないかと思われるのだが、もしそうだとすれば、「道路県令」とも称された三島通庸とのかかわりも、この点から押さえることができるかもしれない。

とまれ、由一の画業は死の二年前に記した「抑絵画ノ主義ハ其事物ノ模形ニシテ、文字ト異リ似ザレバ絵画ニアラズ」(一—三四)ということばにみられるとおり、終始一貫「うつす」ということを軸に展開されていったのである。

かくして、由一にとって「美術ノ真理」に至る道とは、写実ということ、もうすこし広げていえば「うつす」ということに見出されるものであった。しかも、「画学局的言」冒頭にみられる「森羅万象」を「造化主ノ図画」とする発想からすれば、「美術ノ真理」をもとめて作画することは、神の高みへ通じようとする上向の構えをもつことであり、さらには、「美術」そのものが一神教的な神事の高みに位置づけられることでもあるだろう。ここにいわれる「造化主」とは、伝統的な意味での造化の神のことで、「天」とも称されるもののことであると考えられるのだが、「画学局的言」に語られている発想は、神の創造した世界に内在する真理をあきらかにしようとする西洋のリアリズムの宗教的な思想基盤に通ずるものをもっており、由一の西洋画受容の精神的背景をここにみとめることができるように思われるのである。つまり、由一が「うつす」ことに対して如何なる価値づけを行なっていたかを、ここに見ることができるわけだが、このことは由一の拠点であった画塾「天絵社」の名の由来を示しているように思われる。すなわち、「天絵社」の「天」には、「画学局的言」にいう「造化主」の意味が――つまり、西洋化された「造化主」の意味が――こめられていたのにちがいないのだ。

とはいえ、しかし、これにはいささか注釈がいる。

God と Nature

「天」という語は幕末から明治の初期にかけてさかんに用いられたことばである。つまり、それは時代のことばというべきものであり、その端的な例が「天皇」であるのだが、では、この時代において「天」は如何なる意味で用いられていたのであろうか。それについて柳父章は『翻訳の思想』のなかで次のような興味深い指摘を行なっている。時代を動かすような大きな変革のしごとをなしとげるには、歴史上いかなる時代においても人間を超えたちから、西洋でいえば「神」であるとか自然法の「自然」とかいったものが必要とされてきたわけであるが、柳父章は「私たちの歴史における一大変革期である明治維新期に、西欧史における「神」や nature が果たしたと同じ役割を担わされたことば、それが「天」ということばであった」というのである。しかも、柳父章によると幕末明初における「天」は、まさしく God や nature の訳語として用いられもしたということであるから、「天絵社」の「天」には「造化主」と共に God や nature の意味もこめられていた可能性があることになる。

ただし、ここで注意しなければならないのは、柳父章が、このような使用について「一方で God の翻訳語として使い、また他方で nature の直接、間接の翻訳語としても用いた、ということは、矛盾である」と述べていることだろう。すなわち、西洋の信仰の中心である God は超自然的な存在として、nature とは厳しく区別されなければならないものであるにもかかわらず、翻訳語として両者が重なり合うことを柳父章は矛盾というのである。ここには、一神教的な伝統をもたず、自然を超越する存在をみとめない日本的な自然観が反映していると考えられるのであるが、そのような自然観は、主客未分的な自然の捉え方と根を同じくするものであるといえるだろう。そうして、西洋の近代を開いた主観－客観という認識の構えへ向けて、かかる日本的自然観を乗り超えていくことは明治日本の大きな課題としてあったばかりか、西洋画の移植を絵画体験全体にかかわる制度的変革によって果たそうとする由一にとっての課題でもあったのだった。『履歴』のことばを引く。

絵事ハ精神ノ為ス業ナリ、理屈ヲ以テ精神ノ汚濁ヲ除却シ、始テ真正ノ画学ヲ勉ムベシ〔10〕

螺階を登るようにして一作ごとに「精神ノ汚濁」すなわち慣習的なものの見方を除去しつつ、西洋的な世界観すなわち「造化主ノ図画」の見方を身につけてゆくこと、これが、西洋画法の体得を目指す由一の基本姿勢であった。これが、由一にとっての近代化であった。

イデーとしての「美術」

さて、由一にとって「美術」とはどのようなものであったのかということを、ここで再度まとめ直してみれば、こういうことになるだろう。「美術」とは、写実ないし「うつす」ことを枢軸とする精緻なシステムに則って「新機軸」をつぎつぎと打ち出さしめるものであり、そうしたシステムの全体は、西洋美術のなかにこそ見出される、と。そのような存在としての西洋美術は、作画において準拠すべきイデー＝原型にほかならない、と。

「新機軸」をつぎつぎにもとめてゆくという姿勢は、資本主義の精神を思わさずにはおかないが、この姿勢と、西洋画を成り立たせているイデーを日本において実現せんとする向上の構えは、両々相俟って由一の脳中の「美術」の在り方を規定し、ついには「螺旋展画閣」構想を成立させることとなったのであろうと思われる。あの螺旋の形態は、まさしくかかる上向の構えを示している。

しかし、由一の「美術」観そのものであるこの「螺旋展画閣」は、ついに実現することなく終わった。由一の建築=制度への意志は、由一の風景画が近代的な風景画の胚芽にとどまったように、ついに未完に終わったのである。

神の一撃

では、「螺旋展画閣」構想はなぜ未完に終わらなければならなかったのだろうか。それを未完に終わらせた現実的要因とはいったい何であったのか。幾つか考えられる理由のなかで最大のものは、何といっても国粋主義の台頭であるだろう。それは、油絵のための絵画館の建設には当然ながらマイナスに作用したのにちがいないのだ。しかも、「螺旋展画閣」構想の成った翌年の明治一五年(一八八二)の五月には、国粋主義の陣営から決定的な一矢が放たれることになる。竜池会の主催する『美術真説』の講演がそれである。油絵を排撃し、日本の伝統的な絵画を称揚するアーネスト・フェノロサのこの講演は、絵画の西洋派にとってまことに大きな痛手であった。諸価値の源泉たる西洋からやってきた地位も教養もあるひとりの男によって油絵が否定されたのであるから、痛手どころかほとんど致命的であったといってよい。「螺旋展画閣」が、美術以前の美術的諸営為を、写実を枢軸とする「美術ノ真理」において統合せんとする明治絵画におけるバベルの塔であったとすれば、『美術真説』は、そのバベルの塔をまさしくバベルの塔として未完に終わらせる神の一撃であったのだ。

しかも、この神の一撃は、もうひとつの「美術ノ真理」による統合の宣言にほかならず、はたして、同年に翻訳出版された『美術真説』の竜池会による「緒言」にはこう記されていた。

> 冀(こいねがわ)クハ看者此書ニ由テ美術ノ真理ヲ会得シ、勉メテ其考案ヲ良クシ、競フテ其技術ヲ精(くわし)クセバ、我邦美術ノ振興スル以テ庶幾(ねが)フベキナリ。（傍点引用者）［11］

「大森惟中筆記」として翻訳出版された『美術真説』は、どこまで正確にフェノロサの講演を訳出したものなのかは疑問が多いとされているし、フェノロサの手稿もみつかっていない。そのうえ、スペンサーとヘーゲルの影と響が交錯するその立論は杓子定規で、何らかの理論をそこから学ぶというようなものでは決してない。しかしながら、これは飽くまでも現在からみての評価である。『美術真説』の歴史的な価値は、これとは別にはかられなければならない。この六〇頁の小冊子は、その内容の如何にかかわらず、この国において批評的な自覚に立って「美術」を正面から体系的に語った最初の言説であり、出版を通じて絵画・工芸の世界に大きな影響を与えたのであった（その影響は『小説神髄』の冒頭に引用されていることが示すように小説の世界にまで及んだ）。洋画ではなく日本の絵画こそが育まれなければならないとするフェノロサの主張は、明治一〇年代に東京大学にもたらされたダーウィンやヘッケルやスペンサーらの進化論が果たしたのと同様のはたらきを——本山幸彦が指摘するように、進化論が有機的個体を進歩させる具体的条件を説く点において、歴史的条件を無視する欧化政策への批判を準備した（「明治二〇年代の政論に現われたナショナリズム」、坂田吉雄編『明治前半期のナショナリズム』）のと同じようなはたらきを——絵画・工芸の世界において果たしたのである。こういうことを念頭に置いて、つまり取り返しのきかぬ史実を踏まえつつ、次に『美術真説』とフェノロサがこの国で果たした——あるいは、果たしてしまった——役割について考えてみることにしたい。

3 「つくる」論理――『美術真説』のフェノロサ

由一対フェノロサ

明治一二年（一八七九）にフェノロサは、天絵学舎をしばしば訪れて、由一と面談している。その頃フェノロサは洋画拡張論者で、天絵学舎で講演をする約束までしており、居館を訪れた由一に自作の油絵を見せ、風景画を贈ったりしてもいる。しかし、二人の交流は長続きせずに終わり、講演もついに実現しなかった。このことについて『履歴』は、「フエネロサ氏ハ日本画奨励説ニ変ゼシヨリ前約、遂ニ解クルニ至レリ」と記している。なにゆえにフェノロサは「日本画奨励説」に転向したのか、ここで、それを――転向と呼ぶことが妥当であるかどうかも含めて――追究することはしないけれど、由一とフェノロサの軌跡は、ここで交わり、背反してゆくことになる。二人が交わることは二度となかった。しかし、由一にとってフェノロサという男は、状況を支配する国粋主義のイデオローグとして、その後も長く意識せざるをえない存在であったようだ。しかも、由一にとってフェノロサは単純に否定して済ますことのできる存在ではなかったように思われる。おそらくフェノロサは由一にインパクトを長く与えつづけたのであり、そのインパクトとは、フェノロサが否定すべき敵対者でありながら、しかも「美術」の正統的な在り方を指し示すパイオニアでもあったことからくるものであった。つまり、由一はかつてフォンタネージから受けた正統のインパクトを、今度は、全く異なる角度から受けることになったのにちがいないのである。つまり、もうひとつの「美術ノ真理」もまた真理であったということだが、明治一八年(一八八五)に由一が記した「凡美術ノ真理ハ一アリテ二アル可カラズ」という印象的なことばには、おそらく『美術真説』(以下、『真説』と略記)の「緒言」にみえる「美術ノ真理」ということばが影を落としていたと考えられるのだ。

瀕死の日本絵画

フェノロサが国粋主義のイデオローグとして登場するのは明治一四年(一八八一)のことである。この年四月から、フェノロサは、西洋画に対する東洋美術の優位性を説く連続講演を行ない、君子豹変を演じてみせることになるのだが、この講演は、第二回内国勧業博において低迷ぶりをさらけだした伝統画派への、いわば檄として行なわれたものであった。冒頭に東京の artists へ向けての講演であることを記した草稿は、次のような衝撃的なことばではじめられている。

皆さん、日本美術が急激に滅亡しつつあることはこのところ周知の事実でありますが、今年の内国博覧会を待ってついに、少なくとも絵画芸術は既に日本では滅びたことが示されました。[12]

これが当時においてどのような日本語に通訳されたのかは知るよしもない。しかし、どう訳されたにせよ、この発言が伝統絵画の存亡に関する危機感からなされたものであることは、聴衆の誰にとってもあきらかであったろう。そうして、かかる危機感は、同博の審査を牛耳った竜池会会員たちの共有するところでもあったにちがいない。そこで、竜池会は、東洋絵画に理解を示すこの東京大学のアメリカ人青年教師をかつぎ出すことで、絵画・工芸上の国粋主義を政府要人たちにアピールし、維新以来うちつづく欧化の風潮のなかで著しく衰退した日本の「美術」を作興せんとはかり、翌一五年五月に、ときの文部卿福岡孝弟はじめ数十名にのぼる貴紳たちをまねいて『真説』の講演会を開催したのであった。

この講演の草稿は見つかっていないが、刊行された翻訳をみると一四年四月にはじまる連続講演の草稿とかなり共通したところがある。というか、『真説』には、artists たちを前に行なった連続講演を、政府要人向けにまとめ直したようなおもむきがあり、それがいかなる成り立ちのものであるかを推しはかることができるのである。

それはともかく、主催者の竜池会としては、同会が目的として掲げる「考古利今」ということを当然ながら講演の要点としたかったことであろうと察せられるが、『真説』は、それを承けてかどうかはともかく、工芸への「日本画」の応用によって対西洋輸出額を伸ばすことができるとして、「考古利今」を巧みに裏づけている。西南戦争後の逼迫した国家財政の立直しを急務とする当時の政府筋にとって、『真説』の説くところは、いささかならず興味をかきたてられるものであったのにちがいない。講演者が輸出先の西洋の、それも、日本の絵に詳しい知識人であってみればなおさらのことである。

『美術真説』の眼目

もっとも、たとえ『真説』の急所がそこにあったのだとしても、それが『真説』の眼目であったわけではあるまい。題名が示すとおり、『真説』の眼目は、「美術」(＝諸芸術)の「美術」たる所以を示す原理論の説述にあったのだ。全体のおよそ三分の二を占めるその原理論については、すでに多くの解説や解釈が行なわれているが、これを「美術」の制度化という観点から整理し直してみると改めて次の五つの要点を得ることになる。それぞれ該当する刊本のくだりを示し、また必要に応じて一四年四月にはじまる連続講演の草稿を参照しながら以下に列挙することにしよう。引用するフェノロサの草稿はもともとハーヴァード大学ホートンライブラリー所蔵のものであるが、ここでは東京文化財研究所が所蔵するそのコピーを用いた。なお、この草稿は、村形明子によって『フェノロサ資料Ⅱ』に訳出されており、参照するにあたって大いに助けられた(以下、草稿の訳文はすべて村形明子訳からの引用である）。鉤括弧の内は振り仮名を含めてすべて刊本『美術真説』の一節、丸括弧の内は講演草稿の字句である。

第一、「美術」が「美術」であるのは「美術」の「妙想（アイジヤ）」（idea）を有することによってである。「妙想（アイジヤ）」の存否は「美術ト非美術」を区別する標目である。「美術ノ妙想（アイジヤ）」は「常ニ完全唯一ノ感覚ヲ生ズルモノ」であり、自然のなかにそれを見出すのはむつかしい。

第二、「美術ノ物件」＝作品は「形状」（form）＝表現形式と「旨趣」（subject）＝主題によって構成されるものであり、日常や自然から自立するひとつの「世界」をもつべきものである。「妙想」を有するものを人々に示すことによって、そうした「世界」を現出させる「美術家」は「万象教会ニ於ケル高徳ノ僧」に、そして「美術」は「宗教」にそれぞれなぞらえうる。

第三、「諸美術」（＝諸芸術）は、「妙想」をあらわす「形状」＝表現形式によって音楽、絵画、詩などのジャンルに分かれる。「旨趣」＝主題は、それぞれの「形状」＝表現形式に見合うものが選ばれなければならない。

第四、「徒ニ先人ノ法ヲ伝摸スル」のではなく、創意を以て「新機軸」を打ちだし、「新妙想」を発現していかなければ「画術」は「退歩」する。

第五、これがなかで最も重要と思われるのだが、絵はつくるものであるということ、これを『真説』は教えている。

とはいっても、『真説』は「つくる」ということを特に論じているわけでもなければ、取り立てて強調しているわけでもない。しかしながら、つくることを重視する姿勢は、たとえば「着色画」の「八格」(8 necessary qualities)を、「旨趣」=主題と「形状」=表現形式(「図線」、「濃淡」、「色彩」)とのそれぞれに「湊合」(unity)=統一と「佳麗」(beauty)=美とを組み合わせることによって定めていること、それから、「意匠ノ力」(force of subject)=主題の力と「技術ノ力」(force of execution)=制作の力を、この「八格」に加えて「十格」としている点などにあきらかにみてとることができる。要素の組み合わせによるこうした作画システムは、まさしく作為性によって貫かれているのである。

『真説』の絵画論が依拠する「つくる」という構えは、「油絵ハ日本画ニ比スレバ、実物ニ擬似スルコト猶(なお)写真ノ如シ。然レドモ是レ余ガ説ニ於テ曾(かつ)テ善美ノ基本トナス所ニアラズ」というくだりからもうかがわれるように、「うつす」ことに主眼を置いていた当時の洋画に対する否定の構えであり、『真説』は、写実に傾く近代の西洋画を「理学ノ一派」に過ぎぬと断じてすらいる。ただし、ここで注意しなければならないことがひとつある。それは、洋画の「うつす」に対抗するこの構えが、実は西洋的なものだったのではないかということだ。

「つくる」ということ

もちろん「つくる」ことに日本も西洋もないし、それまでの日本絵画に「つくる」という意識が全くなかったわけではもちろんない。とはいえ、主客未分的な自然の支配するこの国において、「つくる」ことは、人間主体を超えた「なる」ことに結びつけられがちであったということも否定しようがない。それに対して『真説』において読み取られる「つくる」は、徹頭徹尾システマティックに作為するということ、つまり、自然や現実に対して、主体が創意にもとづいて築き上げることであり、このような構えは、日本的な「なる」の思想風土には、そもそもなじみの薄いものであったと考えられるのである。思うに、それは創造神＝「造化主」による世界の計画的な創造という考え方が世俗の発想のなかにまで浸透している西洋の文化にこそ根ざす構えなのだ。

ところで「つくる」ことの結果としてあらわれる事物は、一般に「作品」と呼びうるが、『真説』における「つくる」論理は、芸術にかかわる「作品」の在り方を端的に指し示しているといえる。佐々木健一の『作品の哲学』によると、B・グローヴェは、「作品」概念を規定している特徴を統一性にみとめ、絵画において、そのような統一性を目指す作品構築の理念が形成されたのは一四世紀においてであるとしているのだが、『真説』のいう「湊合」とは、まさしく、このような意味での「作品」の在り方を指し示すものであったといえるのだ。佐々木健一は、このようなグローヴェの説から論を展開しつつ、劇作における三統一の規則にみられる統一性への要求を、デカルトがみずからの方法を比喩的に語った『方法序説』の次のような一節に結びつけて捉えている。

たとえばよく見かけるように、〈建築家〉がただひとりで請負って作りあげた建物は、何人もの建築家が、ほかの目的のために建てられていた古い壁を役立てながら、模様がえにつとめた建物よりも、ふつうりっぱで整然としているものです。[13]

全体を直観的に把握できるような統一性をそなえた建築の在り方、ここにデカルトは疑いようのない確実性をみとめるというのであるが、それは、とりもなおさず「作品」の近代的な在り方であり、佐々木健一も指摘するように、こうした「作品」こそ近代において芸術現象の中心をなしてきたのであった。このことはフェノロサの芸術観にも当然ながら大きな影を落としている。たとえば明治一四年の講演草稿に記されている「統一は美より重要です」ということばは、かかる文脈においてこそ理解されるべきなのである。

建築への意志

柄谷行人は『隠喩としての建築』のなかで「隠喩としての建築とは、混沌とした過剰な〝生成〟に対して、もはや一切〝自然〟に負うことのない秩序や構造を確立することにほかならない」と述べ、「建築への意志」を以て「西洋の知に特徴的な何かを刻印するもの」としているが、これを踏まえていえば、『真説』は、「つくる」ことが、ともすれば「なる」ことに呑み込まれてしまい、「なる」という発想に置き換えられてしまうような日本の思想風土に、「建築への意志」をもたらさんとしたわけであり、同様の「刻印」は、他の四つの要点——「妙想」(idea)の存否、ジャンルの別(詩画限界論)、自然や日常に対する芸術作品の自立性と優越性、「新機軸」への駆りたて——にも見出される。たとえば「新機軸」への駆りたてについていえば、これは由一がいみじくも「泰西美術ノ大本ナリ」と言い止めたものであり、新しきものへと絶えず人々を駆りたててゆく制度的な強迫は、西洋の近代に特徴的なある傾きにかかわっていると考えられるのだ。そして、それと同様のことは、他の三点についても指摘できる、というよりも、そもそも、これら五つの要点は、切り離して捉えるべきではないのだろう。絵を描くということは、自立的な作品をそのつど新たにつくりだすことであり、その作品が「美術」であるためには「妙想」を有していなければならない、といった具合にそれらは結びあって『真説』流の「美術ノ真理」を構成していると考えられるのだ。換言すれば、『真説』は、「妙想」(=idea)の有無によって「美術ト非美術」の境界を定め、西洋的な「つくる」ことの構えを枢軸とする「美術」をこの国に確立せんとしたのである。

『真説』における「建築への意志」は、論の内容ばかりではなく、論の組み立ての体系性においてもみとめることができる。形式的な完結性において漏れなく論述を行なう『真説』のごときシステマティックな画論は、日本には、これ以前には存在しなかったものであり、フェノロサの主宰する鑑画会に臨んだある評者は、そこでのフェノロサの批評のやり方を評して「古翫の山水に附きて評論ありしが杓子を以て縄規と為したる説なれば、予輩の耳朶に入りて感服を起すに足らず」と記している。またフェノロサ自身、一四年四月にはじまる連続講演の際に、中国絵画の「六法」に関して、それは「科学的原則から演繹したものではなく、つり合いや完全性の保証なしに経験的に拾い上げたものです」とし、それに対して自分の「十格」は「経験的に拾い上げたのではなく、単一の究極的原則から科学的に演繹、立証したものであるため、完全なのです」と述べている。

『真説』における「建築への意志」は、かくも顕著であるのだが、その徹底的な「建築への意志」を目のあたりにすると、先に指摘した由一における建築＝制度への意志が、きわめて覚束ないもののように思われてくるのを如何ともしがたい。「美術」論然り、「螺旋展画閣」構想また然りである。体系的な「美術」論がないのはさておくとしても、「螺旋展画閣」構想の螺旋というのは、考えてみれば、そもそも非構築的在り方であるともいえるのだ。むしろ、それは生成発展の在り方を示しているとみなすこともできるのである。「なる」の論理を絡みつかせた建築＝制度への意志がかろうじて可能とした苦しい構築の姿——思うに、それが螺旋という形態であり、中心軸に絡まりついて上昇してゆくその形態は、大地＝自然を厭離するその姿勢において「なる」の論理を相対化しつつ、建築の建築たるゆえんを、とにもかくにもかろうじて保持しているのだ。

詩画限界論

さて、すでに述べたように『真説』には、竜池会の意見が盛り込まれている可能性があるともいわれるのだが、原理論や批評のシステムに関する記述、なかんづくここに挙げた五点は、連続講演の草稿その他によって、たしかにフェノロサ自身の考えであったらしいことが知られる。ということは、つまり、フェノロサは「日本画」の振興を唱えながら、実は西洋的な造形思想や絵画観をこの国へ持ち込もうとしていたということになるわけで、これは、つとに多くの論者の指摘するところであった。したがって、ここで、それについてさらに論ずるのは屋上屋を重ねる愚をおかすことになりかねないのだが、しかし、制度としての美術という観点からこの問題を捉え直すのであれば、読者もこれを諒とするであろう。

フェノロサの絵画観における西洋的なるものについてあげつらうとすれば、まず『真説』でフェノロサが否定したのは「うつす」ことになずむ近代の油絵でこそあれ、西洋画のすべてではなかったという事実が挙げられる。連続講演の草稿にレッシングのことばとして引いたのと同様のことばを引いてフェノロサは「某ノ識者云フ、油絵ノ発明アリシハ真ニ嘆ズベシ。是ガ為ニ画術ノ退歩ヲ致シ、遂ニ雄渾活潑ノ風趣ヲ失ヘリト。是レ実ニ誣ぶ言ニアラザルガ如シ」と述べているのである。

ところで、フェノロサの近代西洋絵画批判と同主旨のことばはレッシングの『ラオコオン』のなかに見出されるのだが、草稿においてフェノロサはレッシングを「ドイツ最大の批評家」と呼んでおり、多大の信を置いていたらしいことが知られる。実際、『真説』のなかに見られる見解――たとえば「美術」の対象は「美術」と本質を共有するものでなければならないとか、「美術」は「妙想」を表現しなければならないとして、単なる自然の模写を否定する見解などはレッシングの説に通ずるものであり、フェノロサがレッシングの影響下にあったのは、まずまちがいない。なかでも、詩画限界論――絵画と詩は、それぞれ表現手段の異なりに対応する限界をもち、絵画は並存の芸術、詩は継起の芸術であるとするレッシングの論説の影響はあきらかであり、フェノロサはこの観点から、文人画や絵巻物の詩画の限界を無視するような在り方を厳しく批判している。たとえば『真説』の次のような一節。

夫レ文人画ハ、画ノ要訣タル線、色、濃淡ノ湊合ヲ事トスルモノ鮮シ。故ニ主点客点ノ分ナク、眼目之ニ対スレバ揺々トシテ一端ヨリ一端ニ転移スルコト、猶ホ詩ニ於テ一句ヨリ一句ニ転移スルガ如シ。[14]

『真説』は「詩」と記しているけれど、「一句ヨリ一句ニ」というくだりは「書」にかかわる指摘として捉え返すこともできるだろう。フェノロサは、西洋絵画は彫刻に淵源し、東洋画は書に淵源すると考えており、しかも『真説』では、音楽や絵画と並べて書も諸芸術のなかに数えられていたのだが、書における読むことと見ることの関係、つまり時間性と空間性の微妙な関係を絵画に許すことができなかったのである。フェノロサはある講演草稿で、書と絵画を同じものだとする説を批判して、こう記している。

東洋絵画の起源は書にある、と言うのは東洋画が即ち書である、と言うのとは違います。[15]

「書画限界論」ともいうべきこのような考えは、「書画一致」というニュアンスに富んだ東洋的芸術観にフェノロサがくみしえなかったということを示すと同時に、中国絵画の影響下に日本絵画がつちかいつづけてきた独特の——山水画に見られるがごとき——空間＝時間性を了解しえなかったことを示してもいるだろう。

文人画と建築

また興味深いことにフェノロサの文人画否定には「建築への意志」がかかわってもいた。

フェノロサは、「日本美術」作興の重要なモメントとして建築への絵画の適用を考えており、この『真説』では「欧洲ノ画家輓近漸ク掛画トナスベキ画（タブロー――引用者註）ヲ輟メ、更ニ宮殿若クハ寺院ノ内部ニ就テ広闊ナル装飾ヲナサントス」とまで述べているのだが、明治二〇年（一八八七）の「日本美術工芸ハ果シテ欧米ノ需用ニ適スルヤ否」（津田道太郎訳、『大日本美術新報』第四三号）という講演では、文人画で「一宮殿ヲ構造装飾」することは不可能であるとして、「事々物々皆ナ統一、適度、及ビ全部ト局部トノ関係ノ如キ、文人画ノ曾テ知ラザル画法ニ拠ラザル可カラザルヲ見ルベシ」と述べているのである。文人画は、非構築的であるがゆえに否定されねばならなかったのだ。はるか後年にフェノロサはこんなことばを述べている。

> 美術の美術たるを得る所以のものは、何くにか存する。他なし、美術の根本たるべきものは、其精神的なるに存す。即ち語を換へて言はば、根柢より建設的なるに在り。[16]

絵画の改良

フェノロサが若くして多大な影響を受けたハーバート・スペンサーは、フェノロサの友人であった金子堅太郎にあてた日本の選挙法に関する書簡のなかで、新しい制度は可能なかぎり現存の制度の上に「接ぎ木」されるべきであり、新しい形式を以て古い形式に置換することで連続を破るようなことがあってはならない、と述べている。おそらく、フェノロサの「日本画」振興論も、これと同様の考えに立つものであったといえるだろう。フェノロサの講演の翻訳に登場するキー・ワードを用いていえば、伝統画法に代えて西洋画法を採用するのではなく、古い形式は「自然発達」の線に沿って徐々に「改良」されるべきである、というようにフェノロサは考えたのである。つまり、フェノロサの主張は、当時の流行であった改良運動の絵画版だったわけであり、その際、改良の指針が、他の改良運動の場合と同じく、西洋化にあったのはこれまでみてきたとおりである。

とすれば、洋画陣営から国粋派への転向とみられたフェノロサの動きは、単なる転向ではなく、伝統文化から遊離したままに展開してゆく西洋化のゆき方を否定して、伝統文化としっかり嚙みあったかたちで、改めて絵画の開明を促してゆこうという一種の戦略的転換であったといえるのではないかとも思われてくるのであるが、しかし、この戦略的転換ということを『真説』の時期におけるフェノロサがはっきり自覚していたかというと、それには疑問がある。明治二〇年のある講演において「日本美術」と「西洋美術」を二筋の濁った川の流れにたとえ、真の美術は、それらの源たる濁りなき泉にこそ見出されると述べているように(「鑑画会フェノロサ氏演説筆記」、『大日本美術新報』第四九号)、フェノロサは「美術」なるものを普遍の相で――つまり、世界中どこでも通用するものとして理解していたと考えられるからである。つまり、フェノロサが目指していたのは、普遍的な絵画の在り方であり、普遍的な「美術ノ真理」であったと考えられるわけで、げんにフェノロサは、自分のことを棚に上げて西洋化としての改良を手厳しく批判してさえいるのである。いいかえれば、フェノロサは、普遍の相において「日本美術」を発見し、これを改良しようとしたのであって、これを西洋化するつもりなどなかったということだ。

しかし、しごとのもつ客観的な意義とそれに対する主観的な意味づけがくいちがうことは別にめずらしいことではあるまい。たとえば「接ぎ木」のつもりが、よそ目には全く新たなる構築であったり、普遍と信ずるものが、結局は偏向にすぎないということもありうるわけで、さればこそ、フェノロサは、やがて竜池会の保守派からうとんじられ、また、みずから改良運動の拠点として鑑画会を主宰することにもなるのである。

「美術」と西洋中心主義

実際、たとえフェノロサが「美術」を普遍の相において捉えようとしていたとしても、その「美術」観がきわめて西洋臭の強いものであったことはすでにみたとおりだし、「美術」という概念自体、もとを正せば、西洋の文化的コンテキストの中で形成されたものであった。その形成過程を、ここでたどることはしないけれど、このことは、日本語の「美術」が生まれたいきさつを振り返れば容易に納得できるだろう。すでにみたように、わが「美術」は、文明開化と共に、西洋から出来合いの概念としてもたらされたのである。現在では、それが存在しない状態が想像しにくいほどに当たり前の存在になってしまっている美術は、永遠に普遍的な存在なのではなく——たとえば魔術や呪術の例に見られるごとく——歴史の流れに浮沈し、生き死にする存在なのだ。

要するに明治日本にとって「美術」とは西洋の歴史に起源をもつ新来の制度だったのであり、それゆえにこそ、フェノロサは「美術ノ真理」を説かねばならず、由一の頑張りもまたありえたわけである。フェノロサの言説の影響が広がってゆく明治一〇年代の後半は、「脱亜論」が形成されてゆく時期にもあたっていたのであるが、絵画による西欧世界への一点突破とでもいうべき由一の頑張りは、絵画における「脱亜入欧」と呼びうるものであり、フェノロサの言説もまた——フェノロサの主観はいざ知らず——客観的にはそのような動きに加担するものであったといえるのである。

西洋的な「美術」や日本的な「美術」があるのではない。「美術」というもの自体、元来、西洋の文化的コンテキストにおいて築かれたひとつの制度であり、それを普遍的な存在と考えることが、そもそも西洋中心主義的な発想なのだ。

新古典主義者フェノロサと「美術」の制度化

それでは、以上に見てきたような『真説』の「美術」観は、同時代の西洋の芸術思潮においていかなる位置をもつものであったのだろうか。それについて高階秀爾は「写実よりは思想を、色彩よりは線描を、多様さよりは統一を主張するフェノロサの美学は、新古典主義の理論を受け継いだ当時のサロン・アカデミズムの美学そのままと言ってよいほどなのである」（『日本近代美術史論』）と総括しており、また久富貢は「「美術真説」などに示した西欧美術の理解はせいぜいミレーあたりまでだったように思われる」（『アーネスト・フランシスコ・フェノロサ』）と述べているが、『真説』の講演と出版が行なわれた明治一五年（一八八二）といえば、ヨーロッパでは世紀末の芸術革命の時代のとばくちに、そろそろさしかかろうかという頃であり、今日の情報速度からすれば、フェノロサはかなり時代おくれな言説を展開したように思われる。しかし、フェノロサが育ったアメリカのニューイングランドの当時の文化的状況としてはそれが当然の限界であったとみるべきだろうし、かかる限界ゆえにこそフェノロサの論説は、この国において歴史的な意味をもったのではなかったかと考えられないでもない。多木浩二が指摘するように、西洋において「美術館が生まれるには新古典主義的思考が必要であった」（『「もの」の詩学』）とするならば、奈良を日本のローマと呼んだ新古典主義者フェノロサの古代憧憬も、古器旧物保存の動きなどと相俟って、「美術」の制度化を推しすすめる駆動力となったのではなかったかと考えられるのである。

もっとも、ヨーロッパにおいて美術が大きく揺らぎはじめている状況をフェノロサが捉えていなかったわけではなく、先に引いた「日本美術工芸ハ果シテ欧米ノ需用ニ適スルヤ否」（明治二〇年）では、欧米においては日用品のデザインに大変革を生じ、自由で新規なデザインが試みられ、絵画も大いに新機軸を出すに至ったと述べており、美術における材料・技法の拡大という事態をも指摘している。そうしてフェノロサは、このように西洋の美術が「美術革命」の時期にあればこそ、「日本美術」がイニシアティヴをとることも可能であり、またそもそもこの「革命」を推進したのは「日本美術」なのだと説いたのであった。もっとも、フェノロサは、その肝心の日本的造形思考を「革命」的にではなく、むしろ西洋的な美術観に「接ぎ木」するようにしてしか理解しえなかったのではあるけれど。

4　統合と純化――「日本画」の創出と「絵画」の純化

「日本画」というフィクション

「日本画」を奨励しつつ、実は「美術」という舶来の制度をこの国において確立しようとする――フェノロサのこういう行ないをいったい何と呼べばよいのだろう。「大姦ハ忠ニ似タリ」とでもいおうか。しかし、それは、いったい何に対する「大姦」なのか。いうまでもなく「日本画」に対する「大姦」であった……として、しかし、それでは、そのとき「日本画」というものは、いったいどこに存在していたのか。『真説』が出版された明治一五年（一八八二）頃、「唐絵」に対する「倭絵」、「西画」や「漢画」に対する「和画」はもちろんのこと、「日本絵」という表記もすでにありはしたものの、「日本画」という語は未だあまり見なれぬものだったと思われるし、それはともかくとしても、当時の日本絵画の内実たるや、さまざまな画派が、もつれた麻のごとく入り乱れているといった状態であり、とうてい統一的な存在として思念されるようなものではなかったのである。諸画派混和の傾向はすでに幕末からみられるとはいえ、それが統合へと向かうことは、ついに起こりはしなかったのだ。たとえば『真説』出版の前月にあたる一五年一〇月に開設された農商務省主催の内国絵画共進会では、国粋主義の風潮を承けて洋画の出品が拒絶され、在来画派ばかりが一堂に会することになったのだが、その内容は次のように分類されていた。

第一区　巨勢、宅間、春日、土佐、住吉、光琳派等
第二区　狩野派
第三区　支那南北派
第四区　菱川、宮川、歌川、長谷川派等
第五区　円山派
第六区　第一区ヨリ第五区迄ノ諸派ニ加ハザルモノ〔17〕

このような分類は現在の「日本画」展では考えにくいことだが、「日本画」としての統合が行なわれていない以上、画派を単位とするこのような分類が必要とされるのは――たとえば審査というようなことを考えても――むしろ当然の成り行きであろう。しかも、こうした分類が展覧会で行なわれることによって各派のちがいがかえって強く意識されるようなありさまであり、フェノロサは明治一七年（一八八四）に開かれた第二回内国絵画共進会に対して次のような批判を投げかけている。

絵画共進会ニ於テ宗派（画派―引用者註）ノ区別ヲ設クル以来、各画派ハ自カラ其門派

ニ誇ルノ悪弊ヲ生ズルニ至レリ。(中略)東京卒先ノ画家ハ、今日漸ク美術上ニ公明正大ノ見ヲ抱キ、支那ニ在テハ呉道子、李龍眠、夏珪、馬遠、牧谿、顔輝ヲ研究シ、日本ニ在テハ奈良古代ノ彫刻ヲ参考シ、金岡、基光、光長、慶恩、雪舟、蛇足、正信、宗達、応挙、岸駒ノ名画ヲ調べ、或ハ其模本ニヨリ、或ハ写真ニヨリ、百方之ヲ考究シ、各其長所ニ注意ス。古代欧州大家ノ名作ノ如キモ多ク考究セリ。[18]

これは、明治一九年(一八八六)に京都で行なった講演の一節だが、ここにいう「東京卒先ノ画家」を率先しつつあったのが、一七年以来、鑑画会を主宰するフェノロサ自身であったことはいうまでもあるまい。「美術」を普遍の相において捉えんとするフェノロサの企てであってみれば、ここに中国や西洋の古典が挙げられているのは異とするにはあたらぬだろう。こうして東西の古典、各時代の傑作をないまぜにして、折衷的に形成されていった「公明正大」な「東京卒先ノ画家」の絵、思うに、これこそフェノロサのいう「日本画」であったのだ。

もっとも、東西の古典とはいえ、フェノロサによる鑑画会の規則書には「日本美術」の定義として「日本美術トハ、元来日本国民ニ固有ノ美術タルコト顕然タル者ヲ謂フ。即チ日本往昔ノ理論実際ノ善良ニシテ伝授シ得ベキ者ニ起リ、単ニ自然発達ノ順序ノミニ因テ漸化(ぜんか)シ、根本ヲ異ニスル外国ノ画法ノ染汚ヲ務メテ防避シタル者ヲ謂フ」(「鑑画会沿革」)

と記されているのだが、会の目的である「一切ノ適当ナル方法ヲ用ヒテ日本美術ヲ恢張スルコト」(「鑑画会組織」)の「適当ナル方法」のうちに中国古典の研究や西洋古典の考究が含まれると考えるならば一応納得はいくだろう。

この京都講演は、明治一三年(一八八〇)に設立された日本最初の公立画学校である京都府画学校の企画したものであったのだが、この学校は中国系の画法を含む在来画派と洋画の教育とを、東宗・西宗・南宗・北宗という分類に従って行なっていた。フェノロサが、絵画共進会を批判しつつ、この京都府画学校のシステムを念頭に置いていたであろうことは想像に難くない。また、「日本画」の創出が、伝統の地である京都よりも、東京という明治国家の首府で進展をみたのは当然の成り行きとして、そうした成り行きを背景とするフェノロサの講演が今みたようにインターナショナルな色彩を帯びることになるのも当然の成り行きであったといえるだろう。そこには、思うに、フェノロサの批評的配慮がはたらいていたのである。

とまれ、「日本画」がこのようにして創出されたものであるとすれば、フェノロサが「日本画」に対する「大姦」であるとは、とんだ言いがかりということになるわけである。

日本画/洋画

「洋画」という語が、第一回内国勧業博の審査評語に用いられていることはすでに見たが、ただし、この場合の「洋画」とは、主に技法的な面のみを捉えた語であったかに見える。しかし文明開化の時勢は、それを単なる技法の名称にとどめてはおかず、そこにいわば文明論的な意味を与え、価値観を絡ませていった。その過程は、新参の流儀にすぎなかったいわゆる洋風画を、文明開化の波が、在来画派を圧倒する勢力にまで押し上げてゆく過程であり、そのような動きは、在来画派が「日本画」として統合されてゆく契機となったとも考えられる。『近世絵画史』の藤岡作太郎のことばを借りれば、「国粋発揮は西洋崇拝の蕭牆(しょうしょう)(囲い—引用者註)のうちに起りぬ」というわけだが、これは明治のナショナリズムが、国民統一のすでになった西洋先進諸国への対抗意識から形成されていったのと同一の事理といえるだろう。あるいはこういってもよい。維新に至るまでそれぞれの共同体に割拠し、またそれぞれの身分にあまんじてきた民心をひとつに統合して、維新=明治の指導者たちが、幻想的共同体としての国民国家を形成=虚構していったように、「日本画」(それはまた当時から「国画」とも呼ばれていた)も、それから「日本美術」も政治的につくりだされていったのだ、と。

「日本画」をめぐる諸制度

以上のごとく「日本画」の形成は、フェノロサの言論活動によって緒についたと考えられるわけだが、その形成過程では、さまざまな制度のちからが作用した。なかでも新聞、雑誌、講演会などのジャーナリズムが大きな役割を果たしたことを忘れるわけにはいかない。そもそも『真説』の講演と出版がそうであるし、また明治一六年（一八八三）に創刊された『大日本美術新報』は、初めは竜池会の、そしてのちには鑑画会の機関誌的な役割を担って「日本画」や「日本美術」の概念形成に大きなはたらきをしたのであった。しかも、そうしたジャーナリズムの活動が一方通行的な啓蒙に終わらず、読者の積極的な反応を引き出していることも注目にあたいする。明治二二年（一八八九）二月の『美術園』創刊号の「雑録」欄に載った市島金治という人の「日本画の将来如何」は、同年同月に開校された東京美術学校における絵画の授業が「日本画」にかぎられたことに関連して「日本画」の可能性を否定的に述べたものだが、その内容はともかく、注目すべきことには、これを発端として、一般読者を巻き込んだ論争が引き起こされており、しかも、論争に加わったひとのなかには山口在住の女性もいて、「日本画」をめぐる議論がかなりの社会的広がりをもっていたことを想わせるのだ。「日本画」の創出は――地域を越え、性差を越え、公卿の土佐、武家の狩野派、町民の浮世絵といった絵画の身分制を撤廃して――社会一般に通ずる絵画の在り方を探る意味をもってもいたのである。

また、「日本画」創出の動きは、伝統絵画の危機の意識に発するクリティカルな運動であり、それは、「美術」の領域において、近代的な意味での批評というものの誕生を準備しもしたのであった。「日本画」をめぐるフェノロサの言説は、思うに、いささか早すぎるその先駆けだったのである。

「日本画」の原型

さて、こうして形成の緒についた「日本画」が、どのようなかたちで実を結ぶことになったかは、現在「日本画」と呼ばれている一群の作品を想い浮かべればよいのだけれど、しかし、それらは、フェノロサの時代に直接結びついているわけではあるまい。それらは、何段階かにわたる厚塗り化の過程を経て明治の「日本画」と異なるものになってしまっているかにみえる。では、明治の「日本画」の直接の成果は、いったいどこに見出すべきなのだろうか。

まず、鑑画会というフェノロサの実験工房における成果が、狩野芳崖のしごとにおいて見出されることはいうまでもあるまい。芳崖の《不動明王図》(明治二〇年)について芳崖門下の岡倉秋水は、この絵の制作にフェノロサが深く関与したことを証言して「絵具をぬる時も側について居て指導したものです。ある色については先生の註文があり、そんな色は日本にないと云ふとそんならフランスから取寄せると云ふてそれが着いてからぬると云ふ風でしたから三年位はこの絵にかゝりました」(「フェノロサ先生の思出」)と述べているが、こうしたフェノロサの指導は、色数のすくない日本在来の絵具では豊かな絵画表現は不可能であるという考えにもとづくものであった。すなわち《不動明王図》と同じく色彩表現に意を用いて第二回鑑画会大会で一等賞を取った《仁王捉鬼》(明治一九年)、それから絶筆となった《悲母観音》(明治二一年)などは、伝統画にはない新たな色彩表現を狙った作例であり、そこには、必ずや西洋画における濃密な色彩表現の影響があったにちがいないのである。色彩表現への志向は、会場芸術の主流化、実在感の探究などと共に、現代日本画にみられる厚塗り表現の遠因のひとつに数えられるのであるが、その根底には西洋の衝撃があったと考えられるのだ。このほかにも、芳崖の絵には『真説』の十格や透視画法(『真説』はこれを「同視併観スベキ凡百ノ物件ヲ一処ニ収拾シ、或ハ其位置ノ各隅ヲ一点ニ縮合シテ善ク妙理ヲ表スル」と表現している)を踏まえたとおぼしき作例が見出されるし、それより何より、芳崖の作品には、「つくる」という意志の姿勢が一貫して感じ取られるの

狩野芳崖《悲母観音》
明治21年(1888)
東京藝術大学大学美術館蔵

である。この「つくる」という姿勢は、のちの菱田春草などにも顕著に感じられるところであるのだが、フェノロサの正系における「日本画」の第二の成果は、菱田春草はじめ横山大観、下村観山ら日本美術院の画家たちによって収められることになるのである。明治三一年（一八九八）の第一回日本美術院展の出品作を評してフェノロサはこう述べている。

下村観山《闍維》明治31年（1898）　横浜美術館蔵

菱田春草《落葉》（左隻）　明治42年（1909）
永青文庫蔵

> 於是（ここにおいて）か従来区分したる洋画派、古法（奈良藤原時代の影響を受けたる者）、土佐派、狩野派、四条派、浮世絵派などの分類は全く消滅しぬ、即ち範疇（カテゴリー）は個人の数の如く多数とはなれり。されば復（また）師等の別なく、彼是混じて共和的一社会をなせり。〔19〕

もっとも、当初こうした「共和的一社会」は、在来画派の統合というよりも、むしろ鵺（ぬえ）的な異端、ないしは矯激な実験と目されたのであったけれど。

内国絵画共進会

さて、以上のごとく「日本画」という「共和的一社会」を形成する端緒にはフェノロサの言論活動があったわけだが、むろんジャーナリズムだけで事が成ったわけではない。そこには政治や官僚組織のちからもはたらいていた。そもそも『真説』の講演は、伝統絵画の現状に対する危機意識をあおると同時に、伝統絵画という意味での「日本画」の振興と対西洋輸出の伸長を巧みに結びつけることで政府の関心を引き付けるべく行なわれたものであり、功利的な関心を脇に置くとしても、諸画派の統合という課題は、国民統合を重要課題とする明治政府にとって無関心で済ますことのできぬところであったろう。つまり、「日本画」の創出は、いささかなりとも政府の関心事であったのにちがいなく、さればこそ政府は内国絵画共進会というものを開設しもしたのであった。統合というには程遠いとはいえ——また逆効果を生み出しさえしたとはいいながら——この展覧会は、とにもかくにも伝統画派をひとからげにしたという点において、諸画派を統合して「共和的一社会」を築く叩き台となったと考えることができるのであって、画派の分類にしても、諸画派が第一区から第六区まで整然と編成されたようすは、行政区画——市制・町村制(明治二一年)や府県制・郡制(明治二三年)——のおもむきであり、それら画派はあたかも統合へ向けて整列させられているかのようにみえるのである。

しかも、内国絵画共進会は「日本画」の創出に一役かったばかりではない。それはたんに伝統画派の統合に道を開いたのみならず、絵画そのものの統合ないしは純粋化に道を開きもしたのであった。

農商務大輔品川弥二郎は内国絵画共進会の開会式の祝詞のなかで「抑絵画ハ工芸ノ首要ニシテ美術ノ基本タリ」(『明治十五年内国絵画共進会事務報告』)と述べているが、絵画共進会の基本的な発想はこのことばのなかに集約されているように思われる。すなわち、この共進会において絵画は「美術」の基本であると同時に、「工芸」=製作技術の中心を成すものであるという理由で注目されたのであり、このことを、それまでの歴史に照らして捉え返すと、ウィーン万国博以来、「美術」の中心を占めてきた陶器や銅器や漆器などの伝統工芸品の地位を、絵画が簒奪したということにほかならない。そして最も視覚的な芸術である絵画を「美術」=芸術の中心に位置づけるこの発想は、絵画を工芸=製作技術に役立てようという功利的な動機に発するものだったとはいいながら、結果的には「美術」を視覚芸術へと絞り込む重要な契機となりもしたであろうと思われる。つまり、絵画共進会は、「美術」を視覚芸術の意味で用いた内国勧業博の出品区分や、「美術ノ真理」を説述すると称して絵画論を展開した『真説』の指向する方向へ「美術」の制度化をさらに一歩すすめる契機となったと考えられるのである。

「絵画」概念の純化

内国勧業博の美術館においてみられたように、この時代の「絵画」概念は、かなり雑駁なものであった。内国勧業博美術館の「書画」部門には、さまざまな工芸技法による作物——簞笥や、花瓶や、刀掛等々——が出品されていたのである。もっとも、内国勧業博において工芸品が「書画」として出品されたのを、視覚優先の汎絵画主義として了解することもできないではないものの、表現と鑑賞のいずれの側からしても触覚性の強いこれらの工芸品が、視覚への集中という点において抵抗感の強い形式であることは否定しようがない。絵画中心の体制が、視覚芸術へ向けて「美術」を制度化する動きの契機となるためには、何よりもまず「美術ノ基本」としての絵画において、純粋に視覚的な在り方が確立されなければならないのはいうまでもないことであり、絵画共進会の企画者は、そのことをよく承知していた。絵画共進会は、まさしく絵画を純化せんとする意図によって貫かれていたのである。

まず、展覧会名に示されるように、この共進会において扱われたのが「絵画」であって「書画」ではなかったということ、ここに「絵画」を純化しようという意図がうかがわれる。前年の第二回内国勧業博美術館においては「書画」という分類を用いた官が、ここにおいて絵画と書を分離し、しかも共進会という一類だけの展覧を行なう方式によって絵画を制度的に独立させたということは、『真説』にみられる書画分離の発想、すなわち、もっぱら見ることにかかわる芸術としての絵画を、読むことにかかわる書から分離することによって純化しようという志向を思わせずにはおかないのだ。はたして、絵画を純化し、「美術」として打ち立てようとする志向は、絵画共進会の規則において、次のように明確なかたちで打ち出されることとなった。

> 西洋画ヲ除クノ外、流派ノ如何ヲ問ハズ都テ出品スルヲ得ベシト雖モ、古図ヲ其儘摸写シタルモノ、及ビ焼絵、染絵、織絵、縫絵、蒔絵等、幷ビニ他人ノ画キタルモノハ出品スルヲ許サズ。[20]

これは一五年の内国絵画共進会規則の第三条、悪名高い洋画の受け付け拒絶の条文であり、これによって洋画は、しばらくのあいだ「内国」(国内)の絵画から制度的に追放されてしまうことになるのだけれど、ここで注目したいのは、同じ第三条のあまり問題にされることのないその他の出品規制の方である。まず古図の模写はだめという点、これは「新機軸」を打ち出すべしということであり、由一のいわゆる「泰西美術ノ大本」にほかならない。「新機軸」を打ち出してゆくことの重要さは、またフェノロサの説くところでもあった。

それから、他人の描いたものは出品してはならないということ、ここにはオリジナリティー重視の発想がみとめられる。オリジナリティーが「新機軸」の根源であることはいうまでもない。今日の展覧会ではごく当然のこととされているが、何しろ粉本というものがまかりとおり、写真の油絵による複写が洋画家の重要なしごとに数えられていた時代のことであるうえに、内国勧業博などでは、作者と出品者が必ずしも一致していないという事情もあったから、こういう規則が必要とされもしたのである。つまり出品者が作者であるという今では常識となっている出品の在り方が、オリジナリティーや「新機軸」の必要と共にこのとき制度化されたわけで、これは、出品物に責任を負う者としての作者の自覚を強く促す契機ともなったであろうし、また、展覧会と作者を直結することで、展覧会への出品を目的とする作画を促すことにもなったであろう。ただし、絵画の制度的な自己完結ともいうべきかかる傾向を促した最大の要因が、「絵画」に的を絞った共進会の開催それ自体であったことはいうまでもない。

次に、いわゆる工芸のワリツケに編入される絵画的技法が排除されていること、この点に注目したい。工芸と絵画の境界がはっきりしていて、日本の絵画といえば一般に彩色膠絵や水墨画が想い浮かべられる現在からすれば、この規制は何か奇異にみえないでもないけれど、内国勧業博美術館にみられる「書画」のアナーキックな状況を思うならば、かかる規制が必要とされたのも合点がいくだろう。内国勧業博における出品物の分類は出品者それぞれに任されており、それだけに、内国勧業博美術館のありさまは、開明期のこの当時における書画のイメージをリアルに伝えていると考えられるわけだが、そのような内国勧業博美術館の「書画」から、書と工芸技法を排除することで、絵画というジャンルの輪郭を明確化しようという企てが、絵画共進会規則第三条のこの規制であり、それは、次にふれる第六条の規制と相俟って絵画というものの在り方を長きにわたって限定することになったと考えられるのである。

第三条については以上のごとし、次に展覧会出品を目的とする作画ということに関連して第六条に着目したい。その条文はこうである。

> 出品ハ必ズ額面ニ仕立ツルカ又ハ裏打ヲナシ、枠ニ張リテ差出スベシ。
> 但、掛幅、巻物若クハ帖等ト為シテ出品スルヲ許サズ。［21］

すなわち、ここでは軸装、絵巻、画帖といった伝統的な絵画形式が排除され、かわりに額面、枠張りという、現在のごく一般的な絵画展の規格に通ずる形態が採用されているのである。展覧の便宜上そういうことにしたのだとしても、「額装」という規格は「彼国皆額となして掛物とす」という『西洋画談』の一節を思い浮かべさせずにはおかないし、伝統的な表装の拒絶は、伝統絵画の作興を目指す展覧会としては、あまりに便宜的すぎはしないかと思われる。このような規格化は、生活環境に有機的に溶け込むその時その場の在り方を自立性よりも重視してきた日本絵画の伝統をないがしろにすることにも通ずるだろうからだ。ここには、欧化主義の囲いのなかにはじまった国粋主義のアポリアがみとめられるのである。

しかも、かかる規制は第三条と相俟って、展覧会での発表を条件として作画する傾向を促したのにちがいない。げんに、第一回の絵画共進会には、みだりに巨大なサイズの絵を出品する者があり、第二回ではサイズの上限が定められることとなったのであった。

もっとも、このような規制があったとはいえ、この共進会には参考品として古画の陳列が行なわれ、それらのなかには、もちろん掛軸があり屛風があった。これは、何やら矛盾めいて感じられるけれど、矛盾というならば「美術」という外来の制度にもとづく国粋主義の在り方がそもそも矛盾そのものだったのだから、これひとつを咎めたところで意味がないのである（参考品の内容と意味については、次節でふれることにしたい）。

書ハ美術ナラズ

以上のように、絵画共進会は絵画ないしは「絵画」概念の純化という意図によって貫かれていたわけであるが、こうした志向は、第一回の絵画共進会と同じ年に岡倉天心と小山正太郎のあいだに交わされたいわゆる「書ハ美術ナラズ」論争にも見てとることができる。

この論争の発端は、フェノロサの反洋画連続講演のきっかけとなったのと同じ第二回内国勧業博美術館にあった。内国勧業博の「美術ノ区域」に書が含まれているのを、小山正太郎が「書ハ美術ナラズ」という一文を草して批判し、それに対して、岡倉天心が「書ハ美術ナラズノ論ヲ読ム」を書いて駁論したのである。

そもそも小山の批判の狙いは、書の処遇にとどまるものではなく、国粋主義が影を落とす内国勧業博の「美術」部門の在り方そのものにあったと考えられるのだが、その際、書という西洋には存在しない「美術」のジャンルは格好の攻撃目標であったといえよう。博覧会の当事者も「美術」における書の特殊性を認識しており、第二回内国勧業博の報告書をみると、書を「美術」の区域に入れるのは「風土ノ慣習ニヨリ理勢ノ然ラシムルモノアルニヨレリ」とわざわざ記している。それに対して小山は、書とは言語を記す技術であって、その作用は言語記号として意を通ずる外にはなく、形態を構造するうえでも創意の入り込む余地のないものであるといい、書は「図画、彫刻等ノ如ク人ノ心目ヲ娯(なぐさ)メント工夫ヲ凝ラシテ、一種ノ物ヲ製出スルノ術」とは異なると断じて、これを「美術ノ区域」から排除するべきであると主張したのである。「図画」と「彫刻」の類を以て「美術」とする小山の論は、「美術」を視覚芸術に限定する内国勧業博の出品区分に通ずるものであるが、おそらく小山は、それを逆手にとって見ることと読むこととの交差点に位置する書の曖昧さを撃とうとしたのであり、思うに、ここには、内国勧業博の分類にも採用された「書画」という伝統的なワリツケから「絵画」を純粋にとりだそうという意図も絡んでいたにちがいない。

また、小山は、以上の判断に加えて、書には「工芸」を進歩させ事業を振起し輸出を増進する等の功利性もないとし、ゆえに、書は普通教育で教えればよいのであって、特に「美術」として奨励する必要はないと結論する。要らぬ奨励は学力才識を欠く字書きばかりをつくりだし、お習字の先生や写字生を増やすだけのことに終わるだろうし、西洋社会

岡倉天心

小山正太郎

に通用する普遍性のない書をたとえば万国博覧会に「美術」として出品したら嘲笑されるだけであろうというのである。

これに対して天心は「書ハ美術ナラズノ論ヲ読ム」を書いて、そもそも美術は「実用技術（useful arts）」に対するものであるが、実用的でしかも「美術」に属する建築のような例もあるとして、書を単なる言語記号にすぎぬとする小山の説を斥ける。言語の記号である書もまた建築と同様に実用的でありながら「美術ノ域ニ達スルモノ」たりうるというのである。また、西洋に「美術」としての書が存在しないことに関して天心は、「抑モ東洋開化ハ西洋開化ト全ク異ナレバ、則チ美術ノ如キ人民ノ嗜好ニ因テ支配サル、モノニシテ、此ノ如キ差異アルハ怪ムニ足ラザルナリ」という。つまり、内国勧業博の報告書と同じ立場をとるのである。かくして天心は「美術」としての書の存在をみとめる。そうして、読むことと見ることとの鑑賞における共存の可能性をみとめ、これを以て絵画とは異なる書の特質とみなす。しかも、ここから天心は、「美術」を視覚芸術に限定して用いている小山の「美術」概念を問題にする。すなわち、絵画や彫刻ばかりが「美術」（＝芸術）なのではないと――つまり、ウィーン万国博に起源をもつ当時の一般的な「美術」の用法に則って――小山の「美術」概念を批判し、絵画や彫刻と異なるからといって書が美術でないとはいえないと指摘するのだ。また、書には造形的な創意の入る余地も充分あるのだと、絵画における定形的な表現を例にとって天心はいう。そして、さらに天心は、小山の論には明確な美術論が示されていないといいつのる。いいつのっておいて天心は、おもむろにみずからの絵画観を披瀝する。「美術思想」をよく表出して、それを見るものに会得せしむるのが絵画の作用であるというのである。中村義一が『日本近代美術論争史』でいうように、この「思想」という語は、『真説』の「妙想」という語に置き換えてもよいものだろうが、天心はさらに、これに立脚して小山の実用主義的、功利主義的「美術」観を批判する。その筆鋒は鋭い。しかして「書ハ果テ美術ナルヤ否ハ後日ヲ待テ之ヲ論ゼントス」、これが、天心の結語であった。

小山正太郎は書は美術ではないといい、岡倉天心は書は美術たりうるというわけで、一見すると、西洋派の小山は西洋中心主義の立場にたち、国粋派の天心は民族文化の特殊性に留意しているかにみえる。つまり両者は相対立するかにみえるのだが、「美術」の来歴を踏まえて考えると、両者をそのように振り分けてしまうのは、いささか単純すぎるだろう。というのも、両者の論は、書を「美術」から排除するか、そこへ取り込むかのちがいこそあれ、「美術」というものの存在を前提にしての論である点では全く変わりがないといえるからだ。つまり国粋主義、欧化主義というちがいを超えて、「美術」が論戦の土俵として設定されているわけであり、いずれに軍配があがろうと、『真説』のいわゆる「美術ト非美術トヲ区別スルノ標的」を確立し、「美術ト非美術」の境界線を強化することになるという構造を、この論争はもっているのである。

この論争が国粋主義／欧化主義という単純な見方を許すものでないことは、伝統文化の擁護者であるべき天心の駁論に「書画一致」についての論が無いことにも示されているだろう。天心は書が「美術」たりうるとしながらも、東洋における絵画と書の微妙な関係についてはは一切ふれようとしていないし、それればかりか、書と絵画は異なる芸術であるとさえ天心はいうのである。もっとも、フェノロサの文人画批判を思えば、この頃すでにフェノロサの近くにいた天心が、書画一致を積極的に評価しえなかったのは当然とも考えられるが、フェノロサ−天心に対立するはずの小山正太郎も書画一致という絵画観を批判して、「是レ必ズ文人画ノ題字ヲ以テ、画ノ位置ヲ助クルヨリ起リシ説ナルベシ、実ニ笑フベキノ至リナリ」といっているのには、西洋派の小山にして当然のことと思いながらも、いささか複雑な気持ちにならずにはいられない。

さて、この論争の舞台となったのは『東洋学藝雑誌』であり、小山の論は明治一五年の五月、六月、七月と三号にわたって連載され、天心の反論は八月、九月、一二月の号にやはり三回にわたって連載されたのだが、天心の反論が連載されている最中の一〇月に第一回内国絵画共進会が開催されているのは注目にあたいする。絵画共進会において内国勧業博の「書画」から「絵画」が切り出されたということはすでに示したけれど、このことは、「書ハ美術ナラズ」論争の重要な主題のひとつに、制度的な解答を与えることになったと考えられるからである。すなわち、小山における絵画の純化の志向は、国粋派を支持する官設展において制度的に実現されてしまった観があるわけで、小山の主張の重要な一側面はここにおいて具体的な解答を与えられたかのごとくなのだ。それかあらぬか小山の反論はついにみられず、論争は中途半端に終わってしまうのだが、論争の根底に読み取れる絵画を純化せんとする志向、それから書を「美術」から排除せよという小山の主張は、内国絵画共進会以後、制度的に着々と実現されてゆくことになる。第三回内国勧業博において「書画」という区分が解体されて、絵画と書が分離されたことはすでに指摘したとおりであるし、明治二〇年(一八八七)に設置された東京美術学校に書の学科は設けられず、官設展の総仕上げともいうべき明治四〇年(一九〇七)開設の文部省美術展覧会は、絵画と彫刻のみを内容としてスタートすることになるのである。

ただし、これは「美術」が一方的に書を切り捨てたということでは必ずしもない。当時の書家は、六芸のひとつである書を絵画の上位に位置づけていたのであり、安藤搨石の『書壇百年』の伝えるところによると、明治の書道界に君臨した日下部鳴鶴は、文部省美術展覧会への書の参加を断ったというのだ。これは「美術」という新興勢力に対する伝統技芸の抵抗の例として興味深いが、このような事例に照らして「書ハ美術ナラズ」論争を振り返ると、何か近代文明の身勝手さとでもいうべきものを感じざるをえないのである。

ところで、論争としては中途半端に終わった観のある「書ハ美術ナラズ」論争の主役ふたりは、明治一七年（一八八四）に文部省が設置した図画調査会（図画教育調査会）において再び相対することになり、このたびは、天心が決定的な勝利を収めることになった。明治初年以来、欧化政策の必然として、学校教育では西洋画教育が行なわれていたのであるが、文部省御用掛岡倉覚三（天心）は、それを伝統画法にもとづく教育に切り替えるべくフェノロサの協力を得て図画調査会において論議を起こし、これに反対する小山正太郎ほかの委員を押さえて、ついに日本伝来の毛筆による図画教育を行なうべきことを報告することとなったのである。この報告書の原本は所在不明であるが、金子一夫が「図画教育調査会報告に関する資料的考察」（『茨城大学五浦美術文化研究所報』第一一号）で、原本に最も近いと思われる資料「邦画（毛筆画）を学校に採用するに付き調査会の建議」を紹介しており、それによると、同報告書は、普通教育において採用するべき画法は「美術画法」であるとして、（一）社会の精神の進歩をたすけて高尚優美の風をかもすのに役立つ、（二）工芸＝製作技術に役に立てうる、（三）この画法をマスターすれば他の画法（用器画法・陰影画法・数理画法）も容易に習得することができるという三つの理由を挙げ、その手段として（1）鉛筆、（2）クレイヨンとストンプ（擦筆）、（3）筆の三者を比較検討して次のように結論している。

此に由て、之を観れば筆は尤も美術画法に適切のものにして、且我が普通教育には、習字其他に於て運筆を教ふるを以て本邦の美術画法は、筆を使用すること最も便宜と思考す、鉛筆を用ふるは到底此主旨を達し難きものなり。〔22〕

こうして、「美術」は筆という当時の日本人になじみの深い伝統的な道具によって達成されると、教育場面において定められることとなったのであった。これはいうまでもなく、「美術」という舶来の制度が慣習化するのを促すことであった。この路線は、やがて図画取調掛へと受け継がれ、その延長線上に、国粋主義の旗を掲げる東京美術学校が開設されることになる。「純粋に制定された制度といふものは殆どなく、かやうなものがあるにしても、それは慣習的になることによつて初めて固有な意味における制度となるのである」という三木清の指摘そのままに、「美術」は慣習化され、遠からず自然な存在として意識されることにもなるだろう。「美術」の制度化は、制度性の隠蔽を要件として行なわれていったのである。

5　美術という神殿――「美術」をめぐる諸制度と国家の機軸

フェノロサの提案

『真説』は明治一四年四月にはじまる連続講演と同じ危機感に発するものであった。伝統画法は作興されねばならない、すなわち、これが『真説』のアピールであった。そこで、『真説』は、絵画構成法（批評の標目）や「美術」の原理論を説述し了えたのち、「日本画」の油絵に対する優越性、西洋における絵画の現況とそこで日本絵画が果たすべき役割の大きさ、伝統画法を奨励することによって得る実益等々と説き来って、最後に「日本画術」を振起するための三つの方策を挙げている。すなわち、（一）一般公衆を啓蒙し、「美術」への愛好心と鑑賞眼を育むこと、（二）画家を補助し画術を奨励すること、（三）美術学校を設立することの三つであるが、これら制度にかかわるフェノロサの提案は、実際に、「美術」をめぐる制度の整備を促したと考えられる。そこで、このフェノロサ提案に沿って、美術をめぐる制度が整備されてゆく過程を、改めて観望してみることにしようと思う。

美術協会の設立

まず（一）一般公衆の啓蒙と「美術」に対する愛好心の育成について、『真説』は私立ないしは官立の「美術協会」の設立を提案している。充分な資金をそなえた美術協会が「安全ノ家屋」を設けて、年に一、二回、全国的な規模で「新画ノ展覧会」を開催すること、そして、その展覧会では「検閲」＝鑑別を行ない、褒賞・買取制度を設けて「永久ノ画館」を設立する準備となすべきだというのである。

　この美術協会設立の提案は、『真説』の二年後に、町田平吉という刀剣商によって鑑画会というかたちで実現されることとなり、しかも、この会は創立間もなくフェノロサが主宰することになった。初めは有料の古画鑑定を目的としていたらしいこの会は、やがて、絵画展を催すなど、フェノロサの理想とするところを実現していったのである。

日本美術協会

> 今回の展覧会に出品せんが為に寄送せる絵画にして之が陳列を肯んぜざりしもの亦尠しとせず。如斯事は未だ先例なきを以て、為に人の感情を惹起したることに相違なしと雖も、是れ将来に於て美術奨励の為に必要なるを以て又已むを得ざるものと知るべし。[23]

これは、第二回鑑画会大会におけるフェノロサの演説の一節だが、鑑画会では『真説』の提案どおり審査褒賞制度をもつ新画の展覧会を開き、開催にあたって鑑別を行なったのである。

古典の創出

『真説』の出版とほぼ時を同じくして開設された内国絵画共進会もまた、褒賞制度をもつ展覧会であった。フェノロサは、この展覧会でワグネルらと共に審査顧問をつとめたのだが、同共進会の審査報告の各区の概評をみると、かなり厳しい批評が記されており、教育=批評としての展覧会という発想をうかがうことができる。最高の賞である金賞は該当作なしで、銀賞が橋本雅邦（狩野派）、狩野探美（狩野派）、田崎草雲（南北合法）、森寛斎（円山派）に与えられた。

また、その教育=批評的配慮は、参考として六〇五点にのぼる古典の展覧が行なわれたことにもうかがうことができる。これは、『真説』が、啓蒙の方法のひとつとして「諸家ノ秘蔵ヲ請フテ展覧会」を開くことを観古美術会の名を挙げて勧めているのに対応するといえよう。

絵画共進会に出陳された古画には《春日権現験記絵》、《伴大納言絵巻》、《源氏物語絵巻》、《信貴山縁起絵巻》、《鳥獣人物戯画》、《伝源頼朝像》（神護寺）、《一遍聖絵》、《北野天神縁起絵巻》（北野天満宮）など日本美術の古典が数多く含まれていた、というより、これらの絵は、こうした機会に「美術」の模範として展示されることによって、「日本美術」の古典として制度化されていったのである。

「日本美術」の古典を創設する試みは、模範となる「美術」品の展観を目的として開設された観古美術会においてすでに試みられていたと考えることもできないではないけれど、フェノロサは、「嚮（さき）ニ開設セル美術会ニ就テハ誹議（ひぎ）スベキ闕（けつ）点アルヲ免レズ」として、会

高階隆兼《春日権現験記絵》より　延慶2年（1309）
宮内庁三の丸尚蔵館蔵

鳥羽僧正《鳥獣人物戯画》より
平安後期〜鎌倉時代（12世紀）頃
京都・高山寺蔵

《伝源頼朝像》
鎌倉時代（13世紀）
京都・神護寺蔵

場がよくないこと、飾箱すなわちショウ・ケースを完備しておらず「貴重ノ画幅、屏風等、観客ニ触レラル、ノ憂アル」こと、それから出品物が玉石混淆であることを指摘しており、観古美術会が古典創出の試みとして、また展覧会として不充分なものであったとしている。

それに対して『真説』は、「必（かならず）其出品ヲ選抜スルノ権ナカルベカラズ」と、主催者の価

法眼円伊《一遍聖絵》より　正安元年（1299）
京都・歓喜光寺蔵

《信貴山縁起絵巻》より　平安時代（12世紀）
奈良・朝護孫子寺蔵

値判断を要件として掲げたのであり、これは「美術」の確立という観点からして当然の主張であった。

ショウ・ケースの意味

ところで、観古美術会に対する批評のなかで、ショウ・ケースを完備せよという提案を行なっているのは、もちろん出品物を保護するうえで必要なことであるわけだが、そこには触覚忌避の感情がまつわりついているように思われる。触れるということは、坂部恵が『「ふれる」ことの哲学』でいうように、「自-他、内-外、能動-受動といった区別を超えたいわば相互浸透的な場に立ち会う」ことであり、それは見ることにおける主観-客観という構えに対立する。というよりも「主-客の分離がそこから生じてくる地盤そのものを形づくる根本の経験」として、触れることは見ることを相対化し、根本から揺り動かすのだ。触れることへの忌避は、それゆえ、視覚優先の近代文明の在り方に深く結びつく感情であると考えられるのである。『真説』が、「美術（＝芸術――引用者註）ノ真理」を語りつつ、結局は絵画論として結構されているのも、「工芸」への絵画の応用という実利的関心ばかりではなく、視覚の時代というものに深く根ざしていればこそのことであったというべきだろう。第一回内国絵画共進会の品川弥二郎の祝辞にあるように、絵画は「美術ノ基本」であるとする発想を、おそらく『真説』の聴衆も講師も共有していたのであり、このような認識を重要な契機として、やがて「美術」のなかの「美術」として視覚芸術が、そして視覚芸術の代表として絵画が相次いで頭をもたげてくることになるのである。あるいは、これが深読みにすぎるとしても――つまり、ショウ・ケースの整備は、不特定多数の人々の前に宝物をさらすという実際上の必要からいわれたのにすぎないのだとしても、かかる必要を引き起こしたのは「放観」＝公開の思想、すなわち視覚による開明のもくろみにほかならなかったのだ。

施設の必要性

「永久ノ画館」とは、つまり絵画美術館のことであり、『真説』の記述は、この点で「螺旋展画閣」構想と遠くから相応ずるかにみえる。しかし、由一の構想が油絵をメディアとして森羅万象を観望させるという絵画の実用的機能に重きを置いているのに対して、フェノロサの構想は、あくまでも絵画の美術的価値に重きを置いている点で両者は異なるといわねばならない。とはいえ、「螺旋展画閣」は、由一自身の描く油絵で埋められる予定になっていたから、美術的価値は当然の前提とされていたとも考えられるし、それより何より「永久ノ画館」ということばには、フェノロサにおける建築＝制度への意志の強固さを感じさせる響きがあり、その点において由一の志向と重なり合うといえる。西洋派／国粋派という対立を超えた時代の志向とでもいうべきものがここにみとめられるのである。

『真説』が「安全ノ家屋」の必要をいうのも、おそらく、同じ意志に発することとして理解できるのだが、この前提を承けるかのように、明治二一年（一八八八）に日本美術協会（竜池会の後身）は、上野に列品館＝「安全ノ家屋」を完成させている。ただし、この会館の建設に関して竜池会幹部平山成信は、「第一必要ナルハ適当ノ家屋ヲ有スルコト是ナリ。苟モ適当ノ家屋ナク東移西転定処アルナクンバ、啻ニ無益ノ経費ヲ要スルノミナラズ、心ヲ安ンジテ貴重ノ書籍物品ヲ保蔵スル能ハザルハ言ヲ俟タザルナリ」（「竜池会ノ前途」、『竜池会報告』一八号）と述べており、これを読むと、「美術」のための施設の建設は、この頃に至って制度構築の意志の表明である以上に、実際上の必要に迫られてのことになってきたようにもみえる。ということは、二〇年頃には「美術」という不可視の institution の建設が、だいぶ進捗したということにほかなるまい。二三年の内国勧業博ももう間近に迫っていたのである。

講演というメディア

このほかに、『真説』は、啓蒙の手段として「講談会」＝講演会を開くことを勧めている。講演というのは、江戸の人々の知らないメディアであり、この新しいメディアを「美術」のために有効活用した初めがこの『真説』にほかならなかった。そして、講演は、この『真説』がそうであるように活字に起こされ、流布されることでジャーナリズムの一角を確実に担ってゆくことになる。げんに「美術」に関するフェノロサの言論活動は、講演とその記録を中心に行なわれたのであったし、『真説』の翌年に創刊される『大日本美術新報』の主要記事の多くは講演の筆記であり、また、西洋派の「美術協会」である明治美術会が発行した報告書もまた、やはり講演の記録を重要な柱にしていたのである。

新宮殿と美術

(二) 画家を補助し奨励すること、これについてフェノロサは「画家タルモノハ、他ノ補助ナクンバ自ラ歩ヲ進ムル能ハズ」という。具体的には、室内装飾その他、建築に「固有ノ画様」を用いるという絵画奨励策を述べているのだが、ここで特に注目すべきなのは、他日「宮闕殿閣(きゅうけつ)」を建設するような場合は、その装飾に「日本画家」を用いることを「切ニ希望」すると述べていることだ。東京奠都以来皇居に定められていた旧江戸城西丸が明治六年(一八七三)に焼失して以来、新宮殿の建設は、西南戦争や様式の選定(和か洋か)の難航など種々の事情に阻まれて容易に着工もならず、この当時もなお、天皇は赤坂に定められた仮の皇居に在ったのである。すなわち新宮殿の建設は、政治的な懸案であったのだ。

ところでこの新宮殿の建設に関しては、『明治美術基礎資料集』の關千代の解説に興味深い推測が記されている。すなわち内国絵画共進会が、この明治新宮殿造営に関連しての企画であったのではないかというのだ。新宮殿の室内装飾に携わる画家の人選に関して博物館に照会があったとき、博物館が回答した画家の名が、内国絵画共進会における成績優秀な画家の名とほぼ一致するという点が推測の重要な手掛りになっているのだが、これはなかなかに穿った見方というべきであろう。ときしも、近代国家建設の槌音が高まりつつある時期でもあり、このような隠された企図が内国絵画共進会にあったとしても全く不思議はない。ましてや、内国絵画共進会の開催には、ほかならぬこの『真説』の影響もあったと考えられるのである。この共進会が宮殿の造営と結びつけて発想された可能性は高いというべきだろう。

新宮殿は明治一七年（一八八四）に、宮内卿伊藤博文のもとで漸く建設が本格化し、建設は急遽、進展をみることとなるのだが、新宮殿建設がはじまった一七年は、制度取調局が設置されて憲法体制の設計＝構築が本格化しはじめた年でもあり、それ以後、宮殿の建設は憲法体制の構築とパラレルにすすめられてゆくことになる。これは、決して偶然ではなかったろう。明治二一年（一八八八）の枢密院の帝国憲法草案審議において議長伊藤博文は、ヨーロッパの憲政は「歴史上の沿革に成立するもの」であるが、日本においては「事全く新面目に属す」るのであり、憲法を制定するにあたっては、「先づ我国の機軸を求め、我国の機軸は何なりやと云ふ事を確定せざるべからず。機軸なくして政治を人民の妄議に任す時は、政其統紀を失ひ、国家亦た随て廃亡す」として、ヨーロッパにおいては宗教が憲政の機軸になっているのに対して「我国に在りて機軸とすべきは、独り皇室あるのみ」と述べているのである（『伊藤博文伝』中巻）。

久野収は、『現代日本の思想』において、明治がつくり上げた国家をヤーコプ・ブルクハルトの『イタリア・ルネサンスの文化』に倣って「芸術作品」と呼び、それがつくられたものであるにもかかわらず「自然的所産」にみえることを指摘しているが、国粋主義運動のシンボルともいうべき新宮殿が竣工するのは明治二一年（一八八八）、「宮城」と称されることになったその新宮殿に天皇・皇后が移り住んだのは翌二二年、すなわち憲法発布の年のことであった。「自然的所産」とみまがうほどに巧妙な「芸術作品」としての国家、その礎が定められ、棟木が高々と上げられたのである。

ちなみに『ベルツの日記』明治九年（一八七六）一一月一五日の条には、フォンタネージやラグーザが「洋式の御所を建てるために招聘された人たちである」とする記述がある。「美術」と天皇制国家の深い因縁は工部美術学校にも見出されるのである。

美術学校

（三）の美術学校を設立するという「日本画術」振興法であるが、『真説』はこの方法に対して懐疑的である。『真説』はアカデミズムの弊害をあげつらい、仮に「国立美術学校」を設けたとしても、いったい誰が教えるのか、その資格のある画家がこの国にはいないではないか、というのである。フェノロサは後年、鑑画会の講演でも官立学校の可能性を『真説』同様の理由で否定しているから、少なくとも、フェノロサが美術学校の設立を、伝統画法作興の良策と考えていなかったことはあきらかだといえよう。ただし、美術学校の弊害というのはフェノロサの独創的見解というわけではなく、同時代のヨーロッパにおいて問題にされているところであった。げんに『真説』の翌年に出版された『維氏美学』(原書一八七八年刊)にも美術学校やアカデミズムへの批判が記されているのである。

明治30年代の東京美術学校
東京藝術大学大学美術館蔵

明治30年代当時の東京美術学校西洋画科教室
東京藝術大学大学美術館蔵

では、フェノロサは絵画技術の伝承についてどう考えていたかというと、学校という近代的な制度ではなく、私塾という伝来の教育システムの方が絵画の伝習にふさわしいと考えていたのであった。しかし、フェノロサのこの見解は、どこまで考え抜かれたものであったかは疑問である。連続講演の草稿では「日本画学校を創設なさい」と述べているし、だいいち国民の創出になぞらえられる「日本画」の創出を目指すフェノロサが、近代国民国家確立のための強力なイデオロギー装置であった学校制度を必要とするのは時間の問題であったと思われるからだ。それに、鑑賞にまつわる造型的諸営為が展覧会や博覧会やジャーナリズムによって「美術」へと制度的に統合されてゆく状況にあっては、たとえ塾において絵画の教授が行なわれたとしても、絵画体験の全体がいわば学校と化していたようなものだったのである。

岡倉天心の美術局構想

フェノロサが官立の美術学校の設立に積極的な姿勢をとるのは図画調査会に加わってからのことであり、そうなったことについては岡倉天心が大きく関与していたと考えられる。その当時、文部官僚であった天心は、明治一七年（一八八四）から、「美術局」という行政機関を文部省に設置する運動を、同僚の今泉雄作と共に、上司の九鬼隆一、浜尾新とも意を通じながら展開していくのだが、そこには美術学校設立の計画も含まれていたのであった。これについて『東京芸術大学百年史』（東京美術学校篇　第一巻）は、そもそも図画調査会とはこの美術局設立運動の第一着手であり、フェノロサは、それに参加したことによって、美術学校設立を肯ずる立場に転ずることになったのではないかと述べている。説得力のある見解というべきだろう。

それはともかく、前節でみたとおり、美術学校設立の準備は、図画調査会以後、多少の紆余曲折を経たとはいえ天心‐フェノロサ路線に沿ってすすめられてゆき、やがて国粋主義的カリキュラムによる官立美術学校が大日本憲法発布と時を同じくして開校されることになる。

この学校は、教育の場において「美術」と伝統を結びつけることによって、「美術」の制度性に慣習の自然性を与えるという国粋主義の歴史的役割を大きく担うことになるのであるが、「美術」の制度化ということに関して開校まもない頃の東京美術学校でこのほかに注目されるのは、第一にその校名であり、第二に開校の翌年から天心が行なった日本美術史の講義である。

校名に注目するのは、「東京美術学校」が、絵画と彫刻と図案（一二三年からは「美術工芸」）と建築（建築科が独立するのは大正一二年）を教授する学校であり、しかも「美術」は諸芸術を意味することばとしてこの当時は用いられていたからである。つまり、一般の用法とは異なる命名が行なわれたわけである。

もっとも、このような用法は、工部美術学校の校名にもみられるところであったのだが、さればこそ――たった一〇年ほどのあいだに、視覚芸術を内容とする官立の「美術」学校がふたつも設立されたのであるから――「美術」概念の社会的形成に関して、その影響はかなり大きかったのにちがいない。工部美術学校は洋風美術の学校、こちらは国風美術の学校であるものの、洋風から国風への一八〇度転換は「美術」を軸として行なわれたのであり、しかも、その軸は、制度の起源を隠蔽するフィクション――西洋に出自をもつ概念であることを隠蔽する作為によって支えられていたのである。

美術史というフィクション

美術の起源を隠蔽するフィクションというならば「日本美術史」という存在は、その最たるものというべきだろう。日本美術史は、おおむね「美術」概念の起源にふれることなく、「美術」を超歴史的な存在として位置づけることによって、造形の起源がそのまま美術の起源であるかのように語り出されるのを常としているからである。そして、このような日本美術史の最初の試みは、東京美術学校において岡倉天心によって行なわれたのであった。

もっとも、そうはいっても日本美術史の叙述は、ここに至ってにわかに実現されたというものではない。それには前史がある。たとえば古器旧物保存の「大学献言」にみえる集古館の計画や、湯島における書画展、絵画共進会における古典制定の試み、明治五年（一八七二）の宝物調査から二一年（一八八八）設置の臨時全国宝物取調局に至る調査結果の積み重ね、それからフェノロサの鑑画会においても日本美術を歴史として捉えようとする志向がはたらいていた。鑑画会は、古画を時代順に流派毎に陳列して展覧するという試みを他に先駆けて行なっているのである。ルイ・ゴンスやウィリアム・アンダーソンら西洋人による叙述もすでに行なわれていた。

天心の日本美術史講義は、これらの動きを承けて成ったものであるわけだが、平凡社版『岡倉天心全集』所収の「日本美術史」をみると、天心は、ここで、翻訳語「美術」の来歴には一切ふれることなく、原始から明治時代にわたる造形の歴史を「美術」として縦横無尽に物語ってみせたのだった。こうして「美術」というワリツケは、歴史の枠とされることによって既成事実化され、「歴史」という制度の陰にその制度性が覆いかくされることになる、つまり、それ自体の歴史性が見失われることになるのである。

岡倉覚三（天心）

日本美術史の講義が行なわれた翌二四年（一八九一）に、当時天心が美術部長であった博物館（帝国博物館）は美術史の編纂に着手し、その成果として一九〇〇年(明治三三)のパリ万国博参加に際して、*Histoire de L'art du Japon* が出版されることになる。つまり美術による日本の紹介だが、この事例が示すように、日本美術史の叙述とは、国粋派の拠り所である「日本美術」のアイデンティティを示すことであるばかりか、「美術」において日本という国のアイデンティティを定めることでもあったのだ。

影の美術局

美術学校の創設はすでにみたように、美術局設立運動の一環として計画されたものであったわけだが、天心の「文部省ニ美術局ヲ設ケラレ度意見」(平凡社版『岡倉天心全集』第三巻)によると、この運動は「美術」の在り方を文部省に属する美術局において「整理統括」することを目的とするもので、具体的には(一)美術家とデザイナーの養成(「美術」と「応用美術」の学校を設立するなど)、(二)美術共進会の開催、(三)輸出美術品の管理(美術貿易商の教導監督など)、(四)古美術の保存という事業が企図されていたのであった。これは、まさしく「美術」の国家統制であり、いってみれば「美術」の制度化のきわみともいうべき発想であるのだけれど、この構想はついに実現されることなく終わり、ここにいわれる事業は統括機関なきままに分立して行なわれることとなったのだった。とはいえ、美術学校はもとより、臨時宝物取調局の宝物調査、第三回内国勧業博の美術部門の審査、帝国博物館となって以後の博物館事業といった美術行政の重要部門は二〇年代の初頭において岡倉天心、九鬼隆一ら美術局設立運動の推進者の牛耳るところとなってゆく。いわば影の美術局が、憲法体制の成立と共に確立されたかのごとくであり、これによって「美術」は国家体制に深々と組み込まれてゆくことになるのであるが、この影の美術局の中枢となったのは、所属官庁や役割の面からみて、九鬼隆一が初代総長となった帝国博物館ではなかったかと思われる。

帝国博物館の設置

天心は図画調査会に関する明治一七年(一八八四)のフェノロサ宛書簡に「我々は博物局に戦いを挑むものであります」(村形明子訳編『フェノロサ資料I』)と記している。この当時、博物局といえば、農商務省博物局のことであるが、天心は美術局構想にもみられるとおり、博物館を文部省の所管として、「美術」中心の博物館とするべきであると考えていたのである。農商務省の博物館は、たとえ「古器物ノ保存、美術ノ勧奨」を本務とすると事務章程にうたわれていたとしても、農商務省という官庁の性格からいって、当然ながら殖産興業路線を外れるわけにはいかず、分類をみても「天産部」からはじまって「農業山林部」、「園芸部」、「工芸部」(=工業部)ときて、五番目に「芸術部」が位置づけられていた。しかも、博物館用語の「芸術」は、すでにみたごとく現在と同じく諸芸術の意味で用いられており、そこには視覚芸術以外の作物や資史料も含まれていたのであった。天心は、それに対して、純粋な美術博物館――それも視覚芸術に絞った意味での「美術」博物館の必要を主張したのである。これは、いわば綜合博物館を分解するもくろみであるが、この発想は、フェノロサのものでもあった。フェノロサは、日本美術の危機を救う唯一の機構は帝国美術博物館であり、それは上野にある綜合博物館とは区別されるべきだとする具体的な博物館構想のメモを残しているのである。

帝国博物館の分類

明治一九年(一八八六)に博物館は、農商務省から宮内省に移管され、二二年(一八八九)には宮内省所管の帝国博物館が設置される。この帝国博物館の在り方は、初代総長に就任した九鬼隆一の構想にもとづくものであり、そこには、天心やフェノロサの美術博物館構想も反映されていたと考えられる。

帝国博物館には「天産部」も「工芸部」(=工業部)も「歴史部」もあって、純粋な美術博物館ではなかったものの、分類の序列をみると、第一が「歴史部」、次が「美術部」、そうして「美術工芸部」とつづいて、その後に「工芸部」(=工業部)、そして最後に「天産部」がくるという順番になっており、自然部門と人工部門の順序が、それ以前と転倒しているばかりか、それまでの「芸術」にかえて「美術」が分類名として採用されているのが注意を引く。分類の序列については、『東博百年史』所載の九鬼隆一の構想原案をみると「天産」は博物館業務の外とする考えが示されており、この序列が博物館における価値体系を示すものであることの傍証が得られるし、また、「美術」の内容については、列品分類「美術部」の細目や分類構想をみると視覚芸術の意味で用いられているのがわかる。自然―人工という序列が、明治五年（一八七二）以来、博物館の分類の大枠をなしてきたことを思うならば、また、ワグネルの提案を承けて博物館の分類においては――綜合博物館にふさわしく――「芸術」（＝諸芸術）が用いられてきたことを思うならば、これは、大転換と言うべきだろう。

このような転換が行なわれたのはいったいなぜか。

分類の序列についていえば、これは自然に対する人工＝人為の優位性において進行する近代化と、それにもとづく制度の整備がもたらした当然の帰結というべきであり、こうした動きは、おそらく「美術工芸」という部が設けられるに至った背景をも成している。ウィーン万国博参加を機に翻訳造語された「美術」は、当初、「工芸」（＝工業）と重なり合うところを中心に捉えられてきたわけだが、前章でみたように「美術」は美術として絵画・彫刻を中心とする在り方へと体制化されてゆく一方で、『回覧実記』に示されたような工場制機械工業への志向と、その漸次的な実現の過程において、「工芸」は――機械工業として――「美術」とは無縁な展開を遂げてゆくこととなり、ウィーン万国博以来、

「美術」の中心にあった手工業的な領域が、いわば特殊な第三領域として「美術工芸」の名のもとに疎外されることになったのではないかと考えられるのだ。この「美術工芸」という分類は、東京美術学校(明治二三年から)や第四回内国勧業博(明治二八年)でも用いられることになるわけだし(第三回では「美術工業」と称された)、また、純粋美術/応用美術という対立も一〇年代後半から問題にされはじめるのであるが、こうした動きの背後にはこのようなメカニズムがはたらいていたと思われるのである。それはまた「美術」における分化=分業の進行でもあったわけだが、このような動きは、綜合博物館の解体過程、さらにいえば、産業化の進展にともなう社会分業の近代的再編成の過程と対応するものとして捉えることができるのにちがいない。ただし、このような分化の動きは統合と裏腹の関係にあった。このことを忘れてはなるまい。分化=分業は、「国家」や「芸術」という上位分類の統合の強化と、その下位に置かれる各部門それぞれの統合の進行とを前提とするものであったのだ。

「美術」という分類名の意味

また「美術」という分類項目が採用されたことについていえば、帝国博物館の基本構想は、美術局設立運動に積極的なかかわりをもった九鬼隆一によるものであったのだから、これは当然の成り行きともいえる。しかし、もう一歩踏み込んだ見方をすれば、ここには視覚芸術こそ「美術」（=芸術）のなかの「美術」（=芸術）であるという認識がはたらいていたのにちがいない。これは、視覚の文明を切り拓いた「文明開化」の当然の帰結というべきものであり、げんに、この認識は九鬼構想に特殊な認識であったわけではない。帝国博物館設置の翌年に外山正一、林忠正、森鷗外のあいだに起こった有名な「日本絵画ノ未来」論争において林忠正は、「美術」の定義を試みて「仏人ハ性理的ニ基キ之ヲ大別シテ二種トセリ。即チ眼界美術、耳界美術、是ナリ。（中略）仏国ニ於テ通俗単ニ美術ト称スルモノハ眼界美術ヲ指スナリ」（「会員林忠正君ノ外山博士ノ演説ヲ読ムト題スル演説」、『明治美術会第六回報告』）と発言しているのである。この発言がなされたのは二二年（一八八九）に結成された明治美術会の月次会においてであったが、この明治美術会は洋画家と西洋彫刻家の協会であり、また、同じ二二年には視覚芸術の学校である東京美術学校が開校しているとあってみれば、林のこの発言は強い説得力をもったのにちがいない。この頃は、未だ「美術」は一般には諸芸術の意味で用いられていたものの、視覚芸術中心の「美術」観は、「美術」を「西洋ニテ音楽、画学、像ヲ作ル術、詩学等ヲ美術ト云フ」と定義したウィーン万国博出品区分の呪縛を脱して、そろそろ社会的な広がりをもちはじめていたようなのである。

ところで、博物館の宮内省移管は明治一八年（一八八五）における内閣制度創設に関連する措置であったのだが、このとき宮内省は、宮中＝皇室と府中＝政府の別をたてるという意味で内閣の外に置かれた。ということは、宮内省に属する博物館は、ここにおいて宮中に所属することになったということである。

しかも、『東博百年史』によると、博物館の宮内省移管は、そもそも皇室財産の設定とも関連していたのではないかという。フランス革命前夜にもたとえられた自由民権運動のたかまりを前にした政府首脳は、国会開設へ向けて、皇室の基礎を固めるべく皇室財産の設定をすすめるための論議を重ねてゆくことになるのだが、そのプロセスで明治一三年（一八八〇）に大隈重信が行なった建議（「三議一件」）のなかに次のような注目すべき意見が述べられているのである。すなわち御領（皇室の有する土地）を定め、その収入を「学士、工人ノ芸能奨励ノ特典」その他に活用するという意見を大隈は述べ、「内務省中ノ博物局ヲ宮内省ノ所轄ニ付ス」という提案を行なっているのだ。もっとも、このときには、博物館の宮内省移管は実現されずに終わったものの、芸術や学芸の保護を皇室に頼るという意見は福澤諭吉の『帝室論』（明治一四年）においても述べられているところであり、こうした意見が政府部内にもあったことは、帝国博物館設置の伏線として注目にあたいしよう。

かくして、二二年に帝国博物館は帝国京都博物館と帝国奈良博物館を従えて、大日本帝国の首都に聳立することになるのだが、「博物館官制細則」をみると、その所轄事項として、臨時全国宝物取調局と連絡をとりつつ宝物の調査研究を行なうこと、地方博物館を監督すること、美術学校や工芸学校の生徒に列品の模写をさせることなどと共に、帝室による学芸の保護奨励に関する事項が「掌務条項」のなかに挙げられており、あたかも美術局の構想の半ば以上がここにおいて実現されているかのような印象を受ける。しかも、帝国博物館の美術部長は東京美術学校の岡倉天心が兼任したのであったから、ますますそのような印象は補強される。すなわち美術局は、こうして宮中に、天皇の側近くにみずからの位置を定めたのであり、これをいいかえれば国粋主義運動が推しすすめてきた「美術」の制度化の行き着いた先が宮中であったということにほかならない。

もうひとつの国家

明治二二年二月一一日に、憲法発布の式典が、その前年に完成した新宮殿において行なわれた。新宮殿という明治美術史の記念碑的作品において、明治国家という伊藤博文の傑作が発表されることとなったのである。

大日本帝国ハ万世一系ノ天皇之ヲ統治ス［24］

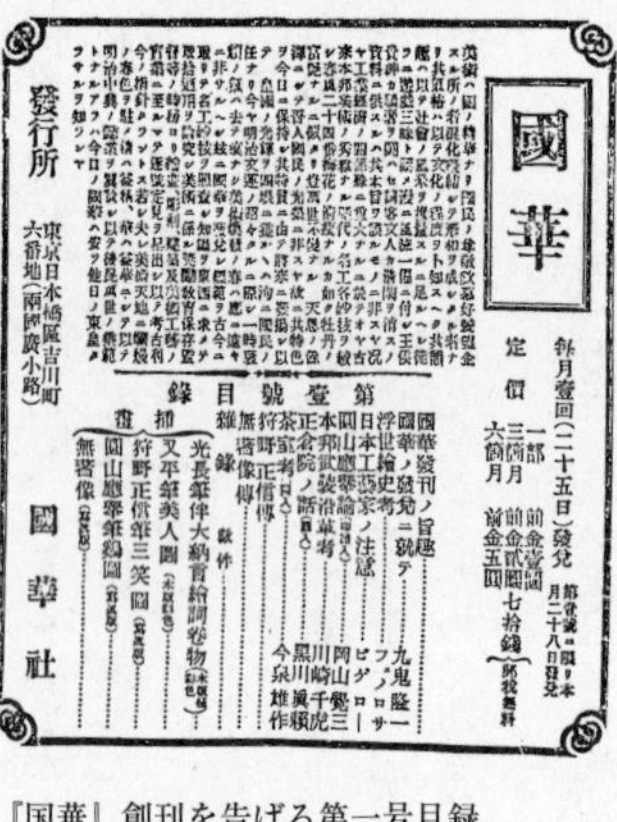
國華

每月壹回（二十五日）發兌　第壹號ニ限リ本月二十八日發兌

定價　一部　前金壹圓　三箇月　前金貳圓七拾錢　六箇月　前金五圓　（郵稅無料）

第壹號目錄

國華發刊ノ旨趣
國華ノ發兌ニ就テ……九鬼隆一
浮世繪史考……フェノロサー
日本工藝家ノ注意……ビゲロー
圓山應擧論（承前）……岡倉覺三
本邦武裝沿革考……川崎千虎
正倉院ノ話（續）……黒川眞頼
茶室考（續）……今泉雄作
狩野正信傳
無署像傳
雜錄　數件

插畫
光長筆伴大納言繪詞卷物（木版極彩色）
又平筆美人圖（木版彩色）
狩野正信筆三笑圖（寫眞版）
圓山應擧筆鷄圖（寫眞版）
無署像（寫眞版）

發行所　東京日本橋區吉川町六番地（兩國廣小路）　國華社

『国華』創刊を告げる第一号目録
明治22年（1889）

この一条にはじまる大日本帝国憲法の基本理念は、先にもふれた伊藤博文の枢密院における演説のことばに示されているように、皇室を国政の「機軸」であると同時に国民の精神的な「機軸」として位置づけようというものであった。ここにおいて皇室は日本国と日本人のアイデンティティを保証する存在として法的に定められたのである。そうして、大日本帝国憲法を荘厳するかのように、同じ年に東京美術学校が開校され、帝国博物館が設置され、雑誌『国華』が創刊され、その翌年には、帝室技芸員制度が制定され、岡倉天心による日本美術史の講義が行なわれたのであった。美術をめぐる制度の整備は、こうしてにわかに大詰めを迎えることとなったわけであり、それをめぐるこの間のかくも大きな動きを、美術自体の制度的在り方という観点から捉え返せば、帝国博物館において端的にみられるように、美術を国民国家の「機軸」に位置づけることにほかならず、美術は、こうして日本のアイデンティティと重ね合わされることとなったのだった。要するに、美術は、近代日本国家の精神的「機軸」として、いわば国家の神殿のごときものとなったのである。あるいは、もう一歩踏み込んでこういってよいのかもしれない。かくして美術はもうひとつの国家となりおおせたのだ、と。

6　パンドラの匣――空虚という名の希望

批評家フェノロサ

竹越與三郎は『新日本史』中巻（明治二五年）のなかで、明治一〇年代における絵画・工芸上の国粋主義運動を回顧して次のように記している。

此に於てか従来、骨董店頭に横臥して、失意の嘆ありし画幅も、忽ち非常の市価を生じ、忽ち幾多絵画会の設立となり、美術会の開設となり、画学校の創立となり、絵画雑誌の発行となり、恰かも久しく幽閉せられたる暗黒なる穴中より出で、光を四方に発したるが如く、美術思想は暫時の間に一般に広布せり。〔25〕

一〇年代半ばに勃興した絵画・工芸上の国粋主義運動は、博物館の活動や博覧会の開催と相俟って、「美術」という翻訳概念を視覚芸術の意味でこの国に定着させつつ、ついには、それを天皇制国家のアイデンティティに重ね合わせるに至った。以上、そのような動きを、主に『真説』の主張に沿って制度史的にみてきたわけだが、かかる動きのなかで『真説』自体が、きわめて重要な位置を占めるものであったことは改めていうまでもないであろう。『真説』は、「美術」原論であると同時に「美術」をこの国に確立せんとする実践の書でもあり、さらに国粋派に肩入れをする煽動の書でもあったわけで、『真説』にみられる煽動的明快さと実践性は、フェノロサの批評家としての資質を思わせずにはおかない。日本美術作興の必要を説いたのは、フェノロサよりも、むしろワグネルの方が――たとえばウィーン万国博の報告書にみえる「日本芸術」にもとづく「画学校」設立の提案にみられるごとく――早かったにもかかわらず、フェノロサばかりが「日本画」の中興者のようにみられがちなのは、おそらく、こうした批評家としての才腕と実践力によるのであり、『真説』の成功の一半はここにあったと考えられるのだ（他の一半は、時代の動きと、ジャーナリズムおよび官僚勢力のはたらきにあった）。フェノロサは日本美術の守護天使というよりも、むしろ、俗世と渡り合う、鋭気に満ちたポレミックだったというべきなのである。

フェノロサの日本美術に対する純粋な愛情をいささかも疑うものではないけれど、それにとらわれて、うつくしすぎるフェノロサ像を描き出すとすれば、それは、批評家フェノロサという見方からして、ひいきの引き倒しといわねばならない。たとえばフェノロサの言説に矛盾のあることは、よく指摘されるところであるが、これに対して、フェノロサを弁護するべく論の整合性を云々してもはじまらない。フェノロサを弁護するのならば、低次元での整合性をもとめてあくせくするよりも、状況と相手によって論の力点を変えることもある批評の戦術（たとえば『論語』に「求や退く、故に之を進む。由や人を兼ぬ、故に之を退く」と言うがごとき）に考えを向けるべきであり、フェノロサの弁証法的な発想を汲み取るべきなのだ。国家経済的見地からする「美術」振興の必要を説いて、たとえば「日本美術工芸ハ果シテ欧米ノ需用ニ適スルヤ否」と題する講演を行なったり、「俗人の目と小銭目当てではなく、教養人の心とドルをつかむために描きなさい」（連続講演草稿）とかなり俗っぽいことを言って煽ったり、ともかくフェノロサの発想や発言にはつねに強いアクチュアリティーがともなっていたのであった。

国民統合と「美術」

美術ハ独立スベキモノニ非ズ。日本開化ノ一大原素トナル可キモノナリ。[26]

明治日本にとっての「美術」、フェノロサはそれを、このように明快に規定した。フェノロサの語る「美術」の自立性とは、このような非独立性によって支えられるものであったわけだが、なかでも「日本画」の創出を、国民統合のプログラムに見合うものとして説いたことは、近代国家の本建築が開始されようとしていた当時としては、「日本開化ノ一大元素」としてきわめて大きなアクチュアリティーをもったのにちがいない。明治一八年

（一八八五）の鑑画会の例会でフェノロサは、「絵画の主意即ち画題」についてこう述べている。

主意の境界は是れ美術と画工と公衆との精要なる資質の接合し、交通し、和成する処たるなり。（中略）凡そ一国一民の大美術とすべき者あるや、其資質必ず完全なり、何となれば其国其民の了知し、愛敬する所の主意を完全に表示すればなり。[27]

また、この前年に発足した図画調査会での発言に関係するとみられる手稿のなかには、「外国の画法はまた、共通の標準の達成により国民的統一に導くことができない。外国式芸術家は国民を熱狂させるような力をもたないだろう」、「発達した美術はその頂点的作品が一国民に内在する最上のものを真に表現し、全員に対するどの一人の精神よりはるかに偉大な統一された国民精神をもたらすので、国民感情を促進します」（『フェノロサ資料I』）と記されている。つまり、フェノロサは、統一性＝湊合という作品の在り方と類比的に国民国家の在り方を捉えていたのである。

国粋主義の提唱にみられるごとく、欧化主義政策の行き過ぎに対する反省の機運がかもしだされつつある状況でもあり、また自由民権運動によって下からのナショナリズムが胎動を開始した時期でもあってみれば、近代国家の建設を急ぐ支配層は言うに及ばず、民衆レヴェルにおいても、フェノロサのこうした考えが広汎に受け入れられないはずがない。しかも、これすべて「西洋崇拝の蕭牆のうち」（藤岡作太郎）なる出来事であったがゆえに、「美術」という概念は、西洋産であるにもかかわらず、なしくずしに普遍化されてしまう。その例として、竜池会の機関誌『工芸叢談』の第一巻に載った「美術区域ノ始末」という記事を再度、引いておこう。

本邦美術ノ名称ハ、実ニ明治六年墺国維府大博覧会ノ区分目録第二十二区ニ、美術ノ博覧場ヲ工作ノ為メニ用フル事ト云ヘル一文アルニ起リシモノニシテ、是レヨリ以往ハ未ダ之レ有ルヲ聞カザルナリ。故ニ、世人輙モスレバ、美術ヲ認メテ、欧州諸国ノ特ニ有スル所ニシテ本邦ノ曽テ無キ所ト做ス者アリ。是レ思ハザルノ甚シキナリ。蓋シ本邦美術ノ盛ナル宇内多ク其比ヲ見ズ。[28]

この発想は、やがて『国華』発刊の辞にいう「夫レ美術ハ国ノ精華ナリ」ということばにまで行き着くことになるだろう。

天皇の美術

以上を要するに、美術というものがこの国に確立されてゆく過程は、近代国家創出に向けての国民統合の過程と対応していたということであるのだが、ここで注意すべきなのは、近代日本国家の設計において、皇室が国家の精神的機軸とされたという点だろう。明治政府は、近代国家の本建築開始の合図ともいうべき一四年の政変以後、憲法制定・議会開設の準備を着々とすすめる一方で、明治五年(一八七二)にはじまる六大巡幸を継続して人心の収攬をはかり、教育、思想の面でも天皇制へ向けての統合を推しすすめつつ天皇制国家の基礎を築いてゆくことになるのである。その総仕上げが、軍人勅諭(明治一五年発布)と教育勅語(明治二三年発布)を従えた大日本帝国憲法であったわけだが、かかる動きと「美術」の制度化とのあいだに深く複雑な関係が見出されることはすでにみたとおりであり、これ以後、美術は、皇室を機軸とする国家の成り立ちに一役も二役も買うことになる。と同時に、美術は国家=天皇の影と響のなかで、みずからの歴史を織り上げてゆくことになる。北一輝のことばを借りれば、政治的権力ばかりか精神的権威でもある天皇の主権は「思想の上にも学術の上にも道徳、宗教、美術の上にも無限大に発現する」(「自殺と暗殺」、『北一輝著作集』第三巻)のだ。

それどころか、帝国博物館にみられるごとき「美術」の制度化の帰結を考えると、美術は皇室を機軸とするもうひとつの国家、あるいは国家の神殿として成立したのではなかったかとさえ思われてくるのだが、これは、おそらくフェノロサの意図を超えた成り行きであったろう。国粋主義の行き着いたところが国家=天皇という場所であったのに対して、フェノロサの主張する美術による統治（「治術の具」としての美術）が拠り所としていたのは、国家＝国民という発想であったと考えられるからである。フェノロサにも天皇との結びつきによって美術の振興をはかるという発想がなかったわけではないのだけれど、その発想の中心は、あくまでも、美術による国民形成ということにあったと考えられるのだ。ここには、決定的なブレがあり、このブレは、やがてさらに大きなものになってゆくだろう。

しかも、ここに至って重大な局面を迎えたのは、国家と「美術」の関係ばかりではなかった。すでにみたように「美術」という概念自体もまた、この時期に至って、新しい局面にさしかかることになるのだ。諸芸術の意味から視覚芸術という意味へと——絵画や彫刻を純粋美術として聖別しつつ——決定的なかたちで内包が限定されていったのである。そうして、国粋派によって宮中にまで導かれていった「美術」の制度化は、この頃から、そろそろ国粋主義のもとを離れて、もっと広やかなところで、ただし国家というアストロドームの内部において行なわれることになる。国家に親和的な明治美術会による展覧会や講演会が開かれ、西洋派の積極的な活動が開始されることになるのである。

純粋美術と美学

林忠正が「日本絵画ノ未来」論争において「美術」の定義を試みたということにはすで

にふれたが、それは、たとえば「美術ハ物ニ感ジテ心ニ生ズルモノナリ」、「美術ハ感情ノ内ニ溢レテ外ニ発スルモノナリ」といった事柄を西洋の美学者の説として説いたもので、林の論に一貫しているのは、現在でも通用している穏健な近代的芸術観にほかならなかった。これより十数年前の「美術」観——繁雑な装飾性と織巧さを以て「美術」とみなすがごとき発想によって、手工業と重なる部分に「美術」の第一義をみていた「美術」観を思い返すと、まさに今昔の感があるのだが、林忠正は、この発言の冒頭近くで、第三回内国勧業博の美術館の監査について、次のように述べている。

林忠正

> 我ガ美術館ハ単ニ美術館ト称スルヲ以テ西洋ノ所謂純正美術館ノ如キ意ヲ示スモ、実際ニ就テ之ヲ観レバ応用美術ヲ兼ヌルモノナリ、単純ナル工芸ヲモ兼ヌルモノナリ。然ルニ志願者ノ一トタビ出品ヲ試ムルニ当リ、其出品ノ拾捨セラル、ヲ見ルハ、蓋シ厳粛ナル境界ノアルニ因ルナラン。予輩ハ、其境界ハ何処ニ在ルヤ、将タ其境界ハ何等ノ美学ニ基キシモノナルヤ、之ヲ窺ヒ知ルコト能ハザルナリ。[29]

第三回内国勧業博の事務報告に載る「鑑別心得」なるものをみても、形状、装飾などが精妙なものはこれを採り、拙劣なものは拒絶するといった程度のことが記されてあるだけであり、林忠正のいうとおり特に一定の「美学」があったわけではなさそうである。しかし、だからといってこの鑑別が無意味であったかといえば、そんなことはない。たとえ美学をもたぬ鑑別であったとしても、美術と非美術を仕分けし、美術と美術工業（美術工芸）を分類しようとする身振りは、それなりに重要な意味をもったにちがいないのだ。なぜなら、それは人々に境界の意味を――つまり、仕分けの理由をもとめさせずにはおかないからであり、げんに林忠正はそうしているのである。つまり、この博覧会に関して美学の必要が説かれたのは、まさに博覧会それ自体が美学を要請するような在り方を示していたからにほかならないのだ。要するに、内国勧業博は分類のうえで、いわば外延的に「美術」の定義を詰めてゆき、林忠正は内包的にそれを検討することで、その外延の曖昧さに批判を加えたのであるが、これを換言すれば、形式的、外延的にすすめられてきた「美術」の制度化の内実が問われはじめたということであり、これによって「美術」の純化＝純粋美術化はますます徹底されてゆくことになるだろうことはいうまでもない。しかも、林忠正の発言がそうであったように、内実の獲得は西洋近代の芸術観を標的としてすすめられ、その結果、林が踏まえてみせる純粋芸術／応用芸術という図式が固定化されてゆくことになる。この一〇年後に、その制度的な定着がほかならぬ林忠正によって行なわれることになるのである。すなわち、一九〇〇年（明治三三）のパリ万国博への参加にあたって事務官長をつとめることになった林忠正は、従来「美術工芸」と呼びならわされてきたものを「優等工芸」と改めることで、これを「美術」から区別し、「美術品」と「優等工芸」を出品規則の第二条において以下のように規定したのであった。

一　美術作品ハ純正ナル美学ノ原則ニ基キ各自ガ意匠ト技能トヲ発揮スベキモノナレバ出品物ハ作者ノ創意製出セシモノニ限ル。
　但シ他人ノ製作ニ係ル美術作品ヲ出品スルトキハ、必ズ其作者及出品人ノ氏名ヲ明記スルヲ要ス。

二　優等工芸品ハ美術ヲ応用シ製作良好ニシテ鑑賞実用其宜シキヲ得タルモノニ限ル。
〔30〕

このような区分けは、実は、フランスの博覧会当局による分類法を承けたものであったのだが、この博覧会が日本の「美術」に与えた影響は大きく、これ以後、工芸が純粋美術よりも一段低くみられる風潮さえ広がるようになった。たとえば、久米桂一郎は、明治三六年（一九〇三）の第五回内国勧業博の美術館で、「美術の性質判然定まりたる絵画、彫塑、製版及び建築」と同列に「美術工芸品」が展示されたことを批判して、「欧米諸国の博覧会に在つては、ヨシ如何に美術的精巧品と雖も其性質の工芸に属するものは、決して之れを美術館に出品することを許さない」（「博覧会出品部類法の不条理」、『美術新報』第一巻第二四号）としているのである。このように純粋美術／応用美術の対立は、西洋の影響下に一般化してゆき、ついに文部省美術展覧会において工芸は、書と共に「美術」展から排除されることになったのだった。

西洋の影響といえば、「純正ナル美学ノ原則」というのも、欧化主義的発想にほかならない。明治二〇年代は、美学研究の本格的な開始の時期であり、そもそも、くだんの「日本絵画ノ未来」論争――外山正一、林忠正、森鷗外のあいだで行なわれたこの論争自体、ハルトマン美学に依拠する鷗外が引き起こした一連の美学論争に属するものであったのだ。

「美術」と「芸術」

この論争に立ち入って論ずることはしないけれど、もうひとつだけ、これに関してふれておかねばならないことがある。それは、この論争が、「美術」概念の変化――芸術の意味から視覚芸術の意味への限定を示す格好の事例であるということだ。ことは鷗外の用語法にかかわる。たとえば、『しからみ草紙』第八号（明治二三年）に載せた「外山正一氏の画論を駁す」の「第六、感納制作の両性」において鷗外は、「絵画の技術は以て習得すべし。且感納性は能く人をして山水花卉の如き自然美を愛せしめ、又能く人をして画を読み図を弄ぶ如く術美を解せしむ」（『鷗外全集』第二二巻　傍点引用者）と記しているが、磯田光一は「ダス、クンストショオネ」（＝芸術美）と仮名を振られる「術美」という語を捉えて、次のような指摘を行なっているのだ。すなわち、この論争の前年に東京美術学校が開校され、また明治美術会が創立されて、「和洋両者の画壇の力が、全芸術を意味する「美術」を僭称する力をもって登場してきたこと」によって、鷗外は「美術美」という語を使用するのを避けたのだというのである（『鹿鳴館の系譜』）。そして、「逍遥子と烏有先生と」（明治二五年）や、「審美論」（明治二五―二六年）などから例を引いて「美術」にかわって「芸術」が今日の意味で用いられるようになってゆくさまを磯田光一はスケッチしてみせているのだが、こうした語彙の転変が一般社会において確定的なものとなるのは、おそらく、文部省美術展覧会（以下、文展と略記）が絵画と彫刻のみを内容として明治四〇年（一九〇七）に開設されたのちのことではなかったかと思われる。試みに『明治のことば辞典』に載っているさまざまな明治期の辞書の定義をみてみると、「美術」が特に絵画、彫刻をさすという但し書きがあらわれるのが明治四四年（一九一一）の『辞林』からであり、一方、「芸術」は、明治三八年（一九〇五）の『普通術語辞彙』において、「美術」と同意義とされて以降、現在の意味に近い定義がなされるようになってゆくのがわかるのである。

国粋主義のアポリア

文展は、「美術」を視覚芸術をさす語として定着させる重要な契機となったばかりか、書と工芸を排除することによって美術の純化の帰趨をも決し、また、絵画を「日本画」と「西洋画」に分けることで国粋主義の時代にはじまる日本画／洋画という対立を制度的に定着させもした。そういう意味で、文展は、「美術」の制度化の総決算のようなおもむきをもつといえる。しかし、「美術」の制度化がおおむね西洋化の線に沿っていたにもかかわらず、日本画／洋画という分類は、いうまでもなく日本独特の制度であるし、また、美術／芸術という対立にしても、西洋ではそれが、しばしば一語で言いあらわされてきたことを思うと、文展の開設は、制度的成熟というより、西洋近代の視覚文明に追いつこうと躍起になってきた後進国日本ゆえの急進性に——あるいは、過剰に厳密な分類意識に——由来する事柄なのではないかと思われてもくる。

つまり、ここにおいて、美術における特殊日本的な問題があらわれてくるわけであり、この問題の根はもちろん一〇年代の国粋主義にあった。これまで「美術」の制度化という観点から国粋主義の西洋主義的な面ばかりを強調してきたが、そこには、当然ながら「美術」という外来の制度を慣習化し、定着させるうえでの矛盾が数多く含まれていたのだ。しかし、美術の土着化あるいは美術の日本的形成にまつわる矛盾は、制度志向に貫かれた一〇年代においてではなく、美術の純化が、勢いに乗じてさらに徹底される二〇年代から三〇年代において鋭く自覚されることになる。

内国絵画共進会の規則書の考察を通じてあきらかになったように、国粋主義の運動は、絵画を美術の基本として位置づけ、それを書や工芸から切り離すことで純化していったのだが、すでに指摘したように、それは、とりもなおさず絵画を生活の場から切り離すことでもあった。つまり、伝来の日本絵画の重要な側面——たとえば屛風に典型的に見られるような生活空間に対する演出性や、日用の品々のうえに実現される絵画的な美感をなおざりにする傾向を、展覧会という制度と絵画の純化は必然的に帯びざるをえなかったのである。

もちろん、たとえそうだとしても、絵画としての質の向上が、生活のなかに生かされ、工芸品の美的価値を高めて輸出伸長の一助となるということもありえないわけではない。東京美術学校には、絵画、彫刻、建築と並べて美術工芸科が設けられたのであったし、たとえば晩年に工芸意匠のしごとに手をそめることになる浅井忠の軌跡を思うと、工芸は明治全期を通じて美術にとってのオブセッションないしは大義でありつづけたようにも思われてくる。しかし、大義なるものが、およそ空しいものであるように、この大義も空しいものでしかなかったようだ。いや、たとえ空しくなかったとしても、美術の現実は、この大義の横をすりぬけて展開していったというべきだろう。

一八九三年（明治二六）にシカゴで開かれた、コロンブスのアメリカ発見四〇〇年を記念する博覧会の例は、このような国粋主義運動のアポリアを如実に示しているといえよう。この博覧会において日本は、平等院鳳凰堂を模した特別館を建設し、そこに徳川時代、藤原時代、足利時代の室内を再現して、美術品、工芸品をインテリアとして飾りつけて、日本的な享受の在り方を示さんとしたのであるが、このような企ての一方で日本の博覧会事務局は、シカゴ万国博当局にわざわざ申し入れをして、日本の美術工芸品を博覧会の美術館に出品しているのである。わざわざ申し入れをしたというのは、実は、それまでの万国博では日本の出品物が美術館に展示されたことがなかったからであり、これによって事務局は大いに面目をほどこしたのであったが、しかし、美術館に出品するということは、美術品や工芸品を生活の場から抽象＝純化して切り離すことにほかならないのである。このような申し入れが誰の主張で行なわれたのか、はっきりしたことはわからないものの、日野永一「万国博覧会と日本の「美術工芸」」のいうとおり日本側の事務副総裁であった九鬼隆一であったと考えるのが、おそらく妥当であろう。「臨時博覧会事務局報告（第一回）」は誇らしげにこう記している。「而モ亦我国ノ美術品及美術工芸品ニ限リ東洋諸国ノ美術部中ニ編入セズ、特ニ之ヲ澳地利（オーストリア）ト丁抹（デンマーク）ノ間ニ伍列セシムベシト定メラレタリ」と。

フェノロサの変節

明治二三年（一八九〇）に日本をはなれ、シカゴ万国博で美術審査員をつとめたフェノロサはこのような成り行きを、いったいどう見ていたのだろうか。明治三〇年（一八九七）に来日した折に日本美術協会で行なった演説のなかで、フェノロサは、日本においてもヨーロッパにおいても、かつて「美術」が隆盛だった時代には、画家は絵画にのみ専念していたのではなく、一般の人々もまた「美術」を生活から抽象することなく、家屋、衣服、日用品などに「美術」をみとめていたとして、第三回内国勧業博頃からの日本の「美術」の在り方を次のように批判している。

> 既往六年ノ間ニ於ケル一般ノ傾向ハ（中略）独リ絵画ヲ以テ美術ノ本体ト為シ、彫刻之ニ次グモノトシ、応用美術ニ至リテハ末技ニ属シ、真個美術家ノ能力ヲ労スルニ足ラザルモノト做（な）スニ在リ。此ノ傾向ハ啻（ただ）ニ現在画工ノ為ス所ヲ見、亦公衆ノ愛玩スル所ニ考ヘテ明瞭ナルノミナラズ、既往数年ニ於ケル日本新聞雑誌ノ美術論説ニシテ横字新聞ニ訳載シタルモノニ就キ観察シテ疑フ可カラザル所ナリ。恰（あたか）モ日本ノ美術論者ハ絵画ノ外ニ美術アルヲ忘レ、美術奨励ノ策ハ絵画奨励ノ一事ニシテ尽セリト為スモノ、如シ。
>
> [31]

フェノロサは視覚芸術を以て「美術」のなかの「美術」とする見方にも批判的で、明治二三年（一八九〇）に『国華』第五号に発表した「美術ニ非ザルモノ」では「美術ナル語ヲ濫用シテ、単ニ若クハ最先ニ空間的美術ヲノミ指サシムルコト」に否定的な態度を示しているのだが、これらの批判にもまして興味深いのは、今引いた日本美術協会の演説において、識者のいうところによればと前置きして、「美術」が生活から遊離することになったのは「博物館ノ制ヨリ始マリ展覧会、協進会(ママ)ノ習慣ニ因リ養成セラレタルモノナリ」と述べていることである。何ということだろう。変節というなら、これをこそ変節というべきだろう。美術をめぐる制度の整備を官民一体となってすすめながら、視覚芸術としての美術を形成してきたのは、フェノロサがイデオローグの大役を果たした国粋主義運動にほかならなかったのではないか。

　しかし、そうは言ってもこれを変節として、一方的にフェノロサを咎めるのは酷というものかもしれない。こんなはずではなかったと、フェノロサは、ただ、そう言いたかったにすぎないのだろう。すべてが、フェノロサの意図を超えて動いていったのだ。国粋主義のアポリアはアポリアのまま置きざりにして。

　まず、二〇年代に入ると洋画復活のきざしがあらわれる。二〇年には東京府工芸品共進会において久々に公会への洋画の出品が許可され、「冬の時代」を西洋留学にすごした洋画家たちが、この時期に相ついで帰国してくる。二二年には明治美術会が結成され、第三回内国勧業博の審査報告で岡倉天心は油絵に「著大ノ進歩」をみとめることになる。そうして、やがて黒田清輝が帰国し、明治美術会と白馬会の新旧対立を経て、二九年には天心ひきいる日本絵画協会と黒田の白馬会が合同展を開き、同じ年に東京美術学校は黒田清輝を迎えて洋画科を設置する。やがて、三〇年代には南画も復活してくるだろう。同じく三〇年代には水彩画が流行し、それと共に「美術」は一種の流行語と化してゆく。

かくして、国粋主義がしつらえた絵画の舞台で、洋画主導の劇が展開することになるのだが、考えてみれば、翻訳語「美術」と血統を同じくする洋画が、美術という神殿の境域に設けられた舞台に再び華々しく登場してくるのは時間の問題だったといえるし、「文明開化」という劇が洋画に都合のよい筋書きを展開してゆくことになるのも見やすい道理であろう。

文展という制度的決着

もちろん、これで、国粋主義が西洋主義に圧倒されてしまったわけではないし、日本画／洋画という対立も、もちろん解決したわけではない。これらの問題は、たとえば青木繁の民族主義的でロマン主義的な昂揚感に充ちた油絵が「日本画」と称されたことにみられるように、いっそう複雑なかたちで展開してゆくことになるだろう。その一方で日本画／洋画という問題は、文展における日本画と西洋画の並立によって制度的決着が与えられることにもなるのだが、しかし、そこにはフェノロサのいう「日本画」や由一における「油絵」の清新さは、もはやない。日本という場に「美術」を構築せんとする潑剌たる意志は、すでにみとめられない。ここにおいて、もはや美術は実現されるべきイデーではなく、既成の表現を正当化するイデオロギーとして機能しはじめていたのだ。文展は、国家＝天皇に重ね合わせられた美術を拡張し公布することを本務とし、「国定芸術」（高村光太郎）の形成装置として機能してゆくだろう。「美術」の制度化は、こうしてここに一応の完成をみる。あるいは、日本的に完成されてしまう。

厄災と希望

明治二三年（一八九〇）、フェノロサは、開校間もない東京美術学校における「美学」の講義で、「美術」の起源について簡単にふれている。しかし、たとえ如何に簡単なことばであっても、「美術」の起源について語るということは、美術の歴史性を明かすことであり、美術を相対化することでもある。かつて「美術」の制度化において大きな役割を果たした人の言として、それは非常の重みをもっている。

東洋に於ては美術なる語は近代に至るまである事なく、只音楽、詩、画等は高尚なる芸として他の技芸とは区別したり。然れども西洋の如く此等と装飾術との距離甚だしから
ず。〔32〕

このことばを述べた年にフェノロサは日本を去ることになるのだが、そう思って読むと、これはフェノロサが日本における批評活動の起点を確認したことばのようにも思われてくる。この国におけるフェノロサの役割は終わった。彼が日本美術の中心に位置することは二度と再びないだろう。フェノロサは二三年の七月に横浜を出航する、『美術真説』という一冊の小冊子を置きみやげとして——。

国粋主義運動のプログラムを決するようなアイディアを満載したこの小冊子は、西洋派にとっては、いわばパンドラの匣(はこ)であったわけだが、しかし、見方をかえればパンドラの匣から飛び出したかずかずの厄災は、そのまま西洋派にとっての希望であったといえないこともない。以上ながながとみてきたように国粋主義がもたらしたものが「美術」の純化であり、グローバルな絵画体験を可能とする制度的変革であったとすれば、つまり、それによって、西洋に準拠した美術の在り方の確立が促されたのだとすれば、『真説』というパンドラの匣から飛び出したかずかずの厄災は、すなわち西洋派にとっての希望であったということができるのだ。明治一四年（一八八一）以降の由一の動きを通して、そのことについて考えてみることにしよう。

高橋由一の美術取調局構想

明治一四年の暮れ近くに東北から帰京した由一は、年明け早々に、三島通庸に宛てて願書を書いている。美術省の設立、展画閣の造築など五項目にわたる計画についての斡旋と助力の依頼である。どれもいかにも由一らしいアイディアなのだが、そのなかで、東京の私立の画塾（画学所）をひとつの義塾に統合する計画について述べているのが特に注意を引く。これは台頭する国粋主義勢力に対抗して西洋派の大同団結をはかろうとする試みであったのだろう。フォンタネージの去ったあと、時代から置き去りにされそうになっている工部美術学校のことが、このとき由一のあたまになかったはずはない。小さな私塾で行なわれてきた在野の西洋画教育を、国粋主義に対抗すべく近代的な学校教育に改編すること——由一の意図は、おそらくこういうことだったのだろう。

明治一四年における由一の動きには、すでに述べたように、国粋主義の台頭を目前にしての動きとしては何か解せないものがあるのだが、由一はただ手を拱いていたわけではなかったようである。しかし、時代の風圧は、由一のゆくてを阻み、計画は実現することなく終わる。それどころか工部美術学校が廃校になった明治一六年（一八八三）の翌年に由一は天絵学舎を廃校にしている。これは敗退というべきなのか、それとも、大規模な画学校として新たに出発するための戦略的後退であったのか。しかし、いずれにせよ由一による画学校が再開されることはこれ以後ついになかった。

とはいえ、由一は、これで膝を屈したわけではない。元老院議長佐野常民に展画閣造築の願書をだしたり、フランスの書記官を通じて美術大学校の必要を官吏に説いたり、画会社の設立を計画したり、総理大臣や文部大臣に和洋両画の並立奨励をもとめたりといったさまざまなはたらきかけをこれ以後も行なっている。なかでも明治一八年（一八八五）に、美術取調局というものを構想しているのは、岡倉天心の美術局構想との関連で関心を引く（三一一五）。由一のいう美術取調局とは（一）西洋美術にもとづいて美術の針路を議定する、（二）応用美術の作者を養成する、（三）図案の資料を収集して新図案を司る、（四）製作会社を指導して輸出を伸長させる、（五）建築その他「国家ノ美観」に関する諮問にこたえるというものであり、西洋主義にもとづくこの構想は岡倉天心の美術局の対極に位置していた。すなわち、由一にとって西洋美術とは、この国に実現すべきイデーのごとき存在であった。そこで由一はこう断言する。

凡ソ美術ノ真理ハ一アリテ二アラズ［33］

つまり、この美術取調局とは、「螺旋展画閣」構想に読みとられる統合への意志を実現する機関であり、「螺旋展画閣」構想を継承して「美術」の制度化を具体化するはずのものであったのだ。

しかし、ひとつであるべき「美術ノ真理」は現実にはひとつではありえず、それはまた『真説』の説くところでもあった。すなわち、由一＝西洋派の「美術」も、『真説』＝国粋派の「美術」も、「美術」という日本語が示すただひとつの枠組みの上に想定されるべきものであったために、それを争ってふたつの「真理」が、ここにおいて対立することとなった。しかも状況は、『真説』＝国粋派に有利であり、以後、「美術」の制度化は国粋派のイニシアティヴのもとですすめられてゆくことになる。それについては、これまでみてきたとおりである。

ただし、再度ここで注意を促したいのは、「螺旋展画閣」にせよ、美術取調局の構想にせよ、制度化と統合を目的とする点では、国粋派の志向と何ら選ぶところはないということだ。げんに、「螺旋展画閣」構想に含まれる美術博物館という発想は、帝国博物館以後の博物館の歴史において実現されてゆくことになるだろうし、「螺旋展画閣」の中心に向けて上昇してゆく形態は、国民国家との類比で作品の統一性（中心のちから）を構想したフェノロサの例と相通ずるものをもつといえるのである。

西洋派と国粋派の同一性は、これにとどまるものではない。絵画・工芸上の国粋主義運動が行き着いた先が宮中であったとすれば、明治初期の洋画が行き着いたのもまた同じ場所であったといえるのだ。由一が天皇の肖像を描いたことはすでにみたとおりだが、これ以外にも由一はかずかずの油絵を宮中に納めているのである。つまり、皇室は由一にとっては最上のパトロンだったわけであり、由一は死に至る病にとりつかれてからも勅命を受けて制作をしている。これを当時の新聞は「高橋由一翁の名誉」と報じているが、由一がもう少し長生きをしていれば、あるいは洋画家で最初の帝室技芸員になっていたかもしれない。由一がこの世を去ったのは、洋画家で最初の帝室技芸員（明治四三年）となった黒田清輝が留学先から帰国した翌年、冬ごもりを終えた洋画が勢いを盛り返しつつあった明治二七年（一八九四）のことであった。二六年の一〇月に、旧天絵学舎門人たちによって洋画沿革展覧会というものが開催されるが、これは再び春を迎えた洋画のアイデンティティを確認する試みであり、いわば展覧会形式の日本洋画史であると同時に、すでに死病の床にあった由一の画業を顕彰するための催し、すなわち、今まさに逝こうとしている先駆者へのひとあし早いしのびごとでもあった。

こうして、やがて絵画史の舞台に洋画が再び華々しく登場し、舞台の中央でみずからのドラマを展開するようになると、国粋主義の時代は暗黒の時代とみられるようになるのだが、しかし、これまでみてきたように、この時代は、いわゆる「暗黒の中世」がルネッサンスを準備したように、「美術」をめぐる近代的制度を整備し、「美術」そのものを制度的に確立することによって来るべき西洋画の時代を準備したのであった。

とはいっても、国粋主義の運動によって美術の制度が完璧に整備されたわけではもちろんない。国粋主義の運動は、「螺旋展画閣」構想の足下にはじまりながら、本格的な美術館をこの国に実現させることなく終わったのである。しかも、これは明治という時代そのものの限界でもあった。明治における美術の制度‐施設史は、こうしてアンチクライマックスによって幕を閉じることになるのである。

美術館建設運動

この国に初めて美術館と称する建物が建てられたのは、すでにふれたように明治一〇年（一八七七）の第一回内国勧業博においてであった。しかし、これは博覧会のための一時的なものにすぎず、博覧会終了後は、同博覧会場跡に建設された博物館の「附属一号館」として使用されたのだった。この博物館の後身が、現在の東京国立博物館であるのだが、この博物館が美術と歴史に的を絞った現在のような在り方に近づくのは、これもすでにみたように帝国博物館となってからのちのことであり、博物館に美術品専用の陳列館が建てられるのは明治も終わりに近くなってからのことであった。東宮（大正天皇）の成婚を祝って明治四二年（一九〇九）に開館した表慶館がそれである。

国粋主義の時代のとばくちで行なわれた「螺旋展画閣」運動は、孤立せる先駆けとしてほとんど象徴の域に達しているかのごとくだが、美術界規模で最初の美術館建設運動が展開されるのは明治三〇年代に入ってからであり、その口火をきったのは明治美術会であった。この運動は表慶館建設のいきさつにも影響を与えたとみられるのだが、ただし、表慶館はあくまでも博物館の付属施設であったし、そもそも同時代の美術の展観‐発表の場でもなかった。その当時の美術家たちは、博覧会で用済みになった建物を利用した竹之台陳列館などの陳列場を、先を争って利用するという境遇にあり、文展さえも竹之台陳列館を用いて開かれていたのだから、美術館の建設は、発表場所の確保という現実的意味でも切実な問題であったのだ。さればこそ、表慶館の建設後もふたたび、みたびと美術館建設運動が盛り上がりをみせもしたのであり、その結果として大正一五年（一九二六）に、初めての公立美術館である東京府美術館が建設されることになったのであった。

もっとも、陳列場の確保という美術家たちの切実な要求をいれた東京府美術館は作品の

片山東熊　表慶館　明治41年（1908）

竹之台陳列館　大正15年（1926）

収集、分類整理、展観といった美術館本来の機能を著しく制限されたものにならざるをえなかったのだけれど、しかし、この美術館は、とにもかくにも明治大正の美術家たちが勝ちとった美術の社会的拠点であった。そうして、ここに至る動きの端緒を開いたのは「螺旋展画閣」運動の高橋由一であり、その動きを現実的なものにしていったのは国粋主義の運動であった。「螺旋展画閣」構想の足下にはじまる国粋主義の運動は、美術館という公共建設＝institution こそ実現しなかったものの、純粋美術という institution の基礎をこの国に据えたのであり、それは、とりもなおさず日本における「美術」のはじまりを意味していたのである。

空虚という名の希望

『美術真説』というパンドラの匣から飛び出したものが厄災ではなく、西洋派にとって希望だったのではないかというのは、以上のような意味であるのだが、その希望は、しかし、明治三〇年代のフェノロサにとってそうであったように、やがて人々に厄災として意識されることにもなるだろう。近代の否定的側面が露わとなる一九二〇年代において、美術はブルジョア文化として撥無されるべき存在であったし、近代が行き詰まりの様相を呈する「暗い谷間」の時代において美術は相対化されずにはいなかった。そして、一九六〇年代の反芸術において、美術という制度と美術をめぐる制度とは、共に桎梏として意識されることになるのである。こうした歴史の動きにおいてパンドラの匣に比せられるべきは、むろん、もはや『美術真説』ではなく、近代そのものであるだろう。では、かかるとき、パンドラの匣の底に残った希望とはいったい何を意味するのであろうか。

こころみに近代というパンドラの匣をのぞき込んでみるといい。そこには、たしかに希望が見出されるだろう。

空虚という名の希望が。

終章　美術の終焉と再生——日本語「美術」の現実

由一と劉生

高橋由一の写実の後続者といえば、一般に、まず岸田劉生に指を屈する。しかし、両者のあいだには、決定的なちがいがある。由一が、絵画にこころざしたとき、その絵画とは、美術としてのそれではなかった。その頃由一が住んでいた社会に「美術」なるものは、未だ存在していなかったからだ。ところが劉生となるとはなしがちがう。劉生にとって絵画とは、あくまでも美術としての絵画であった。劉生にとって美術は人工の粋であり、その本体は「美」であった。美術を文字通り「美の技術」と理解していたわけだが、劉生にとって美とは「人類が大むかしから今日までこの世界に生んだ一切の美術」(「劉生画集及芸術観」『岸田劉生全集』第二巻)において客観的に示されるものであった。劉生はこうした円環のなかにいる。明治二四年(一八九一)に劉生が生まれたときすでに「美術」はこの国にほぼ定着し終わっていた。

そして、両者の中間にいるのが浅井忠である。一八五〇年代生まれの浅井忠は、色川大吉のいわゆる「明治青年の第一世代」、すなわち「ほぼ初年代からおそくとも明治十年代の初めには自己の思想を形成しおわった」(『新編明治精神史』)世代に属しており、自己形成の時期が、ちょうど「美術」概念の受容期に重なり合うのである。つまり、浅井忠にとって美術は既成の存在ではなかったが、しかし、維新のときすでに四〇歳であった由一に比して美術という制度をより自然に受け入れることのできる位置にあったと考えられるわけである。このことは、由一と浅井のしごとを見比べてみれば、おのずとあきらかになるだろう。浅井の水彩のしごとには、たとえば由一の《花魁》に見られるような野蛮な迫力といったものはない。そこには現在と地つづきの感じがある。そのうつくしさは、美術のものだ。一方、由一の画業＝事業は、「美術」概念の形成とほぼ並行していたものの、それは由一の後半生のことに属する。美術をわが身において実現するには、いささか由一は早く生まれすぎたようなのだ。由一の位置が美術以前と美術以後のちょうど境界の上にあるのだとすれば、浅井は境界を跨ぎこしてこちら側にいる。つまり、浅井は美術という神殿の界域をみずからのフィールドとしてしごとを展開していった。由一にとって洋画史の舞台はつくりだすべきものであったが、画家浅井忠にとってそれは、完成されていたかどうかはともかく既定のものとしてあったのだ。

明治二六年（一八九三）に、黒田清輝が外光派の風気を纏ってフランスから帰国するが、この黒田にとっても美術と洋画は既定のものとしてあった。黒田は、そこに新風を吹き込んだにすぎない。もっとも、黒田に代表されるいわゆる新派のしごとは、由一たちの世代が築き上げてきた美術と絵画の制度に、やがて深甚な影響を及ぼすことになるのだけれど、これはあくまでも制度というものを前提にしての事柄であったといわねばならない。明治二七年の夏、由一は、あたかも黒田と入れ替わるようにして、この世を去った。そうして、これ以後、洋画史のドラマは美術の神殿の界域に設けられた舞台で展開されてゆくことになる。それは、「美術」の制度化が一応終わり、そこから美術の日本的形成がはじまることを告げる象徴的な交替であった。

とはいえ、劉生という存在を一方に置いてみるとき、由一と浅井、そして黒田には大きな共通性が見出される。それは、彼らは美術以前の社会の記憶をもっているということだ。劉生の親の世代に属する由一は、まさしくその成り立ちを生きたのであり、「明治青年の第一世代」に属する浅井にとっても美術の構築は目の前で行なわれていった出来事であった。黒田は、「美術」という語が誕生した明治五年（一八七二）に六歳で上京している。ところが、明治二四年（一八九一）生まれの劉生にとってはそうではない。美術は、ものごころついたとき既成のものとしてそこにあった。歴史的な制度として、そこにあった。

このような事態について、ピーター・バーガーとトーマス・ルックマンは『日常世界の構成』において、制度が生活史の過程で形成された世代にとって世界は知悉された透明なものとしてあらわれるが、それを新しい世代に引き継ぐにあたって事情は一変するとして、次のような指摘を行なっている。

子どもたちにとっては、両親から受け継いだこの世界は完全には透明なものでなくなっている。この世界を形成することになんら参加してきていない以上、それは彼らにとってはあたかも自然のように、少なくともその位置づけが不透明な、一つの与えられた現実としてあらわれる。（中略）それは個人の出生に先立って存在しており、彼の生活史上の記憶では追跡しえないひとつの歴史をもっている。それは彼が生まれる以前からそこにあり、彼が死んだ後にもそこにありつづけるであろう。しかもこの歴史自体が既存の制度の伝統として、客観性という性格をもっている。［1］

バーガーとルックマンによれば、このような制度的世界の客観性は、「子どもたち」への引き継ぎの過程において強固なものとなり、制度はしきたりとなるのであるが、その一方で、制度のもともとの意味を記憶によってたどることのできない子どもたちに対しては、それを正当化するための説明と、そこからの逸脱に対する制裁措置が必要になる。制度は歴史化されることで、それに対する反抗と、そこからの逸脱の危険を内部に孕むことになるのである。わが「美術」のことでいえば、「子どもたち」による最初の反抗と逸脱は一九二〇年代のいわゆる大正アヴァンギャルドにおいてみられた。それは、絵画や彫刻のマテリアルな形式にまで及ぶ革新ないしは否定の意志を実践的に表明することで、明治が構築した美術の制度に激しい揺さぶりをかけたのである。

アヴァンギャルドと「美術」の現実

ただし、これに関しては、ひとつ注意しなければならぬことがある。それは、美術や芸術が揺さぶりをかけられたというのは、あくまでも一部の尖鋭な意識における認識であり、一般の観衆はもちろん、大部分の美術家は、こういう認識を共有してはいなかっただろうということである。一部の尖鋭な意識にとって美術は、拒否すべき桎梏にして、虚妄の制度であったが、大部分の美術家と一般大衆にとって美術は必ずしもそのようなものではなく、むしろこの時期に美術は、デパートや画廊や美術館を通じて人々の日常のなかへ広汎に滲透しはじめたのだ。大正アヴァンギャルドが大同団結したグループ「三科」が解散して大正アヴァンギャルドがその重要な活動を終えた一九二五年（大正一四）の翌年に、皮肉にも、東京府美術館が開館しているのである。

しかし、それ以上に皮肉なのは、その三十数年のち、東京都美術館と名を変えた同じ施設を舞台に、大正アヴァンギャルドと驚くほどの共通性をもつ前衛運動が激烈な展開をみせることになったことだろう。一九六〇年代のいわゆる反芸術の動きがそれであるが、この動きは、一九四九年（昭和二四）から一九六三年（昭和三八）まで東京都美術館を会場に一五回にわたって開催された読売新聞社主催の日本アンデパンダン展（以下、読売アンデパンダンと略称）を震源地として起こったのであった。

「反芸術」とはいったい何か、それを一言で言い止めるのはむつかしいし、その展開は、ここでたどり直すには余りにも錯綜しているが、あえて約言するならば、それは視覚芸術としての美術からの逸脱であり、絵画、彫刻というワリッケからの横溢であり、非美術的な物件や物質の氾濫であり、確固たる実体性をもつ作品の解体であり、作品の環境化ないし空間化であり、もっと端的な言い方をすれば、美術と非美術の境を無化する動きにほかならなかった。このような傾向を、美術という制度を体現するものである美術館が許容するはずがない。美術館は、このような傾向を示すしごとを当然締め出しにかかる。すなわち、こうして、反芸術は美術館から日常の街へと溢れ出すことになったのだった。

そして、このような六〇年代美術の動きは、おりしも一九六〇年代のどんづまりを越えたところでクライマックスを迎えることになる。美術館、展覧会、博覧会という、美術を育み美術を支えてきた諸制度が、いっせいに、しかもほかならぬ美術そのものの変貌によって、危機にみまわれることになったのだ。美術館の外部へと放逐された反芸術的営為が、美術をめぐる諸制度に揺さぶりをかけはじめたのである。

第一〇回東京ビエンナーレ──「人間と物質（Between Man and Matter）」展──一九七〇年（昭和四五）五月に東京都美術館において開かれたこの展覧会は、作品陳列場としてはじまったこの美術館の在り方を根底から相対化してしまうものだったといえる。読売アンデパンダンのドタバタ騒ぎが美術館の病──これは美術と非美術の境を美術自体が無化してゆくことによって起こったものであるから内因性の病、あるいは一種の自己免疫疾患と言えるだろう──のはじまりであったとすれば、「人間と物質」展には、病膏肓（こうこう）に入るともいうべき静けさがあった。それは読売アンデパンダンであきらかとなった作品の解体を極相まで突きつめることで、美術館の、そして展覧会というものの限界点、ないし臨界点を、ほかならぬ美術館において示したのである。

また、同様の反芸術的傾向は、六〇年代美術の重要な流れのひとつであったテクノロジー・アートにおいてもみとめられるところであった。たとえば、設計図をかくだけで、あとは機械による加工にまかせてしまういわゆる発注芸術に典型的にみとめられるように、テクノロジーと美術の結びつきは、美術家における「つくる」ことを相対化してしまったのであり、さらに、テクノロジー・アートに属するライト・アート（光の芸術）やキネティック・アート（動く芸術）は、ガラス・ケースに収まるようなオブジェクティヴな作品の在り方を根底的にくつがえす在り方を示してみせたのだった。そして、テクノロジーによるこうした作品の変貌＝解体は、一九七〇年の日本万国博覧会でクライマックスを迎えることになる。これは、見るための制度である博覧会において、美術がみずからの在り方を、つまりは見ることにかかわるみずからの制度性を脱却しようとしたということにほかならない。そればかりか、ガラス・ケースというものが博覧会や博物館の本質的在り方を施設的に規定するものであるのだとすれば、ガラス・ケースに収まりきらない作品の出現は、博覧会自体の危機でもあったといえるだろう。

しかも、このとき危機にみまわれたのは博覧会ばかりではなく、すでにみたように美術館や展覧会も深甚な危機にみまわれたのであり、また、美術学校もこの時期に激しく否定の波にさらされることとなったのだった。当時、全国の大学、高校、専門学校を巻き込んで大荒れに荒れた学園闘争の嵐は、美術学校をも巻き込まずにはおかなかったのである。明治のほぼ全期を通じて形成された美術館、展覧会、美術学校、博覧会などの近代的諸制度が、いっせいに根底的な揺さぶりをかけられることになった一九七〇年は、三島由紀夫の事件に象徴されるように思想、政治、社会の面でも大きな転換を予感させる年であった。美術の危機は、美術のみの危機ではなく、時代状況と連動しており、それだけに決定的であったともいえる。これ以後、美術は、物質的・物体的側面と観念的・概念的側面とに両極分解する過程をたどり、あたかも再び美術未生以前の時代が回帰してくるかのごとき状況を呈することになるのである。ウィーン万国博への参加に際して「美術」なる語が翻訳造語されてからおよそ一〇〇年を経たところで、美術の危機はこうして極点に達したのであり、一九七六年（昭和五一）には、あたかも美術という制度の解体を象徴するかのように、赤煉瓦の東京都美術館の建物が取り壊されてしまったのだった。

旧東京都美術館　大正15年（1926）

　しかし、美術の危機の極点は、同時にターニングポイントでもあった。東京都美術館の取り壊しと新館建設とが相前後して行なわれたように、この頃を境に、美術への回帰とも言うべき動きがめだちはじめたのである。しかも、その動きは、全国各地における美術館の建設、開館ラッシュと並行して展開されたのであった。

美術への回帰とは——とりあえず歴史のアイロニーということを括弧に括っていうならば——美術を現実態として蘇生もしくは活性化させる試みであったと言えるのだが、ただし、回帰と言うとき、特に注意を要することがひとつある。そこで目指される美術とはいったい如何なる素性のものであるのかということだ。

というのも、この「美術」という語は、折にふれて繰り返し指摘してきたように西欧語からの翻訳によってつくられたものであり、翻訳語は、往々にして、その原語の指し示す文化的コンテキストに人々の眼を引きつけるからである。すなわち、美術への回帰というとき、そこで目指されているのが Kunst や art であるのか、それとも日本語である「美術」なのかということ、これが問題になるのである。なぜ、それが問題なのか。これについて語るためには翻訳語一般について考えてみる必要がある。柳父章は『翻訳語の論理』のなかで、明治の人々が西洋の学問や技術を摂取するにあたって、術語を翻訳するために漢字の造語力をフルに活用して多くの新語を造り出したことに関して、次のように述べている。

私たちは、抽象的思考にとってもっとも基本的な用具である抽象語を、ほとんどすべて、日常語とは別の種類の言葉を宛てて用を足してきたのである。抽象語は、日常の具象語から、その概念が抽象されてできた言葉ではないのである。明治初年以来、私たちは、抽象的思考の概念、つまり、考えるための言葉は、すべて出来合いのまま、完成品として受けとめてきた。（中略）完成された形で受けとめられた概念は、現実の分析に臨み、その分析能力の限界に行き当ったとき、別な機能の言葉に変わることが往々ある。分析能力の限界で、概念が修正されたり、或いは変更されず、しかもそのまま現実の上に臨ませしめられているとすれば、言葉は、現実に対する規範としての意味に転化することが多い。〔2〕

柳父章は、翻訳語が「現実に対する規範」として用いられる例として、「本来社会とは……」、「本来都市とは……」といった言い方を挙げているが、この「社会」や「都市」の部分に「美術」を置くこともできるだろう。「美術」という語も、「社会」や「都市」と同じ翻訳語、つまり「出来合いのまま、完成品として」受け容れてきた語のひとつであり、「本来美術とは……」といった言い方や考え方を誘発しやすいのだ。もちろん、こうした言い方や考え方は、規範性ということを思うと一概に否定できないところもあるのだが、そこに次のような危険がつきまとうのも確かである。すなわち「美術」概念の規範化は、翻訳語「美術」と、その原語たる西洋語をイコールで結ぶ発想を誘発しやすく、したがって、日本における美術の現実を西洋美術の有りように合わせて裁断するという、社会的・文化的コンテキストを無視した思考や批評を生みだしやすい、ということだ。「美術」概念の規範化は、翻訳語美術が指し示す現実、すでに原語では捉え切れないその実相を見失わせる危険があるのであり、それゆえ美術への回帰を語るとき、そこで目指される「美術」の素性について、充分に注意しなければならないのである。美術への回帰というとき、そこで目指されるのが、かつてわれわれが住みなしたことのある美術、つまり日本語「美術」でなければツジツマがあわぬのはいうまでもないだろう。

では、「美術」という日本語が指し示す現実とは如何なるものか。しかし、その成り立ち(歴史と構造)について語ることは、本書の能くなしうるところではない。本書は、明治初年にはじまる「美術」という語の歴史をたどりつつ、それが受容され、制度として確立されてゆく過程をノートしたにとどまる。「螺旋展画閣」の内部を経めぐり、その展望台から「美術」の基本的な在り方を制度史的に観望したにすぎない。しかし、「美術」という日本語が指し示す現実を語るためには、受容や制度化ではなく、むしろ美術の形成ということが考えられなければならないのだ。そして、そのためには社会史的な観点が必要となるだろうし、また、制度としての美術から溢れでようとするものの歴史を語らなければならぬだろう。文明における美術の位置が大きく変わろうとしているかにみえる現在、それを語ることは急務である。しかし、それは、すべて本書以後の課題に属するといわねばならない。

註

序章

[1] 河合隼雄『中空構造日本の深層』(中央公論社　一九八二年)四二頁

第1章

[1] 司馬江漢『西洋画談』、『日本随筆大成』第一二巻(吉川弘文館　一九七五年)四八六頁
[2] 内田魯庵『魯庵随筆読書放浪』(書物展望社　一九三三年)一二二頁
[3] 平木政次「明治時代(自叙伝)」、『エッチング』第二六号(一九三四年一二月)
[4] 青木茂編『高橋由一油画史料』(中央公論美術出版　一九八四年)三〇九頁
[5] 4に同じ。二二五頁
[6] 小林鍾吉「雑談集」、『光風』第二号(一九〇五年七月)
[7] 4に同じ。二五五頁
[8] 初田亨『都市の明治』(筑摩書房　一九八一年)一六八頁
[9] 「工部美術学校諸規則」、『太政類典』第二編第二四九巻
[10] 「工学寮へ伊多利国ヨリ画学外二科教師三名傭入伺」、『公文録』明治八年五月工部省伺
[11] 三木清「構想力の論理」、『三木清全集』第八巻(岩波書店　一九六七年)一三四—一三五頁
[12] 11に同じ。一六三頁

[13] 森口多里『美術五十年史』（鱒書房 一九四三年）三―四頁
[14] 宮川淳『美術史とその言説』（中央公論社 一九七八年）二三六頁
[15]『宮川淳著作集』第二巻（美術出版社 一九八〇年）一三九頁
[16] 15に同じ。二四五頁
[17] 4に同じ。二四四頁

第2章

[1] 市川渡『尾蝿欧行漫録』、大塚武松編『遣外使節日記纂輯』第二巻（日本史籍協会 一九二九年）三六六―三六七頁
[2] 福澤諭吉「西洋事情」、『福澤諭吉全集』第一巻（岩波書店 一九五八年）三一二頁
[3]「文部省布達」明治五年二月一四日
[4] チェンバレン（高梨健吉訳）『日本事物誌』第一巻（平凡社 一九七五年）五四頁
[5] 加藤秀俊「「見物」の精神」、加藤秀俊、前田愛『明治メディア考』（中央公論社 一九八〇年）二二二頁
[6]「ウイン府澳地利ノ都ニ於テ来一千八百七十三年博覧会ヲ催ス次第」（第二ケ条）明治五年、『法令全書』第五巻ノ一（原書房 一九七四年）一五頁。振り仮名は引用元に従った。
[7] ワグネル（浅見忠雅訳）「ワクネル氏東京博物館建設報告 芸術ノ部」一九―二〇丁、『澳国博覧会報告書』博物館部（澳国博覧会事務局 一八七五年）
[8] ワグネル（浅見忠雅訳）「ドクトル、ワクネル氏東京博物館創立ノ報告」三―四丁、7に同じ。

[9]『東京国立博物館百年史』資料編（東京国立博物館　一九七三年）二二二頁

[10] 9に同じ。二三二頁

[11]『大久保利通文書』第六・巻三三（東京大学出版会　一九六八年）三九八頁

[12]『内国勧業博覧会場案内 改正増補』（内国勧業博覧会事務局　一八七七年）五頁

[13] 青木茂編『高橋由一油画史料』（中央公論美術出版　一九八四年）三〇五頁

[14] 平木政次「明治時代（自述伝）」、『エッチング』第三一号（一九三五年五月）

[15]『明治十年内国勧業博覧会審査評語』下（内国勧業博覧会事務局）五一七頁

[16]「明治十年内国勧業博覧会区分目録」、『法令全書』第九巻ノ一（原書房　一九七五年）五二七頁

[17] 16に同じ。五二七―五二八頁

[18]「農商務省職制幷事務章程」、『東京国立博物館百年史』（東京国立博物館　一九七三年）二〇二頁

[19] 16に同じ。五二七頁

第3章

[1]『特命全権大使米欧回覧実記』第八三巻、岩波文庫版（五）（一九八二年）四四頁

[2] ワグネル『〔明治十四年〕第二回内国勧業博覧会報告書附録』（農商務省博覧会掛　一八八三年）六四―五頁

[3] 青木茂編『高橋由一油画史料』（中央公論美術出版　一九八四年）二三三頁

[4] 3に同じ。五三頁

[5] 宮内庁『明治天皇紀』第五巻（吉川弘文館　一九七一年）五二四頁

[6] 正岡子規「地図的観念と絵画的観念」、『明治文學全集』第五三巻(筑摩書房 一九七五年)二一〇頁

[7] 芳賀徹「画家と土木県令」、『絵画の領分』(朝日新聞社 一九八四年)二七一頁

[8] 3に同じ。二四二頁

[9] 柳源吉編『高橋由一履歴』(一八九二年)三―四頁

[10] 9に同じ。七頁

[11] フェノロサ(大森惟中筆記)『美術真説』(竜池会 一八八二年)「緒言」

[12] 村形明子編・訳『ハーヴァード大学ホートン・ライブラリー蔵アーネスト・F・フェノロサ資料』第二巻(ミュージアム出版 一九八四年)五頁

[13] デカルト(三宅徳嘉・小池健男訳)『方法序説』、『デカルト著作集』第一巻(白水社 一九七三年)二〇頁

[14] 11に同じ。四七―四八頁

[15] フェノロサ(村形明子訳)「日本美術は復興できるか」、12に同じ。一三〇頁

[16] フェノロサ「真美大観序」、山口静一編『フェノロサ美術論集』(中央公論美術出版 一九八八年)二一三頁

[17] 「内国絵画共進会区分目録」、『法令全書』第一五巻(原書房 一九七六年)一二七頁

[18] 「フェノルサ氏演説筆記」、『大日本美術新報』第三二号(一八八六年六月)

[19] 「フェノロサ氏の日本絵画論」、16に同じ。二〇六―二〇七頁。「範疇」の振り仮名「カテゴリー」は引用元による。

[20]「明治十五年」内国絵画共進会規則」一二四—五頁
[21] 20に同じ。一二五頁
[22] 柿山蕃雄「小学校に於ける図画及図画手本の変遷」、『教育研究』第九号（一九〇四年）（金子一夫論文より引用）
[23] フェノロサ（会員某筆記）「第二回鑑画会演説」、『大日本美術新報』第三一号（一八八六年五月）
[24]「大日本帝国憲法」第一条、『法令全書』第二二巻ノ一（原書房　一九七八年）「大日本帝国憲法」二頁
[25] 竹越與三郎「新日本史」、『明治文學全集』第七七巻（筑摩書房　一九六五年）一六七頁
[26] 18に同じ。
[27] フェノロサ「日本画題の将来」、『大日本美術新報』第一九号（一八八五年五月）
[28]「美術区域ノ始末」、『工芸叢談』第一巻（一八八〇年六月）
[29]「会員林忠正君ノ外山博士ノ演説ヲ読ムト題スル演説」、『明治美術会第六回報告』（一八九〇年七月）
[30]『千九百年巴里万国博覧会臨時博覧会事務局報告』上（農商務省　一九〇二年）六六七頁
[31] フェノロサ（有賀長雄筆記）「フェノロサ氏演説大意」、『日本美術協会報告』一〇九号（一八九七年二月）
[32]「美学　フェノロサ講述」（岡倉覚三口訳、塩沢峰吉筆記）、『岡倉天心全集』第八巻（平凡社　一九八一年）四五七頁
[33] 3に同じ。二四二頁

終章

[1] ピーター・L・バーガー、トーマス・ルックマン(山口節郎訳)『日常世界の構成』(新曜社 一九七七年)一〇二―一〇三頁

[2] 柳父章『翻訳語の論理』(法政大学出版局 一九七二年)四五―四七頁

主要参考文献・史料集　＊本文及び註に挙げたものを除く

「会津さざえ堂の源流」小林文次（一九七二年一一月二〇日付『朝日新聞』）
『新しい教育史』中内敏夫（新評論）一九八七年
『［岩波講座］日本歴史』第一四・一五巻（岩波書店）一九七五年（第一四巻）一九七六年（第一五巻）
（とくに近藤哲生「殖産興業と在来産業」、原口清「明治憲法体制の成立」）
『江戸町人の研究』第一巻　西山松之助編（吉川弘文館）一九七二年（とくに西山松之助「江戸町人総論」）
『江戸の博物学者たち』杉本つとむ（青土社）一九八五年
『江戸の洋画家』小野忠重（三彩社）一九六八年
『大久保利謙歴史著作集』第二巻「明治国家の形成」大久保利謙（吉川弘文館）一九八六年
『岡倉天心』木下長宏（紀伊國屋書店）一九七三年
『画家フォンタネージ』井関正昭（中央公論美術出版）一九八四年
『神奈川県美術風土記』「高橋由一篇」神奈川県立近代美術館（有隣堂）一九七二年
「狩野芳崖晩期の山水画と西洋絵画」佐藤道信（『美術研究』第三三九号）一九八四年
『近代的世界の誕生』奥井智之（弘文堂）一九八八年
『近代天皇制の成立』遠山茂樹編（岩波書店）一九八七年
『近代日本絵画史』河北倫明・高階秀爾（中央公論社）一九七八年
『近代日本政治思想史』河原宏・宮本盛太郎・竹山護夫・前坊洋（有斐閣）一九七八年

『近代日本における制度と思想』中村雄二郎（未來社）一九六七年
『近代日本美術史1』佐々木静一・酒井忠康編（有斐閣）一九七七年
『近代日本美術の研究』隈元謙次郎（大蔵省印刷局）一九六四年
『近代日本文学評論史』土方定一（法政大学出版局）一九七三年
『近代日本洋画の展開』匠秀夫（昭森社）一九七七年
『「近代」の意味』桜井哲夫（日本放送出版協会）一九八四年
『近代の美術』第四六巻「フォンタネージと工部美術学校」青木茂編（至文堂）一九七八年
『近代―未完のプロジェクト』ユルゲン・ハーバーマス（三島憲一訳）（『思想』第六九六号）一九八二年
『芸術学』（改訂版）渡辺護（東京大学出版会）一九八六年
『芸術作品のはじまり』ハイデッガー（菊池栄一訳）（理想社）一九七二年
「劇的な空間の転換―独自の「さざえ堂」建築」小林文次（一九六五年三月二〇日付『朝日新聞』）
「皇居杉戸絵について」關千代（『美術研究』第二六四号）一九六九年
『講座日本思想』第一巻「自然」相良亨・尾藤正英・秋山虔編（東京大学出版会）一九八三年（とくに日野龍夫「徂徠学における自然と作為」）
『国家概念の歴史的変遷』第三巻「明治国家の形成」芳賀登（雄山閣）一九八七年
『ゴッドと上帝』柳父章（筑摩書房）一九八六年
『言葉と物』ミシェル・フーコー（渡辺一民、佐々木明訳）（新潮社）一九七四年
『資本主義形成期の秩序意識』鹿野政直（筑摩書房）一九六九年
『社会学的方法の規準』エミール・デュルケム（宮島喬訳）（岩波文庫）一九七八年

『社会体系論』西村勝彦（酒井書店）一九六九年
『ジャポニスム展』（国立西洋美術館『ジャポニスム展』カタログ）一九八八年
「曙山の二重螺旋階段図について」小林文次（『美術史』八八号）一九七三年
『スペンサーと日本近代』山下重一（御茶の水書房）一九八三年
「資料による宮城県の美術編年史」西村勇晴編（『宮城県美術館研究紀要』第二号）一九八七年
『世紀末芸術』高階秀爾（紀伊國屋書店）一九六三年
『想像の共同体』ベネディクト・アンダーソン（白石隆・白石さや訳）（リブロポート）一九八七年
「高橋由一についての二、三の問題」榊田絵美子（『美術史』第一一五冊）一九八三年
「高橋由一の「土木」風景画」小勝禮子（栃木県立美術館『高橋由一』展カタログ）一九八七年
『「脱亜」の明治維新』田中彰（日本放送出版協会）一九八四年
『天皇の肖像』多木浩二（岩波書店）一九八八年
『天皇の美術』菊畑茂久馬（フィルムアート社）一九七八年
『東京美術学校の歴史』磯崎康彦・吉田千鶴子（日本文教出版）一九七七年
『東京時代』小木新造（日本放送出版協会）一九八〇年
『東西芸術精神の伝統と交流』山本正男（理想社）一九六五年
『東北の歴史』下巻　豊田武編（吉川弘文館）一九七九年
「ＴＯＫＩＯ　１９２０ｓ」（『美術手帖』一九八〇年七月号）
「名古屋の博覧会」（名古屋市博物館『名古屋の博覧会』展解説図録）一九八二年
『日展史』第一－二巻「文展編」一・二　日展史編纂委員会（日展）一九八〇年
『日本英語文化史の研究』杉本つとむ（八坂書房）一九八五年

『日本絵画三代志』石井柏亭（創元社）一九四二年
『日本近代化の研究』（上）高橋幸八郎編（東京大学出版会）一九七二年
『日本近代思想大系』第一七巻「美術」青木茂・酒井忠康編（岩波書店）一九八九年
『日本近代美術史』木村重夫（造形芸術研究会）一九五七年
『日本近代美術発達史［明治篇］』浦崎永錫編（東京美術）一九七四年
『日本資本主義成立史研究』石塚裕道（吉川弘文館）一九七三年
『日本資本主義発達史の基礎知識』大石嘉一郎・宮本憲一編（有斐閣）一九七五年
『日本初期洋画の研究』西村貞（全国書房）一九七一年
『日本政治思想史研究』丸山眞男（東京大学出版会）一九五二年
『日本精神史への序論』宮川透（紀伊國屋書店）一九六六年
「日本に於ける近代美術館設立運動史」（一―一〇）隈元謙次郎（『現代の眼』第二五―三七号。但し、一八、三三、三四号は除く）一九五六―五七年
『日本の近代建築』（上）稲垣栄三（鹿島出版会）一九七九年
『日本の近代美術』土方定一（岩波書店）一九六六年
「日本の現代美術三〇年」（『美術手帖』一九七八年七月増刊号　美術出版社）
『日本の産業革命』大江志乃夫（岩波書店）一九六八年
『日本の思想』丸山眞男（岩波書店）一九六一年
『日本の歴史』第二一巻「近代国家の出発」色川大吉（中央公論社）一九六六年
『日本博物学史』上野益三（講談社）一九八九年
『日本博覧会史』山本光雄（理想社）一九七〇年

『日本洋画商史』日本洋画商協同組合編（美術出版社）一九八五年
『博物館学講座』第二巻「日本と世界の博物館史」樋口秀雄編（雄山閣）一九八一年
『林忠正とその時代』木々康子（筑摩書房）一九八七年
『美と芸術の論理』木幡順三（勁草書房）一九八〇年
『開かれた作品』ウンベルト・エーコ（篠原資明・和田忠彦訳）（青土社）一九八四年
『風景画論』ケネス・クラーク（佐々木英也訳）（岩崎美術社）一九六七年
『富士講の歴史』岩科小一郎（名著出版）一九八三年
『ふたつの世紀末』高山宏（青土社）一九八六年
『ブック・オブ・ブックス日本の美術』第四九巻「江戸の洋風画」成瀬不二雄（小学館）一九七七年
「文化財」宮崎良夫（『岩波講座』「基本法学」第三巻「財産」）（岩波書店）一九八三年
「本邦博物館事業創業史考」大久保利謙（『MOUSEION』第一七号）一九七一年
『翻訳語成立事情』柳父章（岩波書店）一九八二年
『見世物研究』朝倉無聲（思文閣出版）一九八八年
『明治国家形成過程の研究』稲田正次編（御茶の水書房）一九六六年
「明治時代の工芸概念について」前田泰次（『美術史』第一一号）一九五四年
『明治前期産業発達史資料』勧業博覧会資料（明治文献資料刊行会）一九七三―七六年
『明治大正の洋画』森口多里（東京堂）一九四一年
『明治の文化』色川大吉（岩波書店）一九七〇年
『明治百年史叢書』第二九五巻「内務省史」第一巻　大霞会編（原書房）一九八〇年
『明治百年史叢書』第二四九巻「G・ワグネル維新産業建設論策集成」土屋喬雄編（原書房）一九七六

年

『明治洋画史料』（懐想篇・記録篇）青木茂編（中央公論美術出版）一九八五年（懐想篇）一九八六年（記録篇）

『明治洋風宮廷建築』小野木重勝（相模書房）一九八三年

『目の中の劇場』高山宏（青土社）一九八五年

『物語批判序説』蓮實重彥（『海』一九八二年二月号）

『ラオコオン』「解説」桜井和市（生活社）一九四八年

「羅漢寺三匝堂考」小林文次（『日本建築学会論文報告集』第一三〇号）一九六六年

「螺旋空間の図像学」（一―六）渡部真臣（『萌春』第二五七―二六四号　但し、二五九、二六二号は除く）一九七六―七七年

『歴史とアイデンティティ』栗原彬（新曜社）一九八二年

初版あとがき

中江兆民は『三酔人経綸問答』(明治二〇年)のなかで、「時世は絹紙なり、思想は丹青なり、事業は絵画なり」と述べているが、このことばは、少なくとも明治の初期に関するかぎり次のようにいいかえても意味を失わない。「絹紙は時世なり、丹青は思想なり、絵画は事業なり」と。日本の近代絵画史の最初期の過程は、資本主義の形成、近代思想の展開、近代国民国家の創出とパラレルな関係にあったのである。しかも、その歩みは、翻訳によって西洋からもたらされた「美術」なる概念が受容定着されてゆく過程でもあったのだった。

つまり、美術は近代の申し子であり、絵画の近代化はこの国では美術への編入の過程としてあったわけだが、近代が終わりの時を迎えつつあるかにみえる今日、美術がこれから先どのような過程を歩むことになるのかを考えることは近代文明の行く末を考えることでもあるだろう。

近代に残されたのは空虚という名の希望だけだと、わたしは極言したが、これは、近代に何も残されていないということとはちがう。空虚という存在、これがくせものなのだ。

〝空〟のドラム缶に起爆性ガスが充満していることがあるように、空虚は時に絶大なエネルギーを密かに孕むことがあるのである。このことは、序章でふれた現代の天皇制をめぐる問題についてもいえるだろう。

空虚という難問とわれわれはどうわたりあえばよいのだろうか。あるいは、今こそ、当為の意味をこめて、絹紙は時世なり、丹青は思想なり、絵画は事業なりと敢えていうべきなのかもしれない。

「美術」の受容に関する史料で本書でふれえなかったものにロブシャイドの『英華字典』(一八六六)があるが、ここに「美術」の語はみられなかった。また、一括史料としての分析を充分に行ないえなかったために使用を断念した史料に、外交史料館所蔵の『墺国維也納開設万国博覧会ニ帝国政府参同一件』という史料があり、このなかには英独仏語の出品区分目録が含まれていて、fine Arts, Beaux-Arts という語が Kunstgewerbe と共に記されている。

なお本書では史料の引用にあたって、濁点や振り仮名や句読点を加除し、正字や俗字を現行の文字に改め、あきらかな誤字を正し、脱字を補い、場合によっては圏点を削除するなど読者の便宜を考えた措置を講じてある。

「螺旋展画閣」関係文書は手稿の写真によって読解を行なったが、その際、由一の手になるかどうかの判断を含めて青木茂氏の御教示を得た。また、青木氏は貴重な史料のかずかずを筆者にこころよく貸与された。かえりみれば、そもそも青木氏の導きなくしてわたしの明治美術探究はありえなかったし、本書も、青木氏が編纂された『高橋由一油画史料』に書かせていただいた「螺旋展画閣」関係文書の註を核として成り立っているのである。何といって感謝申し上げればよいのか、選ぶべきことばがない。

この三年余り、月に一度、横浜の某所に集まっては日本近代絵画の問題を語りあってきた読画会の友人たちは、わたしの拙い議論をさまざまに検討し、発想をおおいに刺激してくれた。ありがたいことと感謝している。

本書にはこれまでさまざまな雑誌に書いた論稿が織りこまれている。タイトルや誌名をいちいち挙げはしないけれど、わたしに書く＝考える機会を与えてくださった編集者の方々にこの場を借りてお礼を申し述べたい。

最後に、本書の生みの親である美術出版社第一編集部の椎名節氏に感謝の思いを伝えなければならない。椎名氏は、なかなかしごとにかかれずにいるわたしを忍耐強く見守ってくださり、逡巡の挙句に真っ赤にしてしまった校正刷りをみても顔色ひとつ変えられなかった。椎名氏には、感謝のことばと共にお詫びを申し述べねばならない。

一九八九年七月一四日

北澤憲昭

定本の刊行にあたって

ぼくの初めての著書である『眼の神殿——「美術」受容史ノート』が刊行されて今年で二〇年になる。二〇年といえば、赤ん坊が一人前の大人にまで成長する歳月であり、ふり返ると正に今昔の感がある。ものを書く環境や道具立ても、この二〇年間に大きく変わった。この本を書いた頃はインターネットは未だ普及しておらず、したがって国会図書館の近代デジタルライブラリーもなく、電子辞書も高価で、それほど出回ってはいなかった。そういう時代に、ぼくは、この本をワープロ専用機で書いたのだった。

書物は、それ自体としてはもちろん年をとることはない。変化も成長もしない。ただ、書物と社会、書物と読者の関係は、人間の場合と同じく変化してゆく。本書の場合も、むろん例外ではない。著者である、このぼくとの関係も大きく変化した。このたび、改めて本書を読み返して、つくづくそう思った。本書の基調を成しているのは近代に対する異和であり、そのことに何ら変わりはないのだが、これを具体的な論のかたちで貫くためには、状況に応ずる転位を、繰り返し自身に課する必要があったのだ。

こうした感懐は、この間の時代の動きとも大きくかかわっている。本書の発行年月日は一九八九年九月三〇日、その約一カ月後にベルリンの壁が撤去され、翌々年にはソヴィエト社会主義共和国連邦が消滅した。こうして冷戦体制が終結し、時代はグローバリゼーションの大波に飲み込まれていったのである。

まさに激動の時代の端緒で本書は刊行されたわけだが、じつは激動の時代の予兆は、本書の着想以前からあった。むしろ、その予感が、この本を書かせたのだといった方が正確であるかもしれない。八〇年代は、六八年の五月革命を契機に急速に深まりを増したポスト近代の予感が、次々と世界史的現実と化してゆく手応えに充ちた時代だった。ポーランドにおける独立自主管理労働組合「連帯」の活動から、欧州ピクニックへ、そしてソヴィエトの解体へと、歴史の水位が津波のようにみるみる高まり、近代の神話を残骸もろとも飲み込み、流し去ったのだ。また、一九八九年の一月には、昭和天皇を死が見舞った。

*

刊行直後の美術界へ眼を向ければ、バブル経済に浮力を与えられた美術行政が活気立ち、美術界は国公立美術館がリーダーシップをとる美術館主導の状況下に置かれていた。そして、かかる状況の進展と歩調を合わせるように、六〇年代までのアヴァンギャルドの清算がそそくさと行われ、アヴァンギャルドの陰で息をひそめていた絵画と彫刻が現代美術として幅を利かせるようになりはじめた。銀座界隈の画廊では、いったいどこからどうやって入れたのだろうと訝しく思われるほどの大きな絵を、しばしば見かけるようになった。つまりは、美術館の壁に掛けてもらいたくて仕方ない作品たちである。絵画や彫刻という表現媒体の再評価とアヴァンギャルディズムへの批判は、美術史的な脈絡に即して捉えるべき事柄であるが、しかし、美術館における収蔵の便宜にかかわる事柄でもあったにちがいないのである。

他方、美術館時代の到来は、日本近代美術研究の促進にも一役買った。公立美術館の場合、建設地と縁のある美術家を無視するわけにはいかないからであり、決して豊かとはいえない購入予算の問題も、そこには絡んでいたようだが、ともあれ美術館を運営してゆくうえで、日本近代美術史の実証的研究の進展が強く望まれたのであった。しかも、美術館活動は貴重な史料を発掘することで研究の進展に対して大きく寄与するところがあった。両者は持ちつ持たれつの関係にあったわけで、研究者の多くは美術館員を兼ねていた。こうした研究状況を示す代表的な例は一九八四年における明治美術学会（創立当初は明治美術研究学会）の創立である。

当時、東京国立文化財研究所（現・国立文化財機構東京文化財研究所）においても研究の体制は着々と整えられつつあった。ぼくは、この研究所の昔の建物（黒田記念館）に付設された書庫で、どれほど多くのことを学んだかしれない。また、ここで同年代の美術史学者たち――佐藤道信氏、鈴木廣之氏、山梨絵美子氏たち――と知り合いになり、ぼくは、やがて研究所主催のシンポジウムにパネリストとして参加するまでになった。学部を了えたのち、いきなり美術評論の世界に飛び込んだぼくにとって、東京国立文化財研究所は、いわば大学院のような場所であった。これより少し遡るが、同研究所が編纂した『明治美術基礎資料集』(一九七五)は、第一回、第二回の内国勧業博覧会の美術部門と二回にわたる内国絵画共進会の史料の影印復刻を行い、ぼくなどは、これによって大いに啓発されるところがあった。

それから創形美術学校修復研究所(現・修復研究所21)を拠点とする歌田眞介氏の技法-材料研究にも大いに啓発された。美術史学に対する歌田氏の研究は、たとえていえば日本文学に対する日本語学のような位置にあるものであり、その無骨なまでの合理性に、ぼくは、すっかり魅了されてしまったのだった。美術館の隆盛にまつわる以上のような研究状況があってはじめて、ぼくは『眼の神殿』を執筆することができたのである。

とはいえ、ぼくは美術館時代の到来を単に歓迎していたわけではない。ぼくは美術館時代の恩恵にあずかりながら、美術館の時代に対して距離を置いていたのである。こうした構えがなかったならば、ぼくはこの本を書くこともなかっただろう。

*

国公立美術館に主導される美術館の時代は、とりもなおさず官僚支配の時代ということであり、美術界は、みるみるうちに美術官僚たちによって牛耳られるところとなっていった。台頭する美術官僚たちが、アヴァンギャルド運動に対抗して美術の再「制度」化に乗り出したのである。これには在野の批評家たちも協力体制をとっていたが、アヴァンギャルドにシンパシーをもつぼくとしては、こうした状況に馴染むことが、どうしてもできなかった。絵画や彫刻の回帰に対応して「美術」や「芸術」へのノスタルジックな賛辞の声が美術界を覆うようになったのも、ぼくには、ひどく居心地が悪かった。居心地がよくなかったのは、こうした美術界の動きに、資本制と官僚制を踏まえつつ国民国家と民族に肩入れをする政治上の保守主義に相通ずるものを感じていたからでもあった。

ようするに美術における官僚支配の時代の到来であり、「美術館」翼賛体制が確立されていったわけだが、こうした状況は明治初期のそれに似通っていた。本書のなかで跡づけたように、明治初期に翻訳語としてもたらされた「美術」は、官僚たちによる制度‐施設の構築と相即的に形成の途についたのである。日本近代美術研究の進展が次々と繰り広げてみせる史料群によって、こうした見取図を得たぼくは、明治美術の官僚制的性格と、自分が置かれている時代状況を重ね合わせることで、歴史と同時代とを批判的に捉え返す批評の観点を徐々に明確化していったのだった。つまり、状況に対する異和こそが『眼の神殿』執筆の動機だったのである。

「制度」に関する理論としては、本書では三木清と宮川淳に言及するにとどめたが、丸山眞男の『日本政治思想史研究』(一九五二)における「制度」への言及も、遠く踏まえていたつもりである。荻生徂徠が「聖人の道」を「自然」ではなく「作為」された「制度」と捉えることで、変革の可能性を切り開いたことに、近代的思考の先駆を見出す丸山の発想は、本書の基調を成しているといってもよい。また、柄谷行人氏の『日本近代文学の起源』(一九八〇)と『隠喩としての建築』(一九八三)から発想法に関して多くを学んだ。なかでも『日本近代文学の起源』の「近代的自我」がまるで頭の中にあるかのようにいうのは滑稽である。それはある物質性によって、こういってよければ〝制度〟によってはじめて可能なのだ。つまり制度に対抗する「内面」なるものの制度性が問題なのである」という指摘は、ほとんど啓示的な意味をもった。『畏怖する人間』(一九七二)以来の氏の読者であったぼくは、氏の行論を通じて、時代のなかに根本的な変化が起こりつつあることを如実に感じとったのだった。高階秀爾氏の『近代日本美術史論』(一九七二)を読んだことも決定的だった。高橋由一以下の近代画家論として多くを学んだのはいうまでもないことながら、決定的だったのは岡倉天心とフェノロサという美術家ならざる人物が美術家たちと同列に論じられていることであった。『眼の神殿』において起業家としての高橋由一や、天心やフェノロサをクローズアップして論じることになる、その発想の原点に本書があった。

しかし、こうした批判的観点が制度-施設史的な論としてかたちを整えるにあたっては、いまひとつの重要な契機があった。それは、高橋由一の「螺旋展画閣」構想との出会いである。これを知ったのは、一九八四年に刊行された『高橋由一油画史料』編纂のしごとに、編纂者の青木茂氏のアシスタントとしてかかわったときのことである。油絵の再現性を踏まえつつ、真理へ向かって進歩の螺旋路を描くこの表象の塔は、たちまちのうちにぼくを虜にしてしまった。そして、この塔に夢中になっているぼくに、青木氏は、関連史料の註を任せてくださったのである。このとき執筆したノートが『眼の神殿』への第一歩であり、これを核として、明治初期における制度‐施設史的な「美術」概念形成に関する思惟が結晶化しはじめたのだが、その結晶のかたちを決定したのは、むろん螺旋展画閣の形象であった。この形象によって、明治期のさまざまな次元にわたる史料が、そして、それらの史料をめぐる思念が、みるみるうちに結集し、本としてのかたちを成していったのだ。

ただし、この注釈のしごとが直接に『眼の神殿』の刊行につながったわけではない。その頃アルバイトで日本近代美術史を教えていた東京芸術専門学校（TSA）の『藝術評論』に、この注釈を敷衍した「螺旋展画閣——あるいは「美術」の起源」というエッセイを四回にわたって連載したのが（第四号、五号、八号、九号）、本書刊行の直接のきっかけとなったのである。この連載に目を止めて下さった美術出版社の椎名節氏から、これをもとに書籍を書き下ろしてみるつもりはないかというお話をいただいたのだ。

＊

この本を書き進めながら、同時代と明治初期の共通性を思いつつ、そこから、出口と入口の奇妙な類似ということに、しばしば思いを馳せた。とはいえ、プレ・モダンとポスト・モダンを重ね合わせて捉えようなどと企んだわけではない。むしろ、未来をあらたな官僚支配に託することなく次の時代へと進むために、つまりは、明治初期の轍を踏まぬために、明治初期の美術について知る必要があると考えたのである。現在、政治課題として注目されている官僚支配の基盤を形成した大久保利通は、内国勧業博覧会創設によって美術の制度化に大きく貢献した人物でもあるのだ。

また、入口と出口の近似ということには次のような意味もある。高橋由一が、幕末に油絵を描きはじめ、やがて明治初期にプロとして立つまでのあいだ、彼は、たんに絵を描くということだけではなく、それを描くための画材作りから手がけなければならず、油絵を展示し、売り、後進を育成し、就職の世話をし、洋画制作の理論を組み立て、さらには啓蒙を行うというさまざまな活動を繰り広げなければならなかったのだが、ぼくは、自分と同時代のアヴァンギャルドにも、同じような活動形態――制作にまつわるさまざまな次元をみずから切り開いてゆくほかないという活動の在り方を見出したのだ。

もっとも、この当時、アヴァンギャルドの活動は絵画、彫刻の台頭によって影の薄いものになってはいたものの、しかし、決して消え去ったわけではない。たとえば神田にあった「パレルゴン」というスペースは、作家たちの「自主管理」によって運営され、発表、理論構築、批評、シンポジウムや出版活動など多岐にわたる活動を行っていたのである。本書を書き進めるうえで、この画廊の活動が、いつも頭の片隅にあったということを、いまにして思い出す。この最初の本以降、ぼくは『境界の美術史』（二〇〇〇）、『「日本画」の転位』（二〇〇三）、『アヴァンギャルド以後の工芸』（二〇〇三）などに収めた論考が示すように、工芸、日本画など、比較的周縁的なジャンルに関する論考を展開してゆくことになるのだが、もしかするとこれは八〇年代におけるアヴァンギャルドの境遇への思いとかかわりがあるのかもしれない。「美術」に統合しえない造型の諸相に、ぼくはいまなお強い関心を抱きつづけている。

*

しあわせなことに、この本はサントリー学芸賞を授けられ、研究者としてのぼくの出発点となった。その折に高階秀爾氏からいただいた授賞理由の言葉は、考え、書き続ける勇気をぼくに与えてくれた。その後、東京藝大の資料館近くで、はじめて氏にお会いしたとき、よかったですね——と言ってほほえまれたあの笑顔は、いまでもぼくにとって最高最大の励ましである。とかく非礼なふるまいの多い自分だが、青木氏と高階氏の学恩は片時も忘れたことはない。

ところで、ぼくは、いま、この本が研究者としての出発点であるといったが、出発点であるということは礎ということではない。現在のしごとの価値は、この本から、どれほど遠くまで来られたかによって決まると、ぼくは考えている。そういう意味で、この本は、ぼくにとってのデンクマール（記念碑）であるということができそうに思う。

刊行二〇年を機に再刊する気はないかとブリュッケの橋本愛樹さんが声をかけてくださったのは昨年のことだった。しかし、そのとき、ぼくは、いささか躊躇するところがあった。自分自身にとっての出発点を、改めて世に問うことの意義が、どれほどあるのか疑問に思ったからである。しかし、初版が売り切れ、絶版となったのちにも、なお本書を求めるひとたちがいることを知り、心が動いた。初版当時とは大きく異なる現在の状況において、また、学問研究の進展にもかかわらず、『眼の神殿』が初版当時とは違う何らかの意義をもちうるのであれば、再刊もありうるかと考えるようになったのである。

最初は誤字脱字などケアレスミスの訂正にとどめて復刻するつもりだった。出発点を動かすわけにはいかないからである。だが、チェックをしているうちに、表現のわかりづらいところが目につくようになり、これを放置するにしのびなく、ついつい手を入れているあいだに添削部分が、どんどん増えていった。すなわち、誤字脱字、引用や年記のあきらかな間違いを正すにとどまらず、論旨が伝わりにくいと思われる措辞を改め、部分的な構成を手直しし、約物の統一を行い、句読点を打ち直し、原史料の訓などを参照しつつ史料にフリガナを増補する作業を行った。手直しの対象には、刊行直後から、目に入ったごみのように気になり続けていた誤りや脱落も含まれている（たとえば、東京都美術館を、東京府美術館の「後身」と称したくだりは、刊行直後の書評で中島理壽氏から都制施行による名称変更にすぎないと指摘されたのを受けて訂正した）。

ただし、論旨には、いっさい変更を加えていない。また、本書刊行以後に研究や調査であきらかにされた事柄を盛り込むこともしていない。つまり、本書は、一九八九年に刊行された歴史的時点に定位したまま、動いていない。むろん、措辞の改変が内容に影響を及ぼさないわけがなく、細部において知見の微妙な改変を結果している場合もないとはいいがたい。そこには、知見の変化が、あるいは投影されているかもしれない。しかし、初版で主張され、実証され、論証されている内容に変更はない。読解の訂正もその範囲に収めた。すなわち、この本が、ぼく自身の出発点であることに変わりはない（本文の校訂は以上のごとくであるが、図版についてはキャプションを正し、さらに、初版刊行後に知り得たものも含めて増補や入れ替えを行った）。

以上のような成り立ちゆえに、本書は決して「復刻版」ではなく、厳密には「改訂版」とも呼びがたい。では、いったい何と称すればよいのか。悩んでいるところに、橋本さんが「定本」という呼び名を提案してくれた。決定版というほどの意味だが、内容的に一九八九年時点に定位されている本書は「定本」とは称しがたく、また、推敲もとうてい十全とはいえない。だが、自分の年齢を考えれば、本書に手を加えて出版する機会は、これが最後になるかもしれない。とすれば、すくなくとも表現に関しては、これを以て決定版としてもよいのではないかと思い、「定本」の名を受け入れることにした。

＊

復刻の申し出を受けた当初、日本近代美術にかかわるこの二〇年の研究史を、ぼく自身のしごとも含めて顧みる一文を巻末に収めるつもりであった。また、『眼の神殿』以降のぼくのしごとに対する批判に応える義務もあると感じていた。たとえば、刊行以来、あれは「美術史」ではないという批評を受けることが、たびたびあったが、「美術」概念の受容プロセスを解明しようとした本書が、「美術」概念を前提とする単なる「美術史」でありえないのは理の当然であるとして、しかし、美術の制度や施設にまつわる法的言語や社会的言説に関する研究が、単なる実証史料の域を超え、美術史叙述の重要な一次元となりうることを示した点において美術史学に対して何らかの貢献をなしえたのではないかという自負がないわけではない。

また、ぼくの書くものが、評論なのか史学論文なのか、その境界の曖昧さについて、しばしば指摘されることがあった。これに応ずるべく、歴史なるものに関する自身の考えについても語っておきたかった。

ぼくは、歴史として叙述される過去は現在の自分自身の観点から理論的に構成されるものであり、歴史叙述は、つまるところ一種のナラティヴであると考えている。ただし、これは個的な主観性によって恣意的に歴史を編み上げるということではない。そうではなくて、視座構造から自由に歴史を書くことなどできないということである。したがってまた、これは、決して実証を軽んずるということではない。ただ、実証手続きも視座構造や共同化された理論（パラダイム）から自由ではありえず、しかも、実証は歴史叙述の目的ではありえないと、ぼくは考えるのである。あるいは、こういってもよい。歴史叙述というのは、実証的な批判を経た史料を手がかりとする理論的構想力の産物、譬えていえば、あたかも蜘蛛が樹木の枝に巣を掛けるように、史料という枝々のあいだに構想力による形象を描き出すことなのだ、と。この点において、歴史叙述は批評の述作に近づく、というか、両者は共に理論家が担うべきしごとなのである。

理論は、単に歴史叙述の方法と内容にかかわるだけではない。それは、歴史叙述のスタイルにもかかわる。学問的な真摯さを失わず、しかも、同時代の感性に訴えかける叙述のスタイルを発明してゆくのも理論家としての歴史家に課された重要な社会的任務なのだ。美術をめぐる過去の言説が、単に作品論や作家論の史料としてのみならず、言説それ自体としても研究にあたいすると考えるならば、美術に関する歴史叙述のスタイルは――同時代の美術評論や美術記事のそれと共に――美術の現在の重要な一次元を成すと考えて然るべきだからである。

簡略に述べれば、歴史叙述は、実証と論証の協働によって成り立つということだが、この協働のプロセスに、社会化された価値観や意図や理論的構えが影を落とすことになるのは当然であり、このことを自覚するならば、自説の相対化に関してやぶさかではいられない。自説の相対化が、歴史叙述の多様性を認めることに通ずるのはいうまでもないことながら、この多様性は、ただし、何でもありの多様性ではない。批判による切磋琢磨を経た多様性でなければならず、歴史が進行するかぎり批判に終わりはない。つまり、歴史叙述は本質的にオープン・エンドなのだ。本書刊行の機会に、こういう自己の歴史論についても、本書や、本書の続編である『境界の美術史』における具体的事例に即して述べておきたかったのである。

ようするに、出発点から今日に至る本書にまつわる出来事を記述しながら、ここに至る距離を測り、自分自身の在り方を顧みようと思ったのだが、書き進めてゆくうちに、どうしても我田引水に陥る傾向を避けがたいことに気づき、執筆を中断した。その後、逡巡の期間がしばらく続き、本文に手を入れるしごとも遅滞しがちになった。そうこうしているうちに、今年の夏の初めに橋本さんから催促を受けたのを機に、研究史を含む解説を第三者に依頼することに決し、足立元くんに執筆を依頼することとなった。足立くんは、東京藝大で佐藤道信氏の薫陶を受けた若い研究者である。世代的には、佐藤氏やぼくが道をつけた制度－施設史的研究法を相対化しうる位置にいる。どのような解説ができ上がるか、たのしみにしている。この本を批判的に捉え返す義務と権利は、誰よりもまずぼくに存することを忘れてはいないが、自説に対する批判的検討は、この二〇年間のしごとにおいて、まがりなりにも成し遂げてきたといえないこともない。ここはいさぎよく他者にゆだねることにした。

＊

初版の装幀は中垣信夫氏と岩瀬聡氏が手がけて下さり、オブジェのようなおもむきの本となったが、今回、定本の刊行にあたっては、表紙を畏友中上清の絵が飾ってくれることになった。この絵は、家蔵のもので、制作年代は、本書の執筆時期と重なる。中央に何もえがかれていないこの画面は、希望としての「空虚」を鳴り響かせているように感じられる。あの頃、中上も、ぼくと同じように空虚を見つめ、あるいは、それに耳を傾けていたのかもしれない。こころよく装画としての使用を許してくれた中上清に感謝する。

＊

この間、ぼくの研究を支持し、励まし勇気づけてくださった方々に感謝の思いをこめて、この定本を捧げたいと思う。

二〇〇九年一一月一〇日

北澤憲昭

文庫版あとがき

COVID-19の地球規模の蔓延が社会を大きく揺さぶっている。ウイルスの本性も、検査体制も、ワクチンの開発も医療機関へのアクセスも、統計も、なにもかもが曖昧なまま事態が推移し、不安が世界を重く厚く覆っている。状況は予断をゆるさない。
しかし、これが世界史的な事件であることは否定しがたい。いまこのときに、人間社会に大きな変化が起こりつつあることは確かであり、そのような意味でCOVID-19の蔓延は世界史的な出来事と称することができる。

今後の社会の有りようについて、さまざまな見解が提示されているが、事態があいまいなままでは、どれも憶測の域を出ない。ただし、現状をみるかぎり、次のような見方が一番もっともらしく思われる。インターネットの世界的な拡がりのなかで醸成されてきた潜在的可能性が、いっきょに増幅され顕在化することになるだろうという見方である。たとえばソーシャル・ディスタンシングにしても、COVID-19の流行を俟つまでもなく、インターネット社会の深化に応じて既に始まっていたとみることができる。それが疫病という偶然のチャンスによって加速され、質的な飛躍や変化を社会にもたらしつつあるのだ。

美術が、こうした動きによる影響をこうむらないはずがない。とりわけ、現代性を標榜する美術は、これを無視して成り立ちようがなく、げんに、ネット空間におけるさまざまな表現の模索が行われている。

美術館活動も、インターネットとのかかわりにおいて今後の在り方を模索しつつある。美術大学もまた然り。このような時代に、日本社会における「美術」というジャンルのなりたちを、博覧会、美術館、美術学校など諸制度に照準を絞って探究したこの本が文庫化されるのは何かしら時宜にかなったことなのかもしれない。

時宜といえば、一九八九年にこの本を上梓するに至った動機も、同時代の美術の動きにかかわっていた。これは定本の「あとがき」に詳しく書いたところだが、改めて振り返ってみると、本書の初版が刊行された八〇年代の美術は、「反芸術」の名で総括される一九六〇年代アヴァンギャルドの残渣を一掃して、「美術」あるいは「芸術」の正統に復帰する動きを見せていた。他方、八〇年代は「美術」という語に代わって、英語 art に由来する「アート」という外来語が拡がりをみせはじめた時代にあたってもいた。art は美術であり、芸術であり、また技術でもある広い意味をもつ語だが、この時代の美術状況は、視覚に訴えかける造型に跼蹐（きょくせき）することなく、より広やかな場へと自己を解放しようとする動きをはらんでいたのである。

美術を礼賛する保守回帰の動きと並行して、旧来の美術からの逸脱をもくろむ新手のアヴァンギャルドが台頭しつつあったわけだが、これは、冷戦体制終末期に、旧社会主義圏における国民国家の再生と、EU諸国における国民国家の相対化が踵を接して起こった国際政治の状況に比定することもできるだろう。

ちぐはぐともみえる、このような美術状況に対する問いかけとして、わたしは次のような思いを込めて本書を書き上げたのであった。美術が追い求めてきたものを、この先も追い求め続けるためには、いたずらに美術を礼賛し、美術に拝跪するのではなく、とりあえず「美術」というジャンルを相対化してみる必要があるのではないか。それはまた、少年時代から美術に取り憑かれてきた自分自身を相対化することでもあった。

文庫化にあたって、初版刊行後の研究成果を本文に盛り込むことはせず、単純な錯誤や措辞の乱れを正し、文字づかいを修正するにとどめた。これは定本刊行にさいして取った方針でもある。ただし、このたびは「美術」という翻訳語の初出について、宮内庁所蔵の史料と欧文公文書を踏まえた再検討を補論のかたちで第二章に加筆した。

ちくま学芸文庫に収めることを慫慂してくださった筑摩書房の北村善洋さん、定本のための解説を再録することを許可してくれた足立元さん、そして文庫版のための解説を執筆してくださった佐藤道信さんに心から感謝の気持ちを伝えたい。それから、ジャケットに作品の画像を載せることを快諾してくれた畏友中上清にも、ありがとうと言わなければならない。定本の版元であり、この七月で業を廃されたブリュッケの橋本愛樹さんは、本書の刊行に協力を惜しまれなかった。こころから感謝もうしあげる。

二〇二〇年九月一日

北澤憲昭

解説　螺旋のアヴァンギャルド——「「美術」受容史」の受容史

足立　元

はじめに

今日、日本美術史を学ぶ者たちの間では、日本（語）の「美術」が近代に新しく形成された制度の一つであり、決して永遠不変のものでないことは、ほとんど当然の共通認識となっている。だが、このような認識は、決して古くから成り立っていたわけではない。その認識は、一九八九年に出版された北澤憲昭の『眼の神殿——「美術」受容史ノート』の刊行を契機として、この二〇年の間に作られていったのである（補注：本稿は二〇一〇年のブリュッケ版『眼の神殿［定本］』に収録されたものを再録した。本稿執筆時から一〇年を経てアート・シーンにも変化があった上、本稿の主張や予測において外れたり当たったり、まだ行く末が分からなかったりする部分もあることを断っておく）。

本書は、「美術」という概念が明治の初めに西洋から移植されたものであること、そして、日本近代美術史のみならず「日本美術史」もまた「美術」ということばをめぐって構築された近代の諸制度によって初めて可能となったことを、明らかにしたのだった。

もっとも、「美術」の初出が一八七二年の官製訳語であったという事実は、北澤が発見したことではない。げんに本書において北澤は、この事実をめぐる先人たちの知見を踏まえて論をすすめている。むしろ、北澤が「発見」したのは、本書の序章で論じられているように、日本美術史は制度の歴史として捉えることが可能であるということ、すなわち制度論（制度史とも制度 - 施設史とも呼ばれる）という視点であった［1］。

章構成に沿って紹介するならば、『眼の神殿』は、大きく分けて三つの史料群を検討する過程から成り立っている。一つめは、主に高橋由一に関する史料群であり、「螺旋展画閣」構想の分析を考察の起点として、由一が目指した「美術」の制度化を論じる（第1章）。二つめは、主に内国勧業博覧会に関する史料群を取り上げ、翻訳語「美術」を論じ、「眼の権力装置」としての博覧会、博物館、美術館の機能を暴き出す（第2章）。そして三つめは、主にフェノロサおよび内国絵画共進会に関する史料群であり、「螺旋展画閣」構想を打ち砕いたフェノロサの「神の一撃」、岡倉天心の思惑、さらに「日本画」創出に潜む国家と美術の関係までを問い直す（第3章）。

しかも、本書の内部では、しばしばこれら三つの史料群が絡み合いながら、様々な問題が次々に論じられてゆく。すなわち、「うつすとつくる」、「個人と国家」、「由一とフェノロサ」、「西洋画と日本画」、「個人と国家」、「日本と西洋」、「内政と外交」、「夢想と現実」

等々……。

これらの問題群は、もはや美術史の範囲を超えて、あまりに多岐にわたっているように見えるかもしれない。しかし、それらを一塊の大きな問題として捉えることを可能にしたのが、螺旋という、無限の死と再生を象徴する形象／メタファーの力であった。本書は、それまで由一の事歴のなかでもほとんど顧みられることがなかった「螺旋展画閣」構想を、すべての問題を巻き込む巨大な渦として、日本近代美術史論の冒頭に掲げてみせた。その螺旋は、多岐にわたる問題群を纏め上げたばかりでなく、現代の美術が抱える問題にまで突き刺さったのである。その結果、後述するように、現代日本における美術史研究は大きな転回を経験することになった。

この意味で、本書を単なる歴史の研究書とみなすことはできない。むしろ本書は、既存の価値を転覆しようと企てた点で、アヴァンギャルドの「作品」なのだといっても過言ではない。ただし、この螺旋のアヴァンギャルドは、先端を夢見て前進するかつてのアヴァンギャルドとは異なって、事物の歴史的な根源へと向かう。さらにそれは、境界線上に在って複数の領域を攪拌しながら、私たちの視界を覆っている虚構の天蓋を引き剝がしてくれるのだ。

美術評論家としての北澤憲昭の活動は、二八歳のとき、一九七九年の七月号から一年間、『美術手帖』の「展評」欄を担当したことから始まる。彼の最初の「展評」が、あまり展評らしからぬ書き出しから始まるところに、注目したい。それは、単なる一九七〇年代の状況分析にとどまらず、一種の批評宣言とも読めるだろう。

美術の七〇年代は、いわば〈エグザイルの帰還〉の歳月であった。（中略）この現象を批評の側から捉えるならば、七〇年代は、生真面目な正論の時代と呼ぶことも可能である。たとえば、芸術・美術・絵画・彫刻といった語彙の急速な復権は、そのもっとも端的なあらわれといえるだろう。（中略）そこで私は、まず初めに次の一点を確認しておこうと思う。すなわち、それは、批評はことばによってつくられる、ということだ。このいかにもあたりまえな一事を確認することこそ、批評の固有性を自覚するための第一歩、そして美術批評がしばしば忘れがちな批評の素心にほかならぬからである。さらに、ここから批評における虚構性といった問題を浮かび上がらせることも可能であろう（後略）（傍点原文ママ）［2］

つまり、北澤は、美術評論家としてのキャリアの初めから、ことばへのこだわりを高らかに表明していたのであった。この表明は、ことばの成立をめぐる諸制度の内に「美術」の起源を問うた『眼の神殿』へと、まさに直結している。『眼の神殿』が上梓されるのはこの展評の一〇年後であるが、この批評宣言が、来るべき書物に関わる予震であることに、そのとき、いったい誰が気づいただろうか。

同じ頃の北澤の仕事で、もう一つ重要な文献がある。「美術はいま——〈モガリ〉ということばによって」と題して、七〇年代末の日本美術を総括したものだ[3]。その文章で彼は、一九七九年の瀧口修造と鶴岡政男の逝去について触れつつ、仮の喪を意味する「モガリ」においては招魂が死の確認でもあるというアイロニーを梃子に、「もの派」への反動から生じた「絵画」や「彫刻」への回帰を批判し、同時代における「美術」の単純な蘇生を断固として否定したのであった。では、私たちはいったいどこへ「回帰」すればいいのか？ そもそも「回帰」すべき場所が存在するのであろうか？ あるいは、その場所に、私たちはかつて住んだことがあるのだろうか？

おそらく、時代状況に対峙するこのような姿勢を表明したことによって、美術評論家の北澤憲昭は、おのずと日本近代美術史研究に向かったのであろう。

北澤が日本近代美術史を論じた早い例としては、一九八一年九月の『みづゑ』「浅井忠特集」に寄せた文章がある。そこで、北澤は、浅井忠の「近代的な美」を語ることを括弧にくくり、見ることの前提となる〈美〉の制度について、次のように論じていた。

> 「近代的な美」について云為するまえに、〈美〉という観念じたいが、近代に入って、はじめてわれわれにもたらされたものであるということを思い出しておく必要があるのだ。〈美〉という観念を絶対化しないために〈美術〉というものがけして普遍的なものではなく、ひとつの制度にすぎぬということを知るために、そして、〈美〉や〈美術〉というものに、われわれが如何に深く囚われているかということを自覚するために、そのことは必要なのである。（傍点原文ママ）［4］

こうした意識の時代背景には、フランスのポスト構造主義（ポストモダニズム哲学）を紹介・駆使した浅田彰『構造と力』（勁草書房、一九八三年）に代表される、いわば八〇年代ニューアカデミズムの流行もあった。当時の北澤は、それらニューアカデミズムとは距離を取りつつも、決して無視することなく現代思想の滋養を貪婪に吸収していったのだろう。一九七七年に早逝した美術評論家の宮川淳も、北澤の思考に大きな影響を与えていたことは疑いない。本書でも触れられているが、「絵画とその影」等の評論において、宮川は早くから「見ること」の制度を論じていた。また、八〇年代には、柄谷行人『日本近代文学の起源』（講談社、一九八〇年）が刊行され、文学の領域において、自らの起源が明治期に創出されたものであったことが暴き出されていた。ここからも北澤は多くを学んでいる。

いま引いた浅井忠をめぐる論は、柄谷の同書を踏まえたものであった。

八〇年代半ばから北澤は、美術評論家としての活動と並行して、両面作戦のごとく日本近代美術史研究にも取り組み始める。当時、『高橋由一油画史料』（中央公論美術出版、一九八四年）の翻刻出版に取り組んでいた美術史家の青木茂のアシスタントとして、本格的に日本近代美術史の史料を読み込んでゆくことを開始したのだ。青木が編纂した『明治洋画史料 記録篇』（中央公論美術出版、一九八六年）、『日本近代思想大系 美術』（酒井忠康と共編、岩波書店、一九八九年）、『明治日本画史料』（中央公論美術出版、一九九一年）にも、北澤は名前を連ねていた。

これらの史料復刻本のなかには、『眼の神殿』のエスキスとなったとおぼしき北澤の文章も見える。たとえば、『高橋由一油画史料』において北澤は「螺旋展画閣」の部分の「註」を五頁にわたる長さで記しているが[5]、これが本書第一章の着想へとつながっている。また、『日本近代思想大系 美術』において、北澤は、フェノロサ『美術真説』の頭註をつけ、さらに「ウィーン万国博覧会列品分類」等の解説を執筆していた[6]。こうした史料の読解作業が、本書の第2章、第3章へと展開したのだろう。さらに一九八四年から八八年にかけて、北澤は「螺旋展画閣――あるいは「美術」の起源」と題した文章を断続的に発表していた[7]。

えてして美術評論家は華やかな現代美術シーンばかりに関心を寄せるものだが、明治期の美術史料の復刻という地道な仕事に従事するなかで、北澤は美術評論家として逆説めいた確信を得ていったのにちがいない。誰も見向きもしない古い史料の原典を読解する作業が、実は現在のアクチュアルな問題に対抗する武器になりうるのだという確信を。

要するに、『眼の神殿』の直接的な起源は、一九七〇年代後半に始まる「絵画・彫刻への回帰」への反発、宮川淳や柄谷行人等からの影響に加え、青木茂との史料復刻の仕事にあった。いわば本書は、同時代美術への状況批判、八〇年代のポストモダニズム思想、そして実証的な史料分析の、三つ巴のなかから生まれたのである。

『眼の神殿』旋風と国際的研究動向

一九八九年九月、当時三八歳の北澤憲昭は『眼の神殿』を上梓し、それは時代を画す大きな旋風を巻き起こした。当初の様々な反響のなかで、最も大きかったのが、翌一九九〇年におけるサントリー学芸賞（芸術・文学部門）の受賞であろう。その際の高階秀爾の選評には、「しばしば入手困難な基本資料を徹底的に追い求めて、広い視野から「美術」の成立を明らかにした本書は、サントリー学芸賞にふさわしい力作」［8］とある。

同時期の書評の一部も見てみよう。写真評論家の飯沢耕太郎は、次のように述べた。「『眼の神殿』が一般的な美術史の概説書の枠組みを超えた緊張感をはらんでいるのは、過去を照射することによって、現在と未来を見据えようとする意思によって貫かれているためだろう」[9]。美術書誌家の中島理壽は、「本書は、現象論に始終していた近代日本美術史研究に本質論を挑んだもの」[10]と端的に評した。そして、文芸評論家の松山巖は、『眼の神殿』をミシェル・フーコーの歴史分析になぞらえたが、単にフーコーの見取り図を日本に置き換えたのではなく、それを咀嚼した上で、日本の美術にまつわる制度を捉えたことを絶賛した[11]。

一九九〇年はバブル景気の最中でもあった。この年には、一企業家がゴッホの作品を一二四億円で購入したことが話題になり、水戸芸術館の開館、企業メセナ協議会の発足もあった。一年の美術を総括する『読売新聞』の記事は「文化という言葉が今年ほど麗々しく語られた年も珍しい」と批判的に捉えつつ、次のように報じた。「その意味で、地味な評論の仕事で山梨俊夫『絵画の身振り』が倫雅美術奨励賞を、北澤憲昭『眼の神殿』がサントリー学芸賞を受賞したのは一つの光明でもあった。何よりもそこには、意味の通る日本語で美術と人間のかかわりを語り通そうという力仕事が展開していたからである」[12]。

これらの当時の評価に私見を付け加えるならば、一九八九年の『眼の神殿』は、現在の視点で近代までの歴史を新しく捉え返そうとする同時期の欧米の美術史の研究動向に、知らずして共鳴していたことを指摘できる。

たとえば、ウード・クルターマンによる『美術史学の歴史』(原著改訂版は一九九〇年)

は、古代ギリシャから一九八〇年代に至る美学者・美術史家たちの業績と方法論を網羅したものであり、今日の美術史学や美術への認識が如何にして成立したかを総覧してみせたものである。もっとも、同書は、美術史学の発展史を記しえたとはいえ、パラダイム・チェンジの列伝を年代順に並べたものであり、それ自体で大きな革新性があったとはいいがたい。むしろ、クルターマンが同書の「結語」で次のように述べた、今日の美術史家の仕事を、まさに『眼の神殿』が実践してみせたといえる。

今日では知識量が増えたということはさほど重要ではない。むしろ重大なのは、かつては保証されたものとして通用していた認識を疑問視する質的に新たな洞察である。[13]

また、『眼の神殿』とほぼ同時期に美術史の新しい方法論を問いかけた著作としては、ハンス・ベルティングの『美術史の終焉?』(英語版は一九八七年)が挙げられる。単純な様式論の発展史やアヴァンギャルドのスローガンを繰り返すだけの近代美術史を批判するベルティングは、現在の美術史家の課題について、次のように主張する。

美術史家は、美術の歴史を語るための様々なモデルを試している。ただし、それは直線的な発展史ではなく、何が「イメージ」を作るか、何がそのイメージを特定の時点で納得するに足る「真理」の像とするか、という常に新しい問題の常に新しい解法の歴史なのである。つまるところ、この学問分野や現代美術に対する近代美術の位置の問題に広く関心を向けざるをえないのである——ポストモダニズムを信用するにせよ、しないにせよ。[14]

こうしてベルティングは、「美術」が思考の歴史的系譜の産物として生まれた一つの概念であることを強調したのである。もっとも、ベルティングの同書は、国際的に大きな影響を与えたとはいえ、抽象的な問いかけを断章の形式で述べたもので、必ずしも個別の具体的な対象に即して論述を行なったわけではない。一方で、『眼の神殿』が少なくともそうした点で具体的成果に至ったのは、おそらく、日本近代美術史を扱っていたためではないだろうか。「何が「イメージ」を作るか」、そして「現代美術に対する近代美術の位置」について、非西洋圏の近代美術史ほど明瞭にその特殊性を示す恰好の材料はないからである。

また、八〇年代にはアメリカを中心として、ニュー・アート・ヒストリーとも呼ばれる、美術史を学際的に越境する動きが盛んになっていた。その新しい研究動向では、ポストモダニズム思想、精神分析、文芸批評、社会学、人類学、ジェンダー論、科学史等を積極的に援用し、イコノロジー分析が主流であった従来の美術史学を揺さぶっていたのである

［15］。『眼の神殿』は、この動向と直接的な影響関係にあったわけではない。だが、同時代のポストモダニズム思想の隆盛を受けとめた人々の間で、世界各地で同様の手法が登場する必然性もあったのだろう。

九〇年代における制度論の影響

『眼の神殿』が出版された一九八九年には、一月に昭和から平成へと改元し、一一月にベルリンの壁が崩壊して一二月に米ソの冷戦終結が宣言された。またその頃には、二一世紀を目前に控えた世紀末として、多くの人々が二〇世紀百年の総体を先駆けて構築しようとしていた。好景気のなかで、『東京芸術大学百年史』、『日展史』、『日本美術院百年史』等、紙幅をふんだんに用いて史料を収録した「百年史」の編纂がブームとなり、それらの刊行が、日本近代美術史研究の原動力にもなっていたのである［16］。

こうしたなかで、国内でも、『眼の神殿』とほぼ同じ頃、北澤と同様、美術の制度に関心を抱いていた学究たちが存在した。特に、日本近代美術史の存立基盤を問題にして、研究動向をリードしたのが、佐藤道信、木下直之、高木博志である。一九九〇年代、北澤を含むこれらの制度論を扱う研究者たちの間で、一種の棲み分けが「日本・近代・美術・史」研究のなかに生まれた。

最初のアプローチは、北澤によって行なわれた。現代美術から遡って「近代」の起源に迫る『眼の神殿』は、日本近代美術史の岩盤に制度論という穴を穿つ、掘削機の先端部分になぞらえることができる。

このトンネル掘削機のエンジン部分を担い、「日本」の自画像を探るべく、国民国家論の視点から制度論を推進したのが佐藤道信である。その『〈日本美術〉誕生——近代日本の「ことば」と戦略』（講談社、一九九六年）および『明治国家と近代美術』（吉川弘文館、一九九九年）は、作家論と様式論を補完する、手法としての制度論を確立した。美術の制度論を平明な文体で綴る佐藤の著作は、美術史以外の分野でもしばしば参照され、海外の研究者たちにも広く読まれている。

このトンネルの掘削によって「美術」の外側に飛び散ったモノを追いかけたのが、木下直之である。その『美術という見世物　油絵茶屋の時代』（平凡社、一九九三年）は、美術史の枠内では見捨てられた、写真、人形、戦争画等の魅力を軽妙な語り口で描いて、「美術」の相対化を目指した。

そして、そのトンネルを他のトンネルとつなげ、「史」への関心として日本近代美術における歴史の形成過程を論じたのが、高木博志である。その『近代天皇制の文化史的研究』（校倉書房、一九九七年）は、古代史研究における時代区分が近代の美術史形成のなかで創出されたことを明らかにした。

また、明治美術学会（一九八四年に明治美術研究学会として結成され、一九八九年に現在の名に改称）の活動も懐古的な日本近代美術史から踏み出して、史料紹介とともに美術の来し方を問い直す大きな動向であった。

九〇年代には、日本近代美術史の失われた空白部分を、史料から実証的に組み立てていく方法論も洗練されてゆく。その代表的なものとして、五十殿利治『大正期新興美術運動の研究』（スカイドア、一九九五年）、丹尾安典・河田明久『岩波近代日本の美術1　イメージのなかの戦争　日清・日露から冷戦まで』（岩波書店、一九九六年）が挙げられよう。ほかにも、九〇年代の日本近代美術史の領域では、従来の美術史では考えられなかった視点の著作が相次いで登場していた。木下長宏『思想史としてのゴッホ』（學藝書林、一九九二年）は、西洋から来る新潮流の受容史をまとめるだけでなく、それを日本の思想史の次元で捉え返した。金子一夫『近代日本美術教育の研究　明治時代』（中央公論美術出版、一九九二年）は、美術教育史に絞って網羅的に調べ上げた労作である。

まもなく、日本近代美術史研究における制度論のインパクトは、日本美術史研究の全時代に波及した。その成果の一つが、多彩な切り口から平易に日本美術史を紹介する大型書籍『日本美術館』（小学館、一九九七年）であろう。これらに加えて、美術館等における展覧会とその図録も挙げればきりがない。

書物だけではなく、活発な人的交流もまた、九〇年代の制度論の確立において大きな役割を果たした。特に一九九四年から九六年にかけて、東京と京都で計一〇回行なわれた連続シンポジウム「〈美術〉bi-jutsu――その近代と現代をめぐる10の争点」は、学会や研究領域の垣根を越えて、美術史の新しい動向を紹介するもので、毎回一〇〇名を超える多くの聴衆を集めた［17］。

こうした動向を踏まえて、一九九七年一二月、東京国立文化財研究所（東文研）が主催するシンポジウム「今、日本の美術史学をふりかえる」が開催された。このシンポジウムが先のものと違うところは、中世・近世美術史、日本史、文化人類学、文学史等の専門家を交えて、より学際的な志向を示した点である。その二年後に出版された同シンポジウム報告書に、次のような言葉が見えることに注目したい。

> このシンポジウムは、過去十年ほどの間に、近代美術史の分野が先導するかたちで行ってきた日本における美術史学の成立に関する真摯な議論にその端緒を求められる。（傍点引用者）［18］

東文研という「官」のアカデミズムを代表する機関がこのように述べたことは、公認の意味を持つ。すなわち、『眼の神殿』の制度論的発想が、日本近代美術史の研究ばかりではなく、美術史あるいは文化史の研究に携わるすべての人にとっての課題となったことが、九〇年代末になって明白となったのだ。

また、九〇年代の研究動向で看過できないものとして、ジェンダー論の日本での登場がある。これは、社会や芸術の領域における性差を問題とし、女性が中心的な発言主体となって自らの身体感覚や社会経験に基づいた新たな視点を導き出してゆくものであった[19]。若桑みどり、千野香織らは北澤の研究に多大な関心を寄せていたが、これらのジェンダー論のうちには、フェミニズムの闘争を超えて、しなやかに制度的な枠組みを問い直す姿勢があったといえる。

現代美術の制作や批評の領域においても、北澤の制度論はしばしば引き合いに出されてきた。たとえば、アーティストの村上隆は、『スーパーフラット』(マドラ出版、二〇〇〇年)で、『眼の神殿』に言及し、揺れうごく「ART」を自分なりに新しく規定しようとした。美術評論家の椹木野衣は、『日本・現代・美術』(新潮社、一九九八年)で、『眼の神殿』における原理的探求を踏まえた上で、戦後美術の根源を考察した。ほかにも、九〇年代を通じて、森村泰昌、会田誠、小沢剛、中ザワヒデキら、多くの気鋭のアーティストたちが「日本」や「美術」というモチーフを執拗に問い直していた。直接言及されなくとも、『眼の神殿』が示した根底的批判やその新たな認識の地平は、彼らの意識や活動の背景にあったはずだ。

個人的な回想になるが、こうした同時代の研究の盛り上がりと美術シーンの、両方からの感化があって、九〇年代後半に大学の学部生だった私は、本書から決定的な影響を受けたのだろう。本書を読み通したとき、私は、それまで美学や現代美術史を専攻しようと思っていたのを止めて、日本近代美術史へ方向転換したのだった。かつて憧れの対象であった欧米の最新の芸術理論よりも、日本近代美術史研究のほうが、はるかに新鮮で、同時代を考える上で不可欠だと感じたからだ。

ゼロ年代における制度論の新たな展開

二〇〇〇年代（ゼロ年代）における日本近代美術史の研究動向は、制度論の影響に注目していえば、九〇年代以来の明治期を中心とする制度史研究から距離を置き、明治から時代を下り、また「日本」や「美術」からズレた領域へと眼を向ける者たちの登場によって特徴づけられる。しかし、研究を牽引する中心人物たちはほとんど変わらないまま、研究の対象が拡散し続けているともいえるだろう。

二〇〇五年に東京大学出版会が刊行した『講座 日本美術史』（全六巻）の巻頭言「刊行にあたって」では、美術史という学問の出自と今後の可能性について、次のように明快に記している。

美学と考古学の異種混交（ハイブリッド）、哲学と歴史学の境界領域であったこの学問は、物そのものを精密に観察するところから始めて、遺品と文字史料とを関連づけ、様式に基づく歴史を編み、主題の意味を発見し、造形が生成し機能していた〈場〉を復原し、ついには美術という概念そのものの歴史性・党派性を暴き、美術史学それ自体の制度を問題にするところにまで発展してきた。対象と方法は拡大し、ある時代や地域の視覚文化、イメージ状況を解明する学問へとなお発展の可能性を秘めている。（傍点引用者）［20］

方法の発展史としてながめるならば、九〇年代の制度論は、美術史学史を画す一つのメルクマールであったことが、ここで改めて確認された。ただし、ここではその後の美術史学の行く先として、ヴィジュアル・スタディーズ等を思わせる新たな方法論への拡大が見定められている。だが、それ以後に登場したいくつもの方法論によって、『眼の神殿』で提示された制度論は、はたして過去のものになってしまったのだろうか。ある意味ではそうかもしれない。

学界では、九〇年代の制度論を継承する研究が今なお高く評価されているが［21］、変化は確実に起こっている。ゼロ年代の動向として象徴的なのは、かつて制度論の急先鋒だった佐藤道信が『美術のアイデンティティー――誰のために、何のために』（吉川弘文館、二〇〇七年）を上梓したことである。同書で佐藤は、文明や宇宙観といった、普通考えられているような制度より大きく根源的な規矩をも用いて、日本近代美術史を現在につながるものとして論じてみせたのであった。

九〇年代の制度論の発想は、アカデミックな手法としては使い古され、それをそのまま繰り返すことには、多くの研究者たちが行き詰まりに近いものを感じているのではないだろうか。近世日本美術史研究の立場から、制度論の前史を問うた鈴木廣之『好古家たちの19世紀——幕末明治における《物》のアルケオロジー』(吉川弘文館、二〇〇三年)も、制度論を着実に踏まえつつ、その限界を突破する試みであったといえるだろう。

一方で、ゼロ年代に登場した若手の日本近代美術史の研究者たちは、方法ばかりではなく注力する時代を、幕末・明治期から下って、大正期、昭和戦前期、そしてアジア・太平洋戦争期、GHQ占領期へと拡散させていった。また、これらの研究者たちは、従来通りの絵画・彫刻やその言説ばかりでなく、建築、工芸、書、写真、映画、デザイン、ダンス、絵葉書、茶の湯、漫画、プロレタリア美術、東アジア、さらには戦時統制、占領政策といった、かつて日本近代美術史にとってニッチと思われていた分野をも、重要な研究対象として積極的に開拓していった[22]。

研究の方法、時代、対象における、この途方もない拡散は、二一世紀において、かつて日本近代美術史にとって自明のものであった大きな物語が、急速に失権したことを表している。すなわち、官展や二科会といった諸美術団体のロマンチックな盛衰史、あるいは横山大観や梅原龍三郎等の巨匠神話に対して、この時代の研究者たちは、もはや素朴な共感を抱くことが難しくなってきたのだろう。むしろ、かつての日本近代美術史研究のなかではサブテーマと見なされていた、美術と美術以外の何か、日本と諸外国といった多彩な境界領域にこそ、現在に連なる突破口を見出そうとしているのだ。その意味で、ゼロ年代の研究者たちは、九〇年代の制度史研究の枠組みを敢えて踏襲するまでもなく、それぞれに「日本・近代・美術・史」のトンネルを、四方八方へと掘削する作業を持続してきたということができる。

また、ゼロ年代には、従来からある作家論や作品論も、制度論を取り入れながら進化していった。たとえば、林洋子『藤田嗣治 作品をひらく 旅・手仕事・日本』(名古屋大学出版会、二〇〇八年)は、すでに多くの先行研究がある有名画家を扱いながらも、制度史を含めた多角的な考察によって、新しく魅力的な画家像を浮かび上がらせることに成功したといえる。

さらに今日、これらの日本近代美術史研究の豊かな集積を踏まえ、近代から現在までの日本美術を、各分野の専門家を結集して総括する企画がいくつも登場している。その一つ、『日本近現代美術史事典』(東京書籍、二〇〇七年)は、研究が激増したなかで、今一度、歴史を整理・構築したばかりではなく、一般的な事典の無味乾燥な記述にとどまらない、八十余名の研究者たちそれぞれの問題提起を込めたメッセージのポリフォニーとなった。加えて、北澤と佐藤道信、森仁史の編集による日本近代美術通史の刊行準備も進んでいる(補注:『美術の日本近現代史——制度 言説 造型』東京美術、二〇一四年)。

もっとも、ゼロ年代末の研究動向の現状として、拡散と結集が盛んになる一方で、今後どのように日本近代美術史研究が進むべきか、決定的な答えは、誰にも見えていないのではないだろうか。その答えに近づくためのヒントは、おそらく、『眼の神殿』にある思想の実践的な展開、そして制度論の今日的な役割を考えるところにある。

『眼の神殿』以後の北澤憲昭

『眼の神殿』は、九〇年代からゼロ年代にかけての研究動向や美術シーンの形成に、大きな役割を果たした。しかし、本書は、後続世代にとって、乗り越えるべきハードルともなった。同じことは北澤自身についてもいえる。北澤もまた、自著に由来する研究状況と格闘してきたのである。むしろ、日本近代美術史研究に制度論を持ち込んだ張本人の北澤自身が、実は最も過激に九〇年代の制度論に抵抗してきたとさえいえる。こうした観点から、九〇年代以降における北澤の主要な活動をみておくことにしよう。

一九九一年一一月に北澤は、横浜市民ギャラリーで「'91 史としての現在」展を企画した。この展覧会は、橋田尚之、黒川弘毅、小山穂太郎、鈴木省三、諏訪直樹、戸谷成雄、中上清、マコトフジムラの八人の出品者と共に、北澤自身も一人の出品者として、自身の日本近現代美術史に対する考察を図録のテキストで示すというものであった。それは、『眼の神殿』で培った自分の論理を、論理のままで終わらせず、現在につなげようとする、いわば知行合一の実践でもあったといえる。

一九九三年には、『岸田劉生と大正アヴァンギャルド』（岩波書店）を上梓した。それは、一見、正反対にみえる岸田劉生の画業とMAVOの村山知義らの活動に、モノそのものへの肉薄としての実在論、という観点から共通性を見出してゆく著作である。その問題提起は、高橋由一以来のリアリズムの形成と崩壊の過程を考察しつつ、「もの派」以後の美術シーンを踏まえたものであった。さらに、一九九七年には、『岸田劉生　内なる美　在るということの神秘』（二玄社）を編纂し、一般には語られることの少ない、劉生の現代的な側面を示す史料をまとめた。

二〇世紀の終わりに、北澤は、『眼の神殿』に続く日本近代美術史の書として、『境界の美術史――「美術」形成史ノート』（ブリュッケ、二〇〇〇年）を上梓した。これは、『眼の神殿』で触れながら充分に論じることのできなかったテーマを掘り下げたモノグラフを集めた論集である。特に、「日本画」、「工芸」、「彫刻」という概念が形成された歴史と、それらのジャンルの枠組みから逸脱するものの可能性を論じて、注目を集めた。

この『境界の美術史』以降、二一世紀に入って、北澤の戦場はいっそう激化したといえる。二〇〇三年には、『「日本画」の転位』（ブリュッケ）と『アヴァンギャルド以後の工芸』（美学出版）の二冊をほぼ同時に上梓した。いずれも主に九〇年代半ば以降に学術誌、美術雑誌、新聞等で発表してきた文章を、テーマ別にまとめたものである。それゆえ、この二冊に纏められた、「日本画」と「工芸」をめぐる問題提起もまた、単なる歴史研究にとどまるものではなく、むしろ現代の美術シーンへの直接的な問題提起へとつながっていた。その後、この二冊の理論はシンポジウムや展覧会のキュレーションによって具現化され、大きな反響を呼び起こしたのである。

「日本画」に関しては、二〇〇三年の出版と同じ月に「転位する「日本画」」と題した大型シンポジウムを、みずからが主宰する「現場」研究会の企画で開催した[23]。このシンポジウムは、「日本画」に関わるキュレーター、美術評論家、アーティストたち総勢二〇名ほどが登壇したもので、二日間にわたって神奈川県民ホールの大会議室を埋め尽くす人々を集め、美術シーンのなかで「日本画」への注目が高まる機運を作り出した[24]。日本画をめぐる現代的問題は、菊屋吉生が「ニュージャパニーズスタイルペインティング——日本画材の可能性」展（山口県立美術館、一九八八年）によって提起し、その後いくつもの展覧会等で論じられてきたものであった。このシンポジウムでは、その流れを受けて、『日本画』の転位』で北澤が行なった問題提起、すなわち冷戦体制以後のナショナリズムの行方と、西洋由来の概念である「絵画」の支配体制に関する議論に焦点を向け、より深化させたといえる。

「工芸」に関しては、すでに一九九五年に雑誌『「工芸」Ｋｏｇｅｉ　思想と表現』の編集に関わって、北澤はその概念の新しい可能性を社会に示そうとしていた。また、二〇〇

○年から二〇〇五年まで、北澤は、資生堂ギャラリーで「life/art」展をキュレーションした。今村源、金沢健一、須田悦弘、田中信行、中村政人という五人のアーティストの活動を五年間定点観測するこの企画は、従来の考えでは工芸の範疇には入らない作品をも、生活と関わる「工芸的なもの」として捉えている。それは、先端へ突き進むアヴァンギャルドが終焉した以後のアヴァンギャルドの可能性を、現実より少しだけ高みに立った「工芸的なもの」に探る試みであったという。北澤は、同種の企画「「工芸的なるもの」をめぐって」を、ギャラリーMAKIにおいても行なっていた。

これらの活動を踏まえ、二〇〇五年一月に、北澤は、東京都現代美術館で常設展示室を使った企画展「アルス・ノーヴァ――現代美術と工芸のはざまに」のキュレーションを行なった。これにあわせて再び「現場」研究会の企画で、大型シンポジウム「工芸――歴史と現在」を開催し、これも同館のホールを満席にする聴衆を集めた[25]。さらに、二〇〇四年一〇月に開館した金沢21世紀美術館が生活に根ざした「工芸」を重視する方針を打ち出したことも相俟って[26]、北澤の「工芸」論は、グローバリゼーションに抵抗しつつ、ローカリズムに閉じこもることなく、ポジティヴに様々な境界を越えていく力を持つものとして認められている。

周知の通り、今日の美術シーンのなかで、「日本画」と「工芸」は、決して古くさいナショナリズムではなく、むしろ新たな表現の可能性を持つものとして、あるいは「美術」

の桎梏を打ち破るものとして、気鋭の若手アーティストたちによって問い直され続けている。もちろんそこには、北澤だけではなく多くの人々による集合的無意識の、目に見えない時代の大きな流れがあっただろう。それでもなお、この美術シーンは、北澤によるアカデミズムとジャーナリズムを跨いだ一連の活動抜きには、考えられないはずだ。繰り返し述べるが、『眼の神殿』は、こうした状況と実践を呼び起こした「作品」であり、単なる歴史書ではなかったのだ。

ブリュッケ版『眼の神殿』刊行の意義

最後に、『眼の神殿』が、改めて刊行されることの意義について、述べておきたい。「定本」と銘打たれたブリュッケ版『眼の神殿』は、二〇年前にあたる一九八九年の出版時点で盛り込まれていた内容を、学術的な限界も含めて敢えてそのままに、文章や誤植を直したものである。具体的には、パラグラフの明確化による構成の補強をとおして、特に論理性を高めることを目指したと聞く。それゆえ、本書の歴史書としての論旨や内容は基本的に、旧版と変わるところはない。

とはいえ、内容が変わらないということは、二〇年間の時代状況の変化に応じて、本書の意義が大きく問い直されることを意味している。それは、新しい時代における本書の「作品」としての魅力、そして制度論の新たな役割にほかならない。

今日的な制度論の役割として、すぐに思い浮かぶ典型的な例は、美術館やトリエンナーレ等の問題を扱う際の、制度－施設史的な考察であろう。文化をめぐる行政や企業の恣意的な介入行為に対して有効な批判を行なうためには、そうした組織が基礎とする法的言語を読み解き、歴史的文脈のなかで理解する必要がある。

だが、制度論の新たな役割は、美術館問題のように明白な事象への異議申し立てばかりではなく、もっと根源的に私たちの知のありかたに関わる、今日的な時代状況にも及んでいるだろう。それは、相互に交わり合う次の三点から考えられる。一つめには、高度情報化社会とも呼ばれる、情報機器とインターネットの急激な発達。二つめには、従来の国境の枠組みを超えてグローバル化した市場や共同体にともなう、大きな政治的枠組みの登場。そして、三つめには、過剰な情報と文化的混交に曝されることによって起こる、生活レベルの意識の変容である。

一つめの、情報機器とインターネットの発達においては、知的労働における環境変化への対応が求められている。たとえば、距離を超えて瞬時に情報を集積するような共同作業が容易になり、大規模な資料集の刊行がかつてより簡便になってきた。近い将来には、もはや書籍のかたちをとらないオンライン・データベースの充実も予想される。それらは確かに、美術史家を含む、人文科学研究者の助けにはなる。だが、そうしたものによって引き起こされるであろう、情報過多の陥穽には警戒するべきだ。情報が増えれば増えるほど情報そのものの価値は下がり、もはや、いくら単純に未知の情報を積み重ねたところで、驚くに値する新鮮な発見は生まれにくくなりつつあるからだ。

これからの美術史家には、クルターマンが指摘したように、実証主義や専門的知性以上に、大きな問題を見据えた変革的な想像力が、いっそう必要とされるだろう。『眼の神殿』が示したその想像力は、データベースに加工される以前の生の史料を読解し、情報と情報の間の関係性を鮮やかに読み解き、情報化されていない実体を炙り出すものであった。今、私たちに試されているのは、そのような、新たな文脈を生み出す理性の力だ。

二つめの、大きな政治的枠組みの登場においては、世界史的認識の転換が求められている。身近なところでは、東アジアという大きな政治的枠組みがようやく見えてきた一方で、国際移動労働者の流入をはじめとする異文化間のモビリティの増大によって、民族間にある無数の境界の摩擦がより目立つようになっている。こうした状況に関わりうる学術的研究として、金惠信『韓国近代美術研究——植民地期「朝鮮美術展覧会」にみる異文化支配と文化表象』（ブリュッケ、二〇〇五年）や、それに続く韓国美術史研究者たちへの期待は大きい。同様に、中国、台湾、南洋諸島、そして旧満州の地における近代美術史研究もまた、熱い注目を集めている。

このような研究の前提には、言語の壁を超えるだけでなく、自国を含め、各国の美術史が基礎とする、それぞれの制度とイデオロギーを相対的に理解する必要があるだろう。また、来るべき大きな政治的枠組みのなかでは、かつては周辺として見過ごされてきた、越境者、移住者たちの美術に、より多くの光が当てられるだろう。この展望の上で、『眼の神殿』で示された制度論は、今後、多国間の共同研究の規模で深められていくと考えられる[27]。

三つめの、生活レベルの意識の変容においては、社会の管理機構が個人的な「生」に影響を及ぼすことの諸問題(生-政治)への自覚、および、マルチチュード(越境的ネットワーク型群衆)としての自己確立が求められている。昨今の現代思想のメインテーマでもあるこれらの事柄は、美術の制度論と決して無関係ではない。

生-政治と制度論との関わりの一例としては、放送倫理・番組向上機構(BPO)等に見られるように、今日、性表現や暴力表現に関する諸規制が、国際標準と称する倫理を楯に、いっそう複雑に正当化・内在化されつつある問題が挙げられる。だが、これは、制度論の立場をとるならば、時代の核心を衝く好機でもあろう。なぜなら、この状況は、性器や血液のほかに本当に隠蔽されたものは何かを問うことを促すものであり、まさに日本近代美術史という表象の歴史的文脈のなかで論じられるべき事柄だからだ[28]。

そして、マルチチュードと制度論に関わる一例としては、これまで国民国家論的な官のレベルを中心に語られてきた「美術」受容史が、今度は地に足のついた民のレベルによって、新しく捉え直されつつあることが挙げられる。「美術」は、中央の官僚や美術家・美術評論家たちの言説によってばかりではなく、たとえば地域に暮らす無名の人々による生活に即した営為によっても、形成されてきたのだ[29]。今後、「美術」受容史は、行政史だけではなく社会史あるいは経済史として、歴史に名前を残さなかった市井の人々による声なき声を積極的に拾い上げる方向において、新たな展開を見せるだろう。

このようにマルチチュードと制度論の関わりを肯定的に認めるとき、制度論は、アントニオ・ネグリらが望むような、マルチチュードによる〈帝国〉へのオルタナティブな抵抗運動へと[30]、やがて合流するように見えるかもしれない。しかし、強調しておかなければならないのは、制度論は決して、コミュニズムの一つの理想へと突き進む熱い芸術論と同列に並ぶものではない、ということだ。むしろ、制度論とは、情動的でありながらも、寄る辺のない醒めたアナーキズムのごときものである。なぜなら、それは、数学におけるゲーデルの不完全性定理のように、自己言及の原理を徹底的に探求した末に、自己の拠り所が不在であることを証明して、自己の存在の根底を揺るがすものだからだ。

すなわち、今日における制度論は、オルタナティブのさらにオルタナティブの実践として再浮上する可能性を持っている。それゆえに、将来いずれ書かれるであろう、本書『眼の神殿――「美術」受容史ノート』の受容史もまた、単なる研究史にとどまらない、一種のアクティヴィズムの歴史として綴られるはずだ。

[1]「制度論」、「制度史」、「制度-施設史」という用語の差異について、より正確にいうならば、次のような違いがある。「制度論」は制度として美術を捉える理論的営為、「制度史」は制度論の観点から捉え直された美術史の叙述もしくは論述、そして「制度-施設史」は制度と施設の本質的なつながりを意識するときに用いられる。

[2] 北澤憲昭「東京(展評)」『美術手帖』一九七九年七月号、二一七頁

[3] 北澤憲昭「美術はいま――〈モガリ〉ということばによって」『美術年鑑』(四六〇号、一九八〇年一月)

[4] 北澤憲昭「浅井忠ノート――初期の油絵をめぐる問題」『みづゑ』(九一八号、一九八一年九月、五四頁)

[5] 北澤憲昭「註」青木茂編『高橋由一油画史料』(中央公論美術出版、一九八四年三月、三一〇~三一四頁)

[6] 青木茂・酒井忠康編『日本近代思想体系　美術』(岩波書店、一九八九年、三四~八四頁、四〇二頁)

[7] 北澤憲昭「螺旋展画閣――あるいは「美術」の起源」は、中延学園が年二回発行した『芸術評論』の次の号に四回にわたって掲載された。四号(一九八四年九月)、五号(一九八五年二月)、八号(一九八七年冬)、九号(一九八八年春)

[8] 高階秀爾「芸術・文学部門」(選評)『サントリー学芸賞』(授賞式パンフレット、一九九〇年一

二月）

［9］飯沢耕太郎「北澤憲昭著　眼の神殿「美術」受容史ノート」『週刊読書人』（一九八九年一一月二七日、五面）

［10］中島理壽「「美術」という翻訳概念　近代化創出と対応した国家の神殿としての美術を透視」『図書新聞』（六六二号、一九八九年一〇月二八日、四面）

［11］松山巖「「眼の神殿」北澤憲昭　美術という制度を巡って」『文學界』（四四巻二号、一九九〇年新春特別号、三六四頁）

［12］芥川喜好・菅原教夫「美術この一年　平衡感覚保つ確かさ　高額落札や企業支援活動も関心」『読売新聞』（一九九〇年一二月一九日、八面）

［13］ウード・クルターマン著、勝國興、高阪一治訳『美術史学の歴史』（中央公論美術出版、一九九六年五月〈一九九〇年の原著増補改訂版の翻訳〉、四一九頁）

［14］ハンス・ベルティング著、元木幸一訳『美術史の終焉？』（勁草書房、一九九一年九月、v頁）

［15］一九八〇年代から九〇年頃にかけてのアメリカの研究動向を代表するもので、日本語訳された代表的な書籍として、次の文献がある。ハル・フォスター編、榑沼範久訳『視覚論』（平凡社、二〇〇〇年）、ジョナサン・クレーリー著、遠藤知巳訳『観察者の系譜　視覚空間の変容とモダニティ』（以文社、二〇〇五年）、バーバラ・M・スタフォード著、高山宏訳『ボディ・クリティシズム　啓蒙時代のアートと医学における見えざるもののイメージ化』（国書刊行会、二〇〇六年）

［16］高松麻里「日本における近代美術制度の研究史」『近代国家における文化的アイデンティティとしての芸術』（課題番号08301004　平成八〜一〇年度科学研究費補助金〔基盤研究

（A）（1）」研究成果報告書、一九九九年）

[17] 北澤憲昭、木下長宏、イザベル・シャリエ、山梨俊夫編『美術のゆくえ、美術史の現在――日本・近代・美術』（平凡社、一九九九年）

[18] 「まえがき」『語る現在、語られる過去　日本の美術史学100年』（平凡社、一九九〇年五月、六頁）また、この東文研のシンポジウムは、次の研究事業の一部分でもある。『日本における美術史学の成立と展開』（課題番号09301004　平成九～一二年度科学研究費補助金（基盤研究（A）（2））研究成果報告書、二〇〇一年）

[19] 九〇年代のジェンダー論の隆盛を象徴する論文集として、鈴木杜幾子、千野香織、馬渕明子編『美術とジェンダー』（ブリュッケ、一九九七年）、熊倉敬聡・千野香織編『女？日本？美？』（慶應義塾大学出版会、一九九九年）が挙げられる。

[20] 編者一同「刊行にあたって」木下直之編『講座 日本美術史6　美術を支えるもの』（東京大学出版会、二〇〇五年四月、i頁（「刊行にあたって」は全六巻ともに同じ））

[21] 九〇年代の制度論を継承した論考の代表的なものとして、次の文献を挙げられる。村角紀子「明治期の古美術写真――畿内宝物取調を中心に」『美術史』（一五三冊、二〇〇二年一〇月）、吉田衣里「古物――江戸から明治への継承」『近代画説』（一二号、二〇〇三年一二月）、野呂田純一「明治初期における「美術」概念の成立過程」『MUSEUM』（六一八号、二〇〇九年二月）

[22] ゼロ年代の研究動向を代表する書籍として、以下の文献が挙げられる。五十殿利治、河田明久編『クラシックモダン　1930年代日本の芸術』（せりか書房、二〇〇四年）、東京文化財研究所編『大正期美術展覧会の研究』（中央公論美術出版、二〇〇五年）、『近代画説』「〈特集〉昭和の

美術」(一五号、二〇〇六年)、『近代画説』「〈特集〉日本近代美術と「官展」」(一六号、二〇〇七年)、東京文化財研究所編『昭和期美術展覧会の研究 戦前篇』(中央公論美術出版、二〇〇九年)

[23] 「日本画」シンポジウム記録集編集委員会編『「日本画」——内と外のあいだで』(ブリュッケ、二〇〇四年) これを企画運営した「現場」研究会(通称、現場研)とは、二〇〇一年に組織された若者を中心とする集団で、月に一度、美術の現場に携わる様々な人物を招いて話を聴き、議論を行なっている。

[24] 「特集「日本画」ってなんだろう?」」『美術手帖』(二〇〇五年五月号)、『MOTアニュアル2006 No Border「日本画」から/「日本画」へ』(東京都現代美術館、二〇〇六年一月)、「特集 松井冬子/日本画復活論」『美術手帖』(二〇〇八年一月号)等。

[25] 「工芸」シンポジウム記録集編集委員会編『美術史の余白に 工芸・アルス・現代美術』(美学出版、二〇〇八年)

[26] 北澤は、金沢21世紀美術館の開館展図録に次の文章を寄稿した。北澤憲昭「手仕事——美術における盲目性、もしくは人間の条件」『21世紀の出会い——共鳴、ここ・から』(金沢21世紀美術館、二〇〇四年一〇月)

[27] 佐藤道信「近代の超克」『東アジア美術の近代と近代性を語る 洪善杓先生研究三〇周年記念論叢』(学古斎、二〇〇九年、韓国語書籍、日本語版は未発表)

[28] 註20書所収、北澤憲昭「美術における政治表現と性表現の限界」において、北澤は、裸体画と天皇像の両極につうじる制度の問題を論じている。

[29] 太田智己「近代京都における美術工芸品の「来京外国人向け」輸出」『美術史』(一六八冊、二〇一〇年三月)

[30] アントニオ・ネグリ、マイケル・ハート著、水嶋一憲ほか訳『〈帝国〉グローバル化の世界秩序とマルチチュードの可能性』(以文社、二〇〇三年)、トニ・ネグリ著、廣瀬純ほか訳『芸術とマルチチュード』(月曜社、二〇〇七年)

(あだち・げん　美術史家)

文庫版解説　「美術史」のアヴァンギャルド

佐藤道信

私は戦後の日本美術史をめぐる著作のなかで、辻惟雄『奇想の系譜』（美術出版社、一九七〇年、ちくま学芸文庫、二〇〇四年）と北澤憲昭『眼の神殿』（美術出版社、一九八九年）の二書は、歴史に残る二大著作だと思っている。前者は半世紀にわたってまったく色あせることなく読みつがれ、後者も三〇年間、近現代日本の「美術」「美術史」「美術史学」の基本設計図を示した名著として読み継がれている。辻先生は大学時代の私の恩師、北澤さんは同書以後研究を共にしてきた畏友中の畏友で、この二人と出会えたことは、私の研究人生で最大の幸運と幸福だった。もう一人恩人をあげるなら、私たち二人の各著書をサントリー学芸賞に選出してくれた高階秀爾先生だろう。批判も強かった制度論がこれで認知された感があったし、辻・高階両先生には研究者のあるべき姿を教えられたように思う。

本書が世に出た一九八九年は、年初の昭和天皇崩御、ヒリヒリするような自粛ムードの中での平成改元に始まり、十一月にはベルリンの壁崩壊と、歴史的大事件が相次いだ。日本はまだバブル経済のさなかだったが、これから日本と世界はどうなるのか、人々の期待と不安が未来に向かう中で、九月に刊行された現代美術評論の北澤さんによる本書が、逆に過去の近代へと遡る内容だったことは意外だった。一九八〇年代に盛んに議論されたのは、「現代美術が迷路に入って出口が見えない」ことだったが、彼はそれを来し方を検証することで、近現代の美術の構造じたいを明らかにしたのだった。

当時、現代美術はまだ私の視野に入っておらず、日本画を中心とする近代美術を研究していただけだったが、それでも本書の衝撃は大きく、読後三日間は頭が真白になって何も考えられなかった。従来の作品作家論の美術史でも美術評論でもない、見たことのない歴史風景がそこに描き出されていたからである。とくに私にとっては日本画関係者だったフェノロサや天心が、美術教育、美術館、博物館、博覧会、文化財保護、美術史学など、近代日本の「美術」制度そのものの設計者として描かれていたことで、この「美術の制度化」という理論が私にとって避けて通れないものになることが直感された。とくに本書に出会うまでに、日本画・洋画の旧派がなぜ共に忘れられたのか、日本・西洋での日本美術(史)イメージがなぜこれほど大きく違うのかといった、構造レベルの問題に突き当たっていた私にとって、本書の理論が少なくとも日本の国内状況の解明に確実につながることが予想された。正確に言えば北澤さんの関心は「近代」と「現代」に、私は「日本」と「西洋」の関係論に軸足があったし、本来の専門も美術評論に美術史と違っていた。しかし「美術」を共通項に、以後の私は北澤さんからじつに多くを学びながら活動を共にすることになった。刊行から三〇年が経った現時点だから見える本書の意義を、私なりに述べてみたいと思う。

北澤さん自身、この本が美術評論か美術史かと問われたことを書いている。私の本も美術史ではないと言われたが、おそらく北澤さんの評は美術評論側から、私の場合は美術史側から発せられた評だった。当時から制度論自体は、ポストモダニズムやニュー・アート・ヒストリーの文脈に位置づけられたが(私はより国民国家論に)、しかし方法論が先にあったわけではない。北澤さんはその起点を、アヴァンギャルディズムに共感を持っていた彼が、一九七〇年代の現代美術で絵画や彫刻の〝復権〟が唱えられた時、「美術」が無条件に前提とされたことへの疑問にあったとする。同時に、美術館建設ブームの到来が、美術界での官僚支配体制の強化を感じさせたことがあったという。辻先生の『奇想の系譜』が『美術手帖』に連載された当初、「奇想の系譜——江戸のアヴァンギャルド」というタイトルだったことも、同じ時代の空気を感じさせる。

北澤さんが美術評論を始めたばかりの時期に抱いたこの動機が、本書として刊行されたのが一九八九年、彼が三八歳の時だったことになる。この時、現代美術は迷路の中、しかし一方の美術館は、バブル最盛期で建設ブームの頂点、美術市場は沸騰し、現代美術の回顧展が美術館で開催され始めていた。アヴァンギャルドさえ美術館にとり込まれ始めた時に本書が出たことは、ドンピシャのタイミングだったのかもしれない。本書の衝撃は、美術の現場（制作・批評）にとどまらず、以後、美術館・博物館、美術史研究、美術市場、美術ジャーナリズム、文化財保護へと、野火のように広がっていった。美術の制度論が一九九〇年代以降を代表する新動向となっていったことは、周知の通りである。一九八〇年代までの議論が以後の北澤さんの活躍は華々しかった。特徴的だったのは、一九八〇年代までの議論が「現代美術とは何か」を中心としたのに対して、ここでは「美術とは何か」と並んで、「日本画とは何か」「工芸とは何か」といった、まさにポストモダン的なテーマが議論されたこと。また数多くの研究会やシンポジウムを企画する際、北澤さんが作家、批評家、美術史家の混成メンバーとすることが多かったことである。現在と歴史を相互反照させようとしたからだろう。そして声がかかった人々の多くがそれを快諾したのには、彼の実力と同時に律義さや誠実さへの信頼とカリスマ性があった。北澤さんの言論の切れ味からすれば、批判や異論を論破するのはたやすかったはずだが、ディベートに馴れた余裕もあったのか、研究会やシンポジウムで議論をリードするのがじつに上手かった。何十回の研究会を経て、二十八人の編著者で刊行にこぎつけた、制度研究の集大成ともいうべき大書『美術の日本近現代史――制度 言説 造型』（東京美術、二〇一四年）も、彼なしではとても完成できなかった。

本書が出た二年後、日本ではバブル経済の崩壊、世界ではソ連崩壊と、戦後体制の終焉が決定的となった。本書がまさに時代の境目に出たことが浮き彫りとなったが、その後の展開も含めていまふり返ると、美術の諸制度の中で、制作・表現領域での転換が、美術館や博物館など機構組織の転換より少し早かった様子が窺われる。迷路にあったはずの現代美術は、一九九〇年代以降、脱ホワイトキューブ、アートプロジェクト、コンピューターによるメディアアートなど、脱構築、ポスト現代美術ともいうべき「現代アート」に向かっていった。いま、美大の学生で「美術家」「芸術家」と自称する人はほぼなく、「アート」「アーティスト」になってすでに久しい。一方、国立の美術館・博物館の独立行政法人化は二〇〇四年、国立大学の法人化は二〇〇六年。東京藝大で一九九〇年代以降の「アート」に対応した新学科がつくられていくのも、二〇〇〇年頃以降である。しかも「芸術」大学の「美術」学部で、「アート」をつくるいびつな形になっており、表現に比べ、機構組織の制度改革はいかにも腰が重い。しかもこうした制度改革のそもそもの目的自体、実際には政府の〝財政〟改革にあり、バブル崩壊（一九九一年）後の長い不況が直接の原因だった。

バブル経済さなかの一九八九年に本書が出たとき、現代美術の閉塞を説く声はあっても、まだ美術館・博物館、大学、美術史、美術市場、美術ジャーナリズムの終焉を説く声はなく、世は浮かれていた。一足早く現代美術に表われた「美術」の〝制度疲労〟が、本書を生む一方で、本書はバブル崩壊後にやってくる機構組織の〝制度疲労〟を予言した、「予言書」になったのだった。これは、北澤さんが「美術」の起源を近代まで遡ったからであり、これによって美術団体も現代美術も、美術館や美術市場などの異業種も、すべて「美術」の異株同根の存在であり、それらの総体が「美術」の社会的生態系であることが明らかにされたのだった。美術史の中でもすでに細分化、専門化が進んだ状況から出発した私自身、近現代を通貫し、自分たちの職場環境までが研究対象となる理論の出現など、予想もしていなかった。

以後、私の場合は、「美術」や「日本画」「工芸」とは何か論ももちろんそうだが、とくに美術行政や美術史学史にかなりの比重をさいてきた。それが、日本・西洋間での日本美術(史)イメージのギャップの解明に、もっとも有効と考えたからである(前者はモノの生産と移動、後者は言説からのアプローチとして)。また自分が現在時点から歴史を見ている以上、その立ち位置の確認は近代から現代、そして現在へと通して見る必要があった。私が現代美術の批評を行なうことはなかったが、現代・現在の史的地平には常に関心があり、その点北澤さんのヴィジョンは、常に指標として頭のなかにあった気がする。文化財研究所から制作現場の東京藝術大学に職場が変わったことも大きかった。タイプもメディアも発想も異なる、しかし〝現在〟の多くの作家・アーティストたちとの交流や、とくに実技系博士論文に関わることから学んだことは多かった。制度の中での前述の表現領域と機構組織の関係は、十二分に体験、体感した気がする。

制度論的な美術史研究は、いま韓国、台湾、中国など東アジアでも行なわれ始めている。

「美術」や、「西洋画」「国画」という絵画の二部体制など、かなりのものがじつは近代日本から東アジア各国に伝わったものだったことが明らかになりつつある。そこでの「美術」は、西洋画と同様、日本経由で伝わった西洋の制度といえるが、近代東アジアの枠組で考える時にはやや慎重を要する。たとえば西洋画は、日本では西洋化や近代化の象徴だが、東アジアでは支配性（グローバリズムあるいは日本による）のニュアンスを伴ったりする。「美術」は西洋画や日本画のような地域名称を背負っていないため、今そうした問題に抵触しているわけではない。むしろ二〇一〇年代に入って国際シンポジウムなどでは、近代東アジア絵画を論じる重心が中国美術に移行しつつある中で、逆に日本での「美術」「美術史」「美術史学」をめぐる議論が、制作・研究両面で圧倒的に西洋との関係に偏重してきた様子が浮き彫りになりつつある。国画のシンポジウムであれば、中国ではほぼ南宗画（の水墨画）になるが、日本での南宗画は日本画のあくまで一部であるため、断りを入れてからでないと単純に表現の比較や影響論はできない。

　この二〇一〇年代の動向と、日本での近現代美術研究がじつはかみ合っておらず、かつて私が感じた日本・西洋間のイメージギャップ（日本美術史、近代日本美術史の両方）が、いま中国あるいは東アジアとの間に生じつつある。単純に言えば、それに対応しうるこの分野の研究者がきわめて少ない。北澤さんの学生時代の専攻は、たしか中国文学だったと思うが、中国・日本・西洋をバランスよく知る（しかし実際にはほとんどいない）知識人として、北澤さんにここでもう一回ご登場願えないかと思うのは酷だろうか。彼がこの三者の間にどのような歴史風景を描き出すのか、とても見てみたい気がする。

（さとう・どうしん　東京藝術大学教授）

人名索引

本書は、二〇一〇年二月二十日、ブリュッケより刊行された。

肉体の迷宮　谷川渥

あらゆる芸術表現を横断しながら、捩れ、歪み、時には傷つき、さらけ出される身体と格闘した美術作品を論じる著者渾身の肉体表象論。（安藤礼二）

武満徹エッセイ選　小沼純一編

稀代の作曲家が遺した珠玉の言葉。作曲秘話、評論、文化論など幅広いジャンルを網羅したオリジナル編集。武満の創造の深遠を窺える一冊。

高橋悠治 対談選　高橋悠治　小沼純一編

現代音楽の世界的ピアニストである高橋悠治。その演奏のような研ぎ澄まされた言葉と、しなやかな姿が味わえる一冊。学芸文庫オリジナル編集。

オペラの終焉　岡田暁生

芸術か娯楽か、前衛か古典か——。この亀裂を鮮やかに乗り越えて、オペラ黄金時代の最後を飾った作曲家が、のちの音楽世界にもたらしたものとは。

モーツァルト　礒山雅

彼は単なる天才なのか？　最新資料をもとに知られざる真実を掘り起こし、人物像と作品に新たな光をあてる。これからのモーツァルト入門決定版。

限界芸術論　鶴見俊輔

盆栽、民謡、言葉遊び……芸術と暮らしの境界に広がる「限界芸術」。その理念と経験を論じる表題作ほか、芸術に関する業績をまとめる。（四方田犬彦）

ダダ・シュルレアリスムの時代　塚原史

人間存在が変化してしまった時代の〈意識〉を先導する芸術家たち。二十世紀思想史として捉えなおす、衝撃的なダダ・シュルレアリスム論。（巖谷國士）

奇想の系譜　辻惟雄

若冲、蕭白、国芳……奇矯で幻想的な画家たちの大胆な再評価で絵画史を書き換えた名著。度肝を抜かれる奇想の世界へようこそ！（服部幸雄）

奇想の図譜　辻惟雄

北斎、若冲、写楽、白隠、そして日本美術を貫く奔放な「あそび」の精神と「かざり」への情熱。奇想から花開く鮮烈で不思議な美の世界。（池内紀）

ちくま学芸文庫

眼の神殿　「美術」受容史ノート

二〇二〇年十二月十日　第一刷発行

著　者　北澤憲昭（きたざわ・のりあき）

発行者　喜入冬子

発行所　株式会社　筑摩書房
東京都台東区蔵前二―五―三　〒一一一―八七五五
電話番号　〇三―五六八七―二六〇一（代表）

装幀者　安野光雅

印刷所　三松堂印刷株式会社

製本所　三松堂印刷株式会社

ISBN978-4-480-51023-5 C0170